La Fille du Ciel

YSABELLE LACAMP

Le baiser du dragon
Neige de printemps
La Fille du Ciel   *J'ai lu* 2863/**5**
L'éléphant bleu   *J'ai lu* 3209/**5**
Une jeune fille bien comme il faut

Ysabelle Lacamp

La Fille du Ciel

Éditions J'ai lu

A Jean-Marie

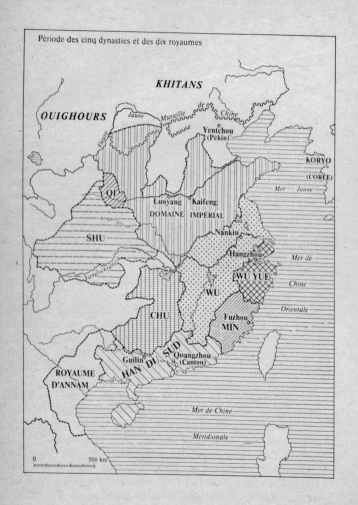

Période des cinq dynasties et des dix royaumes

KHITANS

OUIGHOURS

Jaune · Muraille · de · Chine

Yentchou
(Pékin)

KORYO

(CORÉE)

Mer — Jaune

QI

Luoyang · Kaifeng
DOMAINE · IMPÉRIAL

Nankin

SHU

Hangzhou

Mer de

Yangtsekiang

WU · YUE

Chine

WU

Orientale

CHU

Fuzhou
MIN

Guilin · HAN · DU · SUD · Quangzhou
(Canton)

ROYAUME
D'ANNAM

Mer de Chine

Méridionale

0   500 km

Avant-propos

Période de chaos et d'anarchie, le début du xe siècle voit se produire en Chine de profonds bouleversements. L'Empire florissant de la précédente et prestigieuse dynastie Tang, qui étendait ses conquêtes au-delà des Pamir, s'est éteint au début du siècle. La Chine éclate. Son unité n'est plus qu'un rêve.

Forts de leur pouvoir militaire accru lors des troubles qui déchirèrent les Tang à la fin du ixe siècle, de petits potentats locaux ont fondé leurs propres royaumes marchands indépendants au sud du pays, tandis que plusieurs empereurs aux dynasties éphémères se succèdent à la cour du Nord. C'est la période que les historiens chinois désigneront comme celle des Cinq Dynasties et des Dix Royaumes et qui marquera l'histoire de l'Empire du Milieu de 907 à 960 après Jésus-Christ.

Tout semble opposer les prospères cours du Sud, véritables États provinciaux sécessionnistes, au petit domaine impérial, réduit aux seules provinces septentrionales avec le Honan comme centre. En effet, victime depuis des siècles des appétits guerriers des Barbares qui ne cessent de déferler aux portes de l'Empire, le nord de la Chine se trouve à cette époque particulièrement touché par les incursions de redoutables tribus de cavaliers nomades d'origine mongole, les Khitan[1].

Après avoir fondé l'État khitan vers 907, leur chef, Ye-Liu-Tö-Kouang, se proclame très vite Empereur Céleste sur le modèle chinois, et lance une série de campagnes militaires qui lui assurent bientôt un véritable Empire des Steppes, depuis la Mongolie à l'ouest jusqu'à la Mandchourie et le nord de la Corée à l'est.

Dès lors, la menace de l'envahisseur barbare s'accentue. Sous la pression des pillards qui brûlent les récoltes sur leur passage, des populations entières ne vont pas hésiter à fuir la grande plaine du fleuve Jaune, berceau sacré de la Chine, jusqu'aux régions prospères du sud de Yang-Tsê, déplaçant petit à petit le centre de gravité économique de l'Empire.

A l'époque où se déroule notre histoire (autour de 940 de notre ère), l'empereur Shi-Jin-Tang qui s'est servi des Khitan pour monter sur le trône, se débat au milieu de sombres complots qui agitent sa cour à Kaifeng. L'opposition ne lui pardonne pas d'avoir cédé aux nomades l'extrême nord des provinces de Chan-Si et du Hopei qui constituent son fief.

De son côté, régnant sur le Guang-Dong et le Guang-Xi, provinces maritimes de l'extrême sud de la Chine (dont la première partie du roman emprunte le cadre), le roitelet Liu-Yin, qui doit toutefois tribut d'allégeance au Fils du Ciel de Kaifeng, a bien d'autres sujets de préoccupation en tête. Annexé

---

1. C'est par le nom de Khitaï que les Turcs et les Arabes désigneront la Chine par la suite. A leur exemple, comble de l'ironie pour ces Chinois si désireux de se défaire de l'emprise de cet envahisseur haï, Marco Polo appellera l'Empire du Milieu Cathay, un nom qui lui restera longtemps.

depuis des temps immémoriaux, le pays annamite[1], dont Liu-Yin a su adroitement détourner le tribut à son seul profit, secoue sa tutelle. C'est effectivement au Xᵉ siècle que l'Annam, province chinoise, deviendra un royaume indépendant.

C'est dans ce contexte passionnant, propice au brassage de populations, aux échanges d'idées et aux inventions, mais néanmoins période de troubles et d'incertitudes, de déchirements et d'invasions, que va poindre en Chine un sentiment nouveau, l'éveil d'une identité nationale en réponse à un Empire morcelé, brisé, la défense acharnée d'une culture et d'une civilisation au nom d'une intégrité par ailleurs menacée.

Qui mieux qu'une femme pouvait à sa façon défendre ce symbole en revendiquant tout d'abord son droit de vivre, de choisir et d'aimer dans une société patriarcale qui préférait reléguer ses femmes dans leur prison dorée !

1. Il comprend le Tonkin et le nord de ce qu'on appelait l'Annam du temps de la présence coloniale française.

1

Une foule compacte piétinait aux abords de la Grande Place dans un bourdonnement de mouches vertes et luisantes. Bousculée par un mulet, Shu-Meï évita de justesse un seau d'excréments qui valsait à l'extrémité d'une palanche.

Guang-Zhou[1], porte des mers du Sud, fleur vénéneuse au parfum d'eau croupie. A tout autre moment, la découverte clandestine de ce port cosmopolite, point de rencontre des marchands de l'Orient et de l'Occident, la traversée interdite de ces faubourgs grouillants d'odeurs et de couleurs auraient affolé sa curiosité.

Pas aujourd'hui. A peine remarqua-t-elle les badauds agglutinés autour des six suppliciés du jour enfermés dans leurs cages de bambou. On venait de loin pour jouir du balancement obscène de ces corps nus offerts, oiseaux décharnés aux paupières arrachées, recroquevillés sous le soleil de midi dans leur prison suspendue. Divertissement quotidien. Solitaire, un condamné politique se distinguait de ses compagnons — pour la plupart voleurs de poules ou vulgaires coupe-

1. Canton.

jarrets — par la cangue cloutée qui lui étranglait le cou.

Certains, les membres brisés, attendaient d'être écartelés sur la place publique, d'autres seraient pendus à des crocs de bouchers ou décapités comme l'attestaient ces têtes sanglantes qui se desséchaient sur leurs piques tels des melons d'eau éclatés.

Insensible au spectacle, Shu-Meï respira longuement pour chasser l'angoisse qui la gagnait. Son regard croisa celui de son esclave noir. Gêné, Ébonite baissa respectueusement les yeux.

Dans quelques instants, sa maîtresse saurait enfin si son « sein précieux » portait le « fruit du Mal ». Qu'elle semblait fragile, si fine, si délicate au milieu de ces paysans lourdauds aux trognes de pommes confites. Attendri, le jeune Malais allongea le pas.

Derrière eux, on ne discernait presque plus les toits recourbés de la Pagode Dorée. Le vert terni de ses tuiles avait graduellement fondu derrière une succession de terrasses étagées. Bientôt, serrées les unes contre les autres comme harengs en saumure, les habitations en bois laissèrent la place à d'étranges façades borgnes blanchies à la chaux, percées de minuscules ouvertures aux treillis ouvragés. Sur les portes basses en ogive, les noms des occupants étaient maladroitement tracés à la craie.

Shu-Meï et Ébonite venaient de pénétrer dans le quartier arabe de la Cité des Chèvres[1].

Ici, plus de marchands de crabes frits ou de soupe de nouilles aux abattis, d'étals de mandarines amères, de mangues juteuses ou de litchis dans leur coque grenat. La cacophonie de leurs cris stridents,

---

1. Autre nom de Canton. La légende raconte que cinq génies célestes montés sur des chèvres auraient fondé la cité en apportant des céréales aux pêcheurs installés au bord de la rivière des Perles.

ponctuée par le martèlement entêtant des plaquettes de métal des vendeurs d'horoscopes et des cliquettes de bois des porteurs d'eau, s'était estompée.

Shu-Meï eut une pensée pour Yi-Shou. Son époux était déjà venu à Guang-Zhou avant leur mariage. A l'époque, ses descriptions d'adolescent avaient ébloui la petite fille qu'elle était. Elle se souvint brusquement de son étonnement devant cette population hétéroclite de Persans, d'Arabes ou d'Indiens qui attendaient la mousson d'hiver pour regagner les mers du Sud sur leurs felouques chargées de soies, de porcelaines, de thé ou des laques de l'Empire.

Ébonite était arrivé un printemps sur l'une d'elles, acheté par un armateur de Bassorah contre une poignée de turquoises de Ceylan à quelque négrier ventru. Mais à côté des ivoires de Sumatra, des encens de Tamralipti ou des cornes de rhinocéros des îles Nicobar dont les cargaisons allaient rejoindre les entrepôts de l'administration chinoise, l'esclave noir ne représentait qu'une bien piètre marchandise !

Shu-Meï serra les pans de la tunique défraîchie qu'elle avait empruntée à Goutte d'Or, sa petite servante, afin de mieux passer inaperçue, et sourit de son audace : quelle femme de son rang aurait osé franchir l'enceinte du quartier barbare !

Son mari ne devait rien savoir de cette escapade. Elle avait profité de la visite qu'il devait rendre à un ami de son père pour quitter en catimini la demeure du gouverneur de Guang-Zhou qui les hébergeait depuis une semaine en attendant leur embarquement vers le pays du Matin Calme [1]. A sa demande, Ébonite avait tout organisé, soucieux de plaire à sa jeune maîtresse et confusément fier d'être lié à son secret.

---

1. Corée.

Depuis qu'ils avaient dépassé le bazar couvert, les babouches des Arabes[1] glissaient sans bruit autour d'eux dans un ballet de chéchias bleues tranchant sur le blanc éclatant des briques peintes. D'immenses tapis bariolés séchaient sur une terrasse. Aucune présence féminine, même à l'ombre du gargouillis des fontaines. Sans doute les compagnes de ces étrangers restaient-elles aussi enfermées !

Comme pour confirmer sa pensée, un rire cristallin fusa d'une charmille. Une pêche à moitié rognée tomba à ses pieds en trouant d'un bruit mat la poussière. Shu-Meï pressa le pas.

— Nous arrivons à la porte du Génie des Eaux, maîtresse, les sampans des Tanka sont amarrés près du bâtiment des douanes à droite de la Grande Mosquée.

Non loin, cette pagode curieusement « chauve » crevait les feuillages des banians et des flamboyants de son minaret étincelant. Au détour d'une tonnelle croulante de jasmin, ils débouchèrent sur un quai glissant devant lequel des centaines d'habitations flottantes oscillaient dans la brise, reliées les unes aux autres comme par magie.

C'était là que vivaient, naissaient et mouraient les parias de la Rivière, ce peuple tanka qui occupait le delta des Perles bien avant les Chinois.

A présent, rejetés et méprisés par la population locale, refoulés par les autorités qui leur interdisaient de s'installer à terre ou de prendre une Han[2] pour épouse, coincés entre ciel et fleuve sur leur royaume flottant, ils vivaient uniquement de leur pêche comme l'attestaient les paniers d'osier chargés de

---

1. Au Xe siècle la population arabe est très importante à Canton. On en dénombre 100 000 sur une population de 250 000 habitants.
2. Chinois de pure souche.

14

poissons et de crabes que des coolies dépenaillés débarquaient sans trêve et que des femmes édentées faisaient sécher au soleil sur de larges feuilles de palmier ou de bananier.

Moiteur trouble. Remugles puissants d'entrailles de poissons dont les têtes gisaient sur les pavés glissants. Mélange âcre et écœurant de pourriture végétale et animale : papayes en décomposition giclant sous les roues des charrettes à bras, rats crevés flottant dans l'eau croupie, misère humaine aussi.

On vidait sa merde par-dessus bord tout en se purifiant dans l'eau même qui accueillait les cendres des ancêtres.

« Si les femmes tanka pratiquent la sorcellerie et excellent dans la confection de potions et de poisons, peut-être est-ce leur façon de se venger du mépris dont leur peuple est victime ! » pensait Shu-Meï.

Ébonite lui tendit le bras pour la hisser sur un sampan bâché de feuilles de canne à sucre, puis enjamba la passerelle qui le reliait au suivant. Allongé au fond de son embarcation, un homme couvert de croûtes les regarda s'éloigner, la bouche barbouillée de bétel. Autour d'eux des enfants sautaient comme des singes d'une habitation à l'autre, disparaissant tour à tour derrière le linge qui claquait sur des perches en roseaux ou les filets raccommodés qui séchaient.

Cramponnée au bras de son serviteur, Shu-Meï s'efforçait de ne pas déraper sur les étroites planches disjointes, évitant de croiser les regards inquisiteurs de ces visages larges et épatés.

— C'est ici, lui souffla Ébonite en posant le pied sur un pont vermoulu.

Il lui indiqua une ouverture grossièrement découpée dans le bois.

— On vous attend. N'ayez crainte.

Oreilles bourdonnantes, Shu-Meï écarta le rideau de coquillages. Dans la pénombre, une main fraîche la guida silencieusement vers une natte de paille. L'adolescente aux yeux ronds, un anneau de cuivre dans ses larges narines, la dévisagea sans mot dire puis s'évanouit en riant. Une fumée âcre s'échappait d'un pot de terre où brûlait une poignée d'herbes odorantes. Shu-Meï toussa.

Malgré l'étroitesse du réduit, l'air qui filtrait à travers les claies rendait l'habitacle presque supportable. C'était elle qui étouffait.

Elle chercha une tache de couleur à laquelle se cramponner. Le relief rassurant d'un objet quotidien, la rotondité d'une calebasse au grain poli ou l'éclat usé d'une petite lampe à huile de fèves, aurait suffi à briser l'irréalité, la magie à goût de fiel qui suintait des parois enfumées.

Au-dessus d'elle, le bon rire d'Ébonite l'apaisa. Après tout, elle n'était que chez une vieille sorcière tanka qui lui bredouillerait quelques formules dans l'espoir de lui soutirer trois sapèques. Elle finit par se fixer sur une tache de lumière qui virevoltait comme un papillon.

Voilà près d'un an déjà qu'elle était devenue contre son gré l'épouse de Yi-Shou. Yi-Shou, son compagnon d'enfance, celui avec qui elle avait grandi au manoir des Trois Quiétudes dont l'ombre ancestrale baignait les plus riches terres des environs de Guilin[1]. Bien sûr, elle l'aimait comme on aime un frère, mais celui qu'elle appelait jadis « mon cousin » ne lui ferait jamais oublier Long-Jian, l'homme des Forêts Vertes, l'étrange hors-la-loi qui avait un jour bouleversé sa

1. Au nord du Guang-Xi. Guilin et Guang-Zhou font partie du même royaume des Han du Sud.

fragile existence. Était-il mort, avait-il survécu à sa chute dans les eaux boueuses du Li-Jiang ?

Quoi qu'il en soit, la famille s'était chargée d'écraser le scandale au plus vite et son mariage avec Yi-Shou avait eu le mérite de calmer le courroux de son père, le seigneur Tsao. Il permettait d'enterrer à tout jamais le passé tumultueux de Shu-Meï et d'espérer en la naissance prochaine d'un héritier mâle. Les ancêtres seraient ainsi apaisés et la descendance de Tsao perpétuée.

Bercée par le léger tangage, Shu-Meï s'était recroquevillée au bord de la natte. Un craquement la fit sursauter. A la tache mouvante s'était superposé un œil blanc qui la fixait étrangement.

Obnubilée par le globe révulsé qui crevait le visage parcheminé, Shu-Meï se mordit les lèvres. La vieille Tanka borgne fit alors tinter ses bracelets au-dessus d'un plat que recouvrait un fichu rapiécé et proféra une sorte d'aboiement rauque dans un dialecte parfaitement incompréhensible.

Une voix sortie de nulle part traduisit :

— Ma tante s'enquiert du motif de votre visite.

Shu-Meï rougit.

— Je suis venue vous consulter pour savoir si j'étais réellement enceinte.

La sorcière retira d'un coup sec le carré de tissu tout en mâchonnant un sourire édenté. Dans son geste, son pagne grossier se souleva découvrant deux moignons noueux.

— Ma tante demande que vous vous allongiez sur la natte.

Shu-Meï s'exécuta. Tordue dans son sac de chanvre, la vieille se mit à ramper vers elle comme une grosse chenille molle, tantôt roulant sur ses hanches, tantôt en appui sur ses bras décharnés, son arrière-train gigotant, grotesque.

17

— Découvrez votre ventre.

L'horrible apparition plongea alors la main dans un bol ébréché et porta furtivement à sa bouche une poignée de petites choses grouillantes qu'elle se mit à mâcher puis à recracher.

— Ce sont des vers de terre de Haï-Nan et des mouches que j'ai moi-même enfumés dans des nœuds de bambou, annonça fièrement l'adolescente à l'anneau.

Elle tendit une petite boîte en papier à sa tante qui en extirpa trois belles sauterelles d'un vert printemps. Ces dernières subirent le même sort.

— Crevettes de broussaille, précisa la nièce.

Shu-Meï avait déjà entendu parler de ces coutumes barbares qu'on attribuait volontiers aux minorités du Sud. Après tout, ce n'était pas moins ragoûtant que les soupes de serpents dont raffolait son père ou les grosses grenouilles sautées sur lit de fenouil dont on se délectait au Fou-Kien d'après les dires de Li-Mai, sa gouvernante.

Paumes jointes, la Tanka malaxait à présent les résidus de sa mastication baveuse dont elle faisait adroitement écouler les sucs au-dessus d'un récipient en bois sombre. Un chant sourd s'éleva sans que les lèvres noires comme barbouillées d'humus remuent vraiment.

Shu-Meï ferma les paupières et se laissa envahir par l'oubli, les sens brusquement apaisés. Elle sentit la sorcière apposer la mixture gluante sur son ventre et dessiner quelques signes cabalistiques autour de son nombril.

— Le Roi-Dragon, maître des eaux des Tanka, lui assure que vous attendez bien un enfant.

La confirmation tant redoutée glissa autour d'elle comme un vêtement inutile dont on se dépouille, pressé de le laisser choir derrière soi. Ni angoisse ni soulagement, une indifférence étale devant les pitreries du destin. Depuis que la vie l'avait arrachée à son unique amour, tout ce qui lui arrivait ne lui était-il pas égal ?

Elle rouvrit les yeux. Dans un nuage de duvet, une lame brillante s'abattit sur un oiseau ahuri que la jeune nièce maintenait sur une planchette.

Shu-Meï n'eut pas le temps de hurler, le sang chaud gicla sur son ventre, délayant la bouillie purulente comme un énorme cœur éclaté sur lequel une plume blanche vint se coller.

Au même instant, un gros lézard surgi d'entre deux lattes se faufila sous les jupes de la vieille.

— Regardez, les dieux viennent d'envoyer le Seigneur à la Queue Jaune, s'écria la jeune Tanka surexcitée. C'est un fils.

La sorcière borgne déposa aux pieds de Shu-Meï une fiole brunâtre et une boîte de graines multicolores.

— Ce serait dommage de lui couper la vie, néanmoins cette potion peut vous y aider.

Shu-Meï se redressa alors sur sa couche. Au détachement avait brutalement succédé la révolte. Non, elle ne supprimerait jamais ce fruit de la honte. Seuls les faibles baissaient la tête devant le destin.

Devant la violence qui bouleversait ses traits, la Tanka sortit d'une jarre un sachet gonflé de grosses fèves luisantes comme des cafards.

— Mettez-le sous votre oreiller. Il vous portera bonheur si vous décidez de garder l'embryon parfumé.

L'adolescente l'aida à se relever. L'entretien était terminé. Shu-Meï sortit quelques sapèques de la bourse brodée de lys qu'elle serrait dans sa manche, mais l'infirme les repoussa avec fierté.

— Elle ne veut rien de vous.

— Mais pourquoi ?

La Tanka fixa Shu-Meï de son œil unique.

— Parce que vous êtes des nôtres. Vous aussi vous êtes une paria, répondit-elle doucement.

Pour la première fois elle venait de s'exprimer en chinois.

2

Enveloppée par les soins attentifs d'Ébonite, Shu-Meï se laissa remonter à la lumière. Le reflet délavé des sampans s'affolait dans l'eau, ombres déchiquetées imbriquées dans leur malédiction, tandis que le soleil écrasait les bâches et blanchissait les voiles.

Paria... C'est vrai, elle s'était toujours considérée comme telle avant même d'avoir rencontré Long-Jian. Enfant, ne réclamait-elle pas déjà sa liberté en rejetant férocement sa future condition de femme ? Elle se bandait les seins en cachette pour retarder le moment où, étiquette oblige, elle se verrait recluse dans l'enceinte du Pavillon Rouge[1], cloîtrée, immolée, à la merci d'un mariage arrangé avec quelque riche barbon du voisinage.

N'avait-elle pas elle aussi le droit de choisir et d'aimer ? Illusion. Elle ne regretterait pourtant jamais le jour où elle avait décidé de suivre envers et contre tous l'ennemi juré de son père, celui qui avait osé l'enlever et la monnayer contre une rançon.

Bandit de grand chemin, imposteur illuminé aux yeux des uns, redresseur de torts, figure héroïque douée de pouvoirs surnaturels pour les autres, qu'im-

---

1. Pavillon des femmes.

porte ! Pour Shu-Meï il restera... ...oit, celui qui ...ong-Jian, l'homme tendre et fort, trop ...né le droit à la lui avait décousu les paup... des amants, la chasse Vie, la vraie. Mais à qu... broyées. L'armée de Tsao Le courroux du père... au rebelle. Images... choquement des sabots, éclat à leur poursuite, ...ment des oriflammes, traînées de des armures, ...zur. Et puis la chute du « Dragon » sang zébran... au-dessus ...u Fleuve, leur dernier regard, le cheval qui se cabre, la falaise qui bascule, le Néant.

De retour au bercail, Shu-Meï s'était imposée une mort lente, retranchée du reste du monde et des siens, flottant entre les eaux du mépris et celles de l'indifférence. Persiflages ou discours moralisateurs n'avaient pas plus de résonance à ses oreilles que caquetages de dindons grattant le sable des cours.

Affolées, ces dames ne reconnaissaient plus l'œuf qu'elles avaient couvé. Où était donc la petite fille impertinente qui glissait des os de poulet dans les manches de ses aînées ? Fallait-il qu'elle ait tellement souffert dans l'obscurité des Forêts Vertes, ballottée de chevaux en tanières, dormant à même la roche, nourrie de racines et de sang de chauve-souris, pour raser à présent les tentures, exsangue, absente, fantôme de son propre passé !

Malgré la rumeur, personne au Pavillon Rouge ne croyait réellement à l'idylle dont on se gargarisait dans les campagnes, le nez plongé dans de grossières gravures qui unissaient la Belle et le Bouvier[1] dans des positions plus que salaces.

A l'évocation de ce rustre qu'elles imaginaient dans

1. Allusion à l'histoire d'amour la plus célèbre de la mythologie chinoise qui illustre l'amour de la tisserande Zhi-Nu, fille du Ciel, et d'un bouvier.

leur indignation tout encroûté de vermine, poilu comme un singe, puant l'ail cru et le cuir mal équarri, ces dames rétorquaient que leur « fleur » n'y était pour rien, qu'on lui avait jeté un mauvais sort. Tout en gavant Shu-Meï de potions et de philtres magiques, il leur arrivait pourtant à elles aussi de rêver tout bas à l'étreinte du violeur-redresseur de torts sanglé dans sa touloupe en peau de buffle.

Désireux d'étouffer les ragots qui entouraient désormais la virginité de sa fille, le seigneur Tsao avait alors décidé de la marier au plus vite à Yi-Shou. Plût à Guan-Yin [1], l'absence de lien de sang entre Shu-Meï et ce fils adoptif permettait de justesse l'arrangement.

Le matin de la cérémonie, serrée jusqu'à l'étouffement dans une chappe de brocart écarlate tissée de fils d'or, Shu-Meï — comme toute future épousée quittant sa famille — dut dès l'aube faire ses adieux factices au manoir.

C'est qu'on n'était pas habitué à célébrer les épousailles de deux promis issus d'un même toit ! On avait beaucoup réfléchi à la manière de respecter l'étiquette pour ne pas blesser les dieux et l'on n'avait trouvé que cette solution : Shu-Meï ferait semblant de s'arracher à sa demeure de jeune fille pour y revenir en tant qu'épouse de Yi-Shou.

Tsao avait froncé les sourcils devant ce rituel aussi grotesque que saugrenu. Mais Dame Yu, sa deuxième mère [2], la bouche pleine de compote d'airelles, s'était égosillée en tapotant son accoudoir du revers de son éventail :

1. Divinité bouddhiste.
2. Deuxième épouse du père de Tsao.

23

— Mon fils a-t-il songé que cette union pouvait déplaire aux ancêtres du clan Tsao, soucieux d'en accroître la puissance par des arrangements matrimoniaux extérieurs ?

— Et vous voudriez les berner à coups d'étiquette ? s'était esclaffé Tsao.

— Nenni.

Les pieds de la vieille dame bouillonnaient d'indignation dans leur bain d'armoise.

— Un bon mariage doit se fonder sur le respect des lois et des préséances. Construisez-vous un temple sans creuser de fondations ?

Plutôt amusé par la virulence inattendue de sa seconde mère, Tsao avait haussé les épaules. Certes, il renonçait à une brillante alliance qui lui aurait permis de dominer la région, mais l'honneur était sauf ! De toute façon, quelle riche famille aurait misé sur une Tsao violée et reviolée par ces gibiers de potence qui l'avaient enlevée, pis, souillée par son aventure avec ce hors-la-loi glaireux qu'il avait d'une chiquenaude projeté dans le précipice ?

Devant les fausses larmes et les soupirs exagérés de la valetaille, la chaise à porteurs laquée de vermillon s'était éloignée, rideaux fermés.

Shu-Meï n'avait pas besoin de regarder à travers le treillis en forme de rosace pour imaginer Li-Maï, sa gouvernante, raidie par l'émotion tel un corbeau empaillé. Sous leur parasol vert à franges perlées, tout d'automne revêtues, Dame Yu et Jaspe Éclatant, sa petite tante, devaient quant à elles sangloter sottement.

La vie se résumait-elle à cette allée toute tracée, sans sinuosité, au blanc gravier ratissé à la pointe du jour par une demi-douzaine de jardiniers zélés ? Elle se souvint tout à coup des propos scandés la veille au matin par Talent Modeste, l'oncle de son père : « Le passé n'est que le refuge des sots ou des non-voyants. »

Comme à l'accoutumée, l'aïeul aveugle était assis sous la tonnelle aux hibiscus, flottant dans son manteau de gaze thé, le menton appuyé sur sa canne en bambou. Dans cette position, il lui faisait penser à Yu-Di l'Empereur de Perle, le commandant des Dix Rois des Enfers dont on achetait l'image aux colporteurs dans la rue.

Depuis le scandale qui avait précédé son retour au manoir, Shu-Meï avait évité le vieux lettré. Par pudeur, plus que par honte.

Il avait maigri, une tache brune s'élargissait sur sa pommette gauche comme un nuage d'automne. Il tendit une main tremblante au-dessus de la jeune fille comme pour s'assurer de sa présence.

— Ma nièce m'avait-elle oublié ? Je craignais qu'elle ne négligeât jusqu'aux livres de ma bibliothèque.

Shu-Meï ne répondit pas. Elle avait tiré un petit tabouret et s'était agenouillée à ses pieds comme lorsqu'il lui apprenait à lire et à écrire. Un instant elle se laissa envelopper par l'enfance, grisée par le doux parfum de camphre et de cannelle qui accompagnait toujours les gestes du vieil homme.

De petits poissons d'ambre dansaient dans ses yeux morts comme autrefois lorsque le pinceau de son élève chuintait d'aise sur la soie comme une grosse limace baveuse.

Talent Modeste soupira :

— Demain tu seras femme. Respecte en Yi-Shou un mari bon et sincère même si ton cœur pleure.

Les yeux délavés à force de scruter l'ombre soutinrent son regard comme s'ils avaient deviné son étonnement.

— Il y a longtemps que je t'ai pardonné, Shu-Meï...

(La voix se fit murmure.) Tu penses dans ta révolte que ton destin a été tissé par les tiens. Détrompe-toi... Je suis peut-être un vieux fou, mais je sonde l'Invisible autant que je perce les cœurs.

Tendu vers la lumière, le visage usé semblait rayonner d'une douceur irréelle, presque surnaturelle, comme s'il n'était déjà plus de ce monde.

— Crois-moi, ta destinée sera grande, à condition que tu t'efforces, par ta seule volonté, de te diriger là où les dieux ont décidé de t'attendre.

Épuisé, Talent Modeste s'était tu. Il semblait à présent dormir. Seuls les ailerons empesés de son bonnet de lettré frémissaient dans la brise comme deux ailes de papillon arrachées.

Tandis que la silhouette hérissée de toits du manoir se délayait peu à peu dans la brume de chaleur, Shu-Meï, ballottée dans sa chaise à porteurs, caressa longuement dans son souvenir la barbiche argentée nouée dans le cou de l'ancêtre.

Elle pensa avec un pincement au cœur que c'était là le seul héritage qu'elle garderait des Trois Quiétudes : quelques mots inintelligibles, un fil invisible qui l'aiderait peut-être à guider sa vie.

Les deux laquais qui couraient sur la pierraille, leurs mollets arqués tremblotant comme des gelées, s'arrêtèrent au bord du fleuve pour souffler un instant, leurs petites queues de rat gouttantes de transpiration.

A peine eurent-ils le temps de se délester de leur charge : estomaqués, ils virent la future épousée bondir de son écrin molletonné comme une châtaigne éclatant de sa bogue.

Brassant la multiple épaisseur de ses jupons, le diadème de perles de jade en déséquilibre sur les tresses serrées de son chignon, Shu-Meï s'était préci-

pitée sur la berge autant que le lui permetta[...]
chaussons de satin rouge à épais talons de lustr[...]

Respirer, elle avait besoin de respirer encore une fois le sens de cette vie qui lui échappait comme cette eau bouillonnante qui arrachait tout sur son passage et qui avait englouti l'ombre de son unique amour.

Un peu plus tard dans la matinée, après avoir tourné plus d'une veille autour du manoir pour justifier de son arrivée triomphale, la nouvelle bru, visage lisse sous ses fards ocre et rosés, franchissait en sens inverse les licornes de pierre du portail du Dragon Sournois.

Précédée d'un essaim de servantes, elle retraversa sous son dais grillagé les multiples cours et les jardins parfumés de son enfance. Ici et là on avait aspergé le sol de haricots, de graines de pastèques et de sapèques pour écarter les mauvais esprits. A sa descente du palanquin, afin d'assurer aux mariés une heureuse descendance, on la fit même grimper sur une selle brodée qu'elle dut chevaucher par trois fois devant les sourires entendus de ses compagnes.

Elle dut ensuite s'avancer, chancelante, au bras de sa gouvernante et suivre en l'effleurant à peine l'interminable tapis de soie verte déroulé jusqu'à la porte d'honneur. La guidant à reculons, une des chanteuses louées pour l'occasion lui tendit alors le miroir où était censé se refléter son passé.

Shu-Meï n'y prêta pas le moindre regard.

Un brouillard d'encens, d'essence de musc et de pétales d'orchidées la conduisit jusqu'à la salle de la Pureté Infinie où l'attendaient Yi-Shou et la famille au grand complet.

Jaspe Éclatant sanglotait d'émotion, son visage grêlé luisant comme une tourte aux œufs. Engoncée dans une robe de brocart corail festonnée de faisans apeurés, Dame Yu tendit au couple la rituelle paire de baguettes en or et le vase en vermeil où nageaient deux poissons hébétés, symboles de fécondité. Puis Li-Mai déposa gravement aux pieds de la mariée deux belles têtes d'oignons, conjurant ainsi un hypothétique mauvais sort.

Shu-Meï sourit. L'offrande avait quelque chose de grotesque. Les bulbes boursouflés et violacés lui faisaient indéniablement penser à de gros testicules bouillis.

Tremblant, le jeune marié s'agenouilla pour soulever le voile écarlate qui cachait le visage de l'élue. Apparut la bouche rouge, petite et renflée comme un bouton de prunus avec la minuscule cicatrice qui nervurait sa commissure gauche. Aujourd'hui qu'elle était sienne, il ne pouvait s'empêcher de déborder de tendresse pour cette infime imperfection, souvenir d'un chaud après-midi où Shu-Meï était tombée sur une pierre en courant derrière lui.

Lentement, il découvrit l'ovale de chat aux pommettes hautes qui semblait frissonner sous la poudre irisée. Mais Yi-Shou la savait plus belle encore sans ces ornements factices, ce *huadïan* [1] dessiné entre les yeux, ces sourcils peints avec de l'osier brûlé et ce rouge à joues agressif, sang de fleurs écrasées d'iris et de grenadier.

Les torches de résine, érigées comme des sexes dans leurs coupelles de pétales, tremblaient dans ses yeux, les pailletant d'or liquide. Il y but tendresse et résignation. Une certaine ironie aussi. Il faillit détourner le regard lorsqu'il aperçut deux larmes couler sur les joues de son épousée.

C'était, à n'en pas douter, des larmes de joie ! Éperdu, il se jeta à ses pieds, tandis que Shu-Meï

1. Mouche en forme de fleur de prunier.

sanglotait de plus belle, les yeux picotés par les oignons de Li-Mai.

Plus tard, alors que la fête battait son plein, entre deux estrades d'offrandes croulantes de beignets aux dattes farcies, de gâteaux de châtaignes d'eau et de boulettes de riz gluant, on procéda à la cérémonie des « coupes ».

Face à Shu-Meï débarrassée de ses voiles, Yi-Shou leva bien haut sa tasse d'alcool de riz avant de la vider à quatre reprises comme le voulait la coutume. En réponse, l'épouse devait timidement porter par deux fois la coupe à ses lèvres, prouvant par ce geste symbolique son infériorité. L'assemblée scanderait alors joyeusement : « L'homme est le plus fort, la femme doit accepter son sort. »

Seulement, Shu-Meï ne l'entendait pas ainsi. Elle maîtrisa son mépris pour cet alcool trop douceâtre auquel elle préférait la gnôle âpre dont s'arrosaient les Frères de Long-Jian pour se tenir éveillés les nuits sans lune, et vida posément ses deux coupes. Puis, sans quitter son mari des yeux, elle s'empressa de doubler la mise.

Un silence gêné suivit. Une fois de plus sa fille faisait des siennes ! Furieux, Tsao ordonna au maître de musique de faire diversion tandis que Yi-Shou, vexé comme un tigre sans moustache, finissait d'un trait le carafon.

L'homme qu'il était ne perdrait pas la face le jour de son mariage.

Lorsque Yi-Shou pénétra en titubant dans la chambre des Soupirs Frileux, babillages fruités et glousse-ments entendus bruissaient encore comme un écho derrière les tentures pourpres.

La bouche pâteuse, des fourmis dans le bas-ventre,

il se dirigea en conquérant vers l'estrade jonchée de coroles comme autant de mains coupées.

Assise sur l'édredon brodé d'arondes entrelacées, Shu-Meï, caparaçonnée dans sa robe de cérémonie, n'avait ni touché à l'échafaudage alambiqué de sa chevelure ni desserré un seul ruban à sa ceinture.

Yi-Shou fronça les sourcils. Pourquoi ne s'était-elle pas préparée ? Elle aurait dû l'attendre dévêtue, les yeux pudiquement baissés sur la pointe de ses orteils nacrés, son corps alangui tranchant sur la soie jaune [1] comme une longue orchidée sauvage. Il réprima un rot compassé, tendit maladroitement les bras vers son épouse et se prit les pieds dans le tapis.

Devant le grand dadais éméché qui venait de tomber lourdement à ses pieds, Shu-Meï ne broncha pas. Elle essayait désespérément d'évoquer la naïve complicité qui la liait jadis à son cousin. Pourtant, à peine écloses, les images muettes glissaient à la dérive comme ces feuilles d'automne plaquées fugitivement par le vent contre le papier huilé de la croisée.

Yi-Shou s'était assis gauchement au bord du lit. Comme sa femme était belle, immobile dans ses pensées ! Devait-elle être gênée pour ne pas oser se dévêtir ! Cette révélation le gonfla soudain d'attendrissement.

— Te souviens-tu, petite sœur, de notre cachette secrète où nous élevions des vers à soie en les gavant de pâtes de fruits et de gâteaux de lune ?

Bien sûr, elle s'en souvenait. C'était même sur son instigation qu'ils l'avaient aménagée.

— On s'était juré fidélité éternelle, n'est-ce pas ?

La voix de Yi-Shou tremblait comme la flamme

1. Couleur de la fertilité et par conséquent couleur de l'édredon des mariés.

30

d'un quinquet. Une boiserie craqua. Un papillon de nuit s'échappa du coffre à habits.

Brusquement Shu-Meï eut honte. L'évocation de leur bonheur d'enfants effaça d'un seul coup l'image du benêt hagard qui venait de troquer sa fierté de mâle blessé contre un pichet d'arak. Pauvre Yi-Shou, il n'avait pas mérité son mépris.

Afin de ne pas la troubler, celui-ci s'était détourné pour ôter sa tunique de gaze cramoisie et ses chausses bouffantes en forme de nuage. Shu-Meï ferma les yeux. Sa nuit de noces, elle l'avait déjà vécue avec Long-Jian un soir sans lune sous une pluie tiède, entre le chant feutré des grillons et le ricanement des crapauds. A présent, qu'importait. Elle accomplirait respectueusement son devoir d'épouse jusqu'à ce qu'elle accouche d'un rejeton mâle. N'était-ce pas désormais sa seule raison d'être ?

Les reins tenus par une large ceinture virile, Yi-Shou s'adonnait à présent à quelques exercices d'assouplissement comme il était sagement recommandé dans les manuels taoïstes avant que la Cigogne au Long Cou ne visite la Grotte Rouge.

A la lueur des torches, Shu-Meï entr'aperçut son sexe pâle se balancer comme un long pistil lunaire. Pour elle qui l'avait connu petit garçon, la vision furtive de ses attributs ahuris lui apparut franchement cocasse.

Dans l'obscurité frémissante, refoulant au mieux l'hilarité qui commençait à la gagner, Shu-Meï ne put s'empêcher d'imaginer, telle une Courgette Volante, la Tige de Jade de Yi-Shou grimper aux rideaux puis piquer du nez sous les meubles à l'affût de quelques miettes de Hua-Gao [1] avant de revenir aux pieds de son maître, droite comme une chandelle, en se dandi-

1. Gâteau de riz gluant aux jujubes.

nant comme mademoiselle Li lorsqu'elle avait mal aux pieds.

Pendant ce temps, sérieux comme une colonne de lit, Yi-Shou faisait craquer ses articulations l'une après l'autre comme s'il cassait une demi-douzaine de noix. Du coin de l'œil, il regardait Shu-Meï. Comment allait-il procéder ? Devait-il ou non la déshabiller ? Aaah... Toucher ses seins crémeux, mordre sa peau tiède, boire à sa source, s'enfouir en elle comme dans un édredon de plumes mouillées.

Soudain son désir s'affola. Les sens tourneboulés, il s'affala sur elle, retourna ses jupons, et la pénétra sans prendre même le temps d'apprivoiser la Niche Sacrée.

Barricadée dans son indifférence, Shu-Meï n'avait plus envie de rire. Au-dessus d'elle, le visage bouffi et contracté, Yi-Shou grimaçait, s'arc-boutait, se trémoussait frénétiquement tel un poulet picorant dans un entonnoir.

Tandis que Shu-Meï éliminait de ses pensées le tronçon de chair à la neutre consistance qui semblait flotter dans son ventre, Yi-Shou comptait. Neuf poussées rapides suivies d'un grand coup profond. Si, comme le précisait Tong-Xuan dans ses écrits, il arrivait à quatre-vingt-un — nombre Yang par excellence — son énergie vitale en serait fortifiée et son ouïe et sa vue affinées.

Mais comment son Yang allait-il s'enrichir au contact d'un Yin aussi récalcitrant ?

Sa femme ne réagissait pas plus qu'une poupée de chiffon. Il avait pourtant copié consciencieusement le mouvement lent et tournant de « la mouette plongeant dans la vague » comme le lui avait conseillé l'oncle Tsao, agrémentant sa technique de petites secousses brèves qui auraient fait bêler de pâmoison n'importe quelle grue du canton.

Narines frémissantes, il sentit brusquement monter sa jouissance. Panique ! Sa précieuse rosée ne devait s'échapper à aucun prix. Ce serait causer un tort inexprimable à son organisme. Vite, il devenait urgent d'appliquer les préceptes de l'Immortel Li : un et deux... on arque le dos et on tend le cou tout en fronçant les sourcils. Trois et quatre... on inspire, tout en grinçant des dents comme si on sciait une huître.

Aaah... Yi-Shou contracta le ventre jusqu'à en avoir la nausée. Miracle ? Sa « liqueur vitale » venait de grimper le long de sa colonne vertébrale pour aller se terrer dans son cerveau [1]. Au même instant, un misérable petit pet couinant vint couronner ses efforts.

A la vue de son compagnon aussi grimaçant qu'un ouistiti poussant dans ses fourrés, Shu-Meï ne put contenir son fou rire. Devant l'hilarité de son épouse, Yi-Shou se fâcha :

— Afin d'avoir des enfants, un homme doit d'abord emmagasiner et nourrir sa semence au lieu de la disperser à tous vents, s'entendit-il déclarer bêtement.

Incapable de prononcer un seul mot, Shu-Meï pria Guan-Yin de faire rapidement diversion, avant que la scène ne vire au vinaigre.

— N'as-tu pas honte de te rire de ton mari le soir de tes noces au lieu de l'encourager à s'unir harmonieusement à ton Tigre Blanc ?

Furieux, Yi-Shou se leva, son Pinceau Pourpre lamentablement en berne. La fleur de prunier incrustée de larmes de métal délicatement peinte entre ses sourcils effilés lui rendit soudain le beau visage de Shu-Meï étranger.

---

1. C'est ainsi que les taoïstes de la Chine ancienne expliquaient le trajet de la semence lors de sa rétention.

Brusquement il comprit. Comment avait-il pu être aussi niais ? Si sa femme ne l'avait pas reçu dépouillée de ses atours ainsi que l'exigeait la coutume, le ventre recouvert de l'écharpe de gaze virginale, des bracelets d'argent, symbole de sa tranquille dépendance, brillant à ses chevilles, ce n'était pas par pudeur comme il avait eu la faiblesse de le croire, mais pour lui crier son refus.

Cette roideur et maintenant ces gloussements, tout justifiait l'omniprésence de ce Long-Jian haï, cette fiente liquide qui avait osé détruire leur connivence et souiller leur amour, celui qui l'avait ensorcelée jusqu'à lui faire perdre raison.

Ricanait-elle ainsi devant le glorieux panache du hors-la-loi ? Pis, n'était-ce pas en comparant son Bâton Fleuri qu'elle s'était mise à pouffer !

— Tu l'aimes toujours, n'est-ce pas ?

Yi-Shou venait de crier. Un grognement sauvage, inhumain, hargneux, qu'elle ne lui connaissait pas.

Oui, elle pensait à Long-Jian de façon sourde, douloureuse, constante. Et alors ! Pas plus aujourd'hui qu'hier ou demain.

Pris de frénésie devant ce silence éloquent, Yi-Shou arracha la soie verte de la robe supérieure, déchirant l'ourlet bordé d'œillets et de plumes de martin-pêcheur. Sans le moindre égard pour les cinq jupons de moire et de taffetas qu'il avait tout à l'heure délicatement soulevés, il les froissa d'un geste rageur comme s'il piétinait un massif de fleurs.

Ah ! elle avait voulu se moquer de sa petite chenille blafarde au lieu de louer sa céleste poussée. Eh bien, soit ! Maintenant elle allait voir à qui elle appartenait, lui dont la fougueuse arbalète faisait tourner les cœurs de la bourgade comme du fromage caillé.

L'Oiseau Écarlate en main, il s'insurgea, chargea, écartela. Mais plus il s'acharnait, plus sa virilité bafouée rechignait, plus molle qu'une laitance de tofou, comme un ridicule étron blanc.

Qu'à cela ne tienne. Il reprit son élan, dérapa, se trompa de terrier, réattaqua. Rien à faire. La bête se tordait, gémissait, suppliait, exténuée avant d'être repue.

Yi-Shou en aurait pleuré.

Après plusieurs assauts désespérés, confit de rage, malheureux comme un pendu, il s'effondra telle une bouse sur la couche nuptiale, bouche ouverte et ronflant son vin.

Shu-Meï se dégagea doucement. Combien de temps pourrait-elle tenir dans sa nouvelle vie de femme ? Longtemps, les yeux ouverts, elle sembla voguer dans la nuit.

Détachée du rivage, sa barque flottait, lointaine.

3

Le surlendemain, ils partirent s'installer à Guilin. Tsao en avait décidé ainsi. La tourterelle et le loriot avaient besoin de construire leur nid. Un éloignement, même provisoire, couperait bien des amarres avec le passé.

Cette décision souleva la désapprobation de Dame Yu qui comptait encore faire prévaloir sa voix de fausset dans la demeure patriarcale.

Pourquoi bouleverser les rites ? En tant que fils aîné, Yi-Shou ne devait-il pas se conformer aux usages et rester au manoir en compagnie de sa nouvelle épouse ?

— Les circonstances n'ont rien d'habituel. La sagesse demande donc qu'on s'y adapte sans se remplir les yeux de chaux, avait sèchement conclu Tsao.

Après tout, il était le maître des lieux !

Sans trop oser se l'avouer, la présence de sa fille le gênait. Shu-Meï resterait toujours une rebelle. Aussi, avant que ses lubies et son insoumission ne sèment l'anarchie sous son toit, il était prudent de l'élaguer du grand arbre de vie des Trois Quiétudes.

En soupirant, Dame Yu céda à sa petite-fille le service d'Ébonite, son jeune esclave noir. Il ne lui serait pas de trop pour l'aider à affronter la ville et ses dangers.

Shu-Meï se laissait porter par les événements dans l'indifférence. Malgré son désœuvrement, elle pouvait remercier les dieux : grâce à ce mariage, elle n'hériterait ni de l'encombrante belle-famille à qui toute bru devait obéissance aveugle, ni des foudres d'une redoutable belle-mère. Qui plus est, son mari n'était ni un inconnu ni un mauvais compagnon.

Quant à Yi-Shou, il caracolait. Le souvenir de la fameuse nuit semblait avoir basculé dans ses songes.

— Tu seras heureuse, petite sœur ! Je passerai mes examens officiels et je deviendrai le grand fonctionnaire dont tu seras fière.

Shu-Meï était plutôt soulagée de quitter l'Enceinte Dorée. Depuis qu'elle avait caressé du bout des doigts les étoiles et s'était faite l'écho du vent sur les cimes bleutées, il lui paraissait de plus en plus inconcevable de rester cloîtrée. Condamnée qu'elle était à se fossiliser entre suivantes et soubrettes agglutinées à ses basques, mieux valait encore s'arracher des tentures poussiéreuses du manoir.

Une fois à Guilin, elle serait au moins maîtresse chez elle : les jarres et les paravents n'auraient pas les mêmes oreilles !

Guilin : la poussière d'une petite ville du Sud. Ses remparts de terre et de briquettes blanchis à la chaux. Ses rues ombragées de kapokiers et de banians et son étrange ceinture de pics noyés dans les brumes.

La litière avait longé les Trois Lacs bordés de forêts de pins, traversé le pont de la Verte Couronne et pénétré dans la partie basse de la ville par l'arche arrondie de la porte de la Halle au Riz.

Ce jour-là, les lourds tambours de bronze résonnaient lugubrement, ébranlant les entrailles de la cité en invoquant les dieux des Pluies.

Yi-Shou, dont le buste trop long semblait cassé en deux sous le dais de jute, somnolait, le menton renversé sur son plastron brodé. Dans la chaleur poisseuse, montait par bouffées l'odeur rance des moutons que l'on dépeçait, mêlée aux effluves douceâtres des canneliers.

Plaquée contre la portière, Shu-Meï laissait rêveusement défiler les façades bariolées des échoppes lorsqu'un choc mou immobilisa le convoi. Elle eut à peine le temps de voir un gamin blême se relever ensanglanté, poursuivi par les jurons et les gesticulations de l'équipage. Autour d'eux, la foule s'était déjà massée, hagarde.

— Les gens ont faim ici, expliqua hâtivement l'un des cochers. Ces fils de gueux n'ont pas trouvé mieux comme stratagème. Ils se jettent sous les roues des riches équipages et simulent la mort. Mère et sœurs viennent alors gémir et réclamer dommages et intérêts... Mais on n'abuse pas le vieux Chu !

Devant les moignons rongés de vermine qu'un mendiant lui brandissait sous le nez, Shu-Meï rabaissa violemment le rideau de velours.

Ainsi, la misère s'étalait partout, à la ville comme à la campagne !

Pourtant, attirées par le mirage de ces richesses maritimes, des familles déracinées quittaient par milliers les régions au nord du Yang-Tsé pour venir gonfler le lot des miséreux du Guang-Xi.

Trois hommes enchaînés, monstrueusement défigurés au fer rouge, surgirent au coin d'une fontaine entre deux tamariniers.

Yi-Shou bâilla tout en haussant les épaules.

— Des déserteurs du Champâ[1], sans doute... singes galeux d'Annam secouent encore leurs moustaches à ce qu'il paraît... Eh bien, que le Roi Borgne[2] leur torde les couilles un bon coup et qu'on n'en parle plus !

Content de lui, il rit. Un rire de petit garçon sardonique qui ne manqua pas de hérisser Shu-Meï.

— Si la situation s'envenime, ajouta-t-il en serrant sa femme contre lui, certains même n'hésiteront pas à manger leurs enfants ! Par ces temps de guerre et de famine, le cannibalisme s'est déjà pratiqué.

Shu-Meï déglutit. Tandis qu'ils évitaient les faubourgs surpeuplés aux hautes maisons serrées, l'écho des coups de maillet frappés en cadence sur les os des orphelins pour en faire gicler la moelle retentissait douloureusement dans sa tête.

Elle ferma les yeux.

La maison qu'ils devaient habiter avait naguère appartenu à un obligé de Tsao. Construite sur un seul étage autour d'une large cour plantée d'un manguier, elle se dressait au coin d'une rue tranquille, bordée de larges bananiers, au bout de laquelle se profilaient les tours azurées d'un temple taoïste.

Lorsque Shu-Meï poussa les battants recouverts de toiles d'araignée pour pénétrer dans la vaste salle de réception carrée, elle ressentit un immense vide. Entièrement dépouillée, à l'exception de ses rituelles plaquettes de bienvenue en bois ajouré, la pièce

1. Côtes du sud-est du Viêt-nam, qui étaient à l'époque sous domination chinoise. L'Annam ou « Sud Pacifié » était le nom donné par les Chinois au Viêt-nam. Ce terme a été repris par les Français pour désigner sa région centrale (par opposition au Tonkin et à la Cochinchine).
2. Liu-Yin, roi du royaume chinois du Guang-Xi et du Guang-Dong, limitrophe de l'Annam.

vibrait encore de son passé comme s'il n'avait pu fuir à travers les persiennes closes.

Une odeur de moisissure filtrait des tentures défraîchies. Shu-Meï ôta doucement ses bottines tandis qu'une pluie fine se mettait à tambouriner sur le toit. C'était donc ici que débutait sa nouvelle vie, dans ce coquillage vide parcouru par les courants d'air ! Jadis une âme avait ri ou soupiré entre ces murs, réchauffé de ses dix doigts le petit poêle en faïence bleue, relégué derrière un paravent déchiré.

Maintenant, ce serait elle. Elle s'agenouilla pour ramasser un éventail qui gisait, éventré. Au même instant, les boiseries se mirent à craquer comme si la demeure se réveillait d'un long sommeil poisseux.

A l'annonce de leur arrivée, un couple de serviteurs étaient accourus, ahuris, soulevant les pieds comme s'ils traînaient des bouses à leurs galoches de bois. Ma-Ma et Hu-Hu parlaient, s'excusaient en même temps, usant de leurs mains telles des marionnettes désarticulées.

C'est qu'on ne les avait pas prévenus à temps. Ils les attendaient, certes, mais pas avant une lune... Et puis, depuis que leur fils unique était parti combattre chez les Annamites, ils se sentaient aussi désemparés que des lézards sans queue.

La vitalité attendrissante des deux inséparables Zhuang [1] eut vite fait d'égayer la demeure. En deux coups de gong, les pièces furent aérées, lessivées, les balustres et les parquets cirés.

Il ne restait plus qu'à attendre les coffres et les meubles qui devaient arriver des Trois Quiétudes.

L'emménagement semblait avoir transformé Shu-Meï. Elle avait retrouvé son énergie, du moins en

1. Minorité du Guang-Xi, sinisée par les Han.

40

...ce, dirigeant avec maestria les efforts conju-
bourg aux Zhuang et d'Ébonite pour rendre la
Goutte d'Or, habitable.

Goutte d'Or, a femme ne se fatigue, Yi-Shou, par
dit modelé dans un-Hu, avait fait venir du fau-
p-ne petite servante nommée

Devant sa table de travail, se d'oie figée.
lecture, il lui arrivait d'entendre Shu pavillon de
histoires de la petite qui n'avait décidément pas la
langue dans sa manche. Yi-Shou levait alors la tête
du Livre des Vers, satisfait. Que pouvait-elle réclamer
de plus ?

Il lui avait même fait aménager une petite serre au
fond du jardin. Aussitôt, Shu-Meï décida d'y cultiver
quelques rares spécimens d'orchidées.

Afin de l'encourager dans cette voie, Yi-Shou, en
cachette et à grands frais, eut l'idée de faire venir de
Guang-Zhou douze magnifiques pots de jasmin, avec
la ferme recommandation de les arroser de jus de
poisson fermenté le troisième jour de chaque nouvelle lune.

Le jour de la livraison de la précieuse cargaison, Shu-Meï était sortie choisir des tissus chez le
tailleur en compagnie de Goutte d'Or. Ravi de pouvoir organiser sa surprise, Yi-Shou fit disposer en
toute hâte les grandes jarres vernissées au pied
de sa chambre afin qu'elle puisse les découvrir en
ouvrant sa fenêtre. Puis il alla se cacher dans le
jardin.

A peine rentrée, alertée par l'odeur pestilentielle de
poisson pourri, Shu-Meï commença par chasser le
gros chien jaune de Ma-Ma, l'accusant de s'être roulé
dans les détritus, puis elle ordonna à Hu-Hu de
baisser tous les stores et se coucha sans dîner à la

grande déception de Yi-Shou qui ... : la
battant, caché derrière son mas...ment de voir
Une fois de plus, son pr... glisser dans les
puanteur donnait des migr... ... ces piécettes que l'on
en voulait pas. Il se d... l'entrée des temples.
régulièrement ses pe...
eaux de son indiffér...
jette dans les ba...

Depuis quelque temps, Shu-Meï se consacrait au filage de la soie et à la broderie, activités qu'elle avait toujours exécrées. Outre l'intendance et l'inspection des travaux finis, la peinture et la musique ne lui suffisaient plus. Elle recommençait à étouffer. Une femme de son rang ne pouvait se permettre de sortir dans la rue plus de deux fois par semaine.

Yi-Shou s'était fait inscrire à l'examen officiel provincial qui avait lieu chaque printemps et qui lui donnerait, s'il était reçu, le grade de licencié, autrement dit de « lettré sélectionné » pour le concours général de la capitale.

Régulièrement, les deux époux se retrouvaient dans le pavillon de lecture installé tout au bout de la galerie couverte du promenoir devant une jolie vasque de pierre où flottaient comme des cœurs arrachés de gros nénuphars rouges et noirs.

Assise sur un petit tabouret de fraîcheur en porcelaine verte, Shu-Meï faisait semblant de broder tandis que le futur candidat lisait à haute voix ses classiques. Parfois, il l'autorisait à le faire réciter en se gonflant d'un air important, ce qui avait le don d'exaspérer Shu-Meï.

A vrai dire, elle connaissait déjà par cœur de nombreux passages de *L'Immuable Milieu* et des *Entretiens de Confucius* qui étaient prévus au pro-

42

gramme officiel. Elle les avait lus en cache[tte], elle évitait d'étaler ses connaissances deva[nt] aîné, respectant hypocritement le vieil adage qui proclame : « Une épouse vertueuse doit se distinguer par son manque de talent. »

Aussi avait-elle beaucoup de peine à masquer son impatience lorsque ce dernier écorchait les textes de l'histoire ancienne ou de la Grande Étude.

Pour la remercier de son aide assidue, Yi-Shou crut un jour bien faire en lui offrant un volume de *Vie de femmes illustres*, ouvrage à la fadeur émérite, destiné à servir de modèle de vertu aux épouses en mal de lecture. La rivière avait débordé de son lit.

— Je ne suis pas un chien à qui on lance un os afin de l'empêcher d'aboyer, lâcha sèchement Shu-Meï en se levant.

Yi-Shou en resta coi. L'élégant emboîtage de laque sombre dans les bras, il lui sembla un instant que le minuscule fermoir en ivoire lui ricanait au nez. La conduite de sa femme devenait depuis quelque temps des plus bizarres.

Soudain, l'évidence de la situation sauta de sa pierre à encre encore mouillée. Il en cassa son bâtonnet de noir de fumée, décoré de feuilles de prunus. Sot qu'il était ! La mélancolie de Shu-Meï ne disparaîtrait pas tant qu'elle n'aurait pas enfanté. C'était la raison qui la faisait languir et bâiller.

A partir de ce moment-là, il se mit en devoir de l'honorer frénétiquement, choisissant scrupuleusement les moments de la journée propices, suivant le canon taoïste, à la naissance d'un héritier mâle.

Il redoublait d'ardeur le soir, tard après la troisième veille, et le matin avant le chant du coq, se faisant réveiller par Hu-Hu dont le pas traînant dans le corridor remplissait Shu-Meï d'effroi.

Elle se mit à redouter particulièrement les jours

impairs et les jours appartenant au signe de l'eau que l'on supposait fastes puisqu'on était en hiver. Il fallait ruser. Fine mouche, elle ne mit pas longtemps à découvrir dans un tiroir secret, entre deux planches érotiques du plus mauvais goût, le précieux rouleau de Tong-Xuan-Zi dont s'inspirait Yi-Shou pour réglementer les ébats de son Échalas Enfariné.

Puisqu'il en était ainsi, elle allait le battre avec ses propres armes.

Un jour qu'ils terminaient leur dînette, Shu-Meï surprit dans les yeux de son mari cette lueur trouble, annonciatrice du pire. Les petits piments de Ma-Ma faisaient déjà leur effet. Elle n'eut pas même le temps de se dégager, Yi-Shou l'avait déjà plaquée sur la natte de fils de soie.

— Indigne père, veux-tu que ton fils souffre de vomissements et de maladies douteuses ? N'as-tu pas lu que l'heure du Singe était néfaste à la conception, rugit-elle.

Penaud, Yi-Shou partit s'enfermer dans son cabinet d'étude, la queue entre les jambes.

Shu-Meï donna alors ses ordres à Ma-Ma : désormais, les jours impairs, on ferait bombance au souper. S'il avait trop bu et trop mangé, Yi-Shou n'oserait pas la butiner de peur que son fils ne soit plus tard victime d'épilepsie ou d'ulcères. Quant aux jours pairs, il ne restait plus à Shu-Meï qu'à prier Guan-Yin pour qu'il vente ou qu'il tonne car « les ébats du coq et de la sarcelle » étaient totalement proscrits en ces circonstances.

Heureusement, telle une carpe gigotant violemment au bout de son hameçon, Yi-Shou s'exécutait de plus en plus rapidement. Il était inutile qu'il fatiguât son principe Yang. A chaque jour, suffisait sa peine !

L'hiver passa, tiède et pluvieux. Une tension malsaine grondait en divers points de la province, comme semblaient le colporter des voyageurs venus de Guang-Zhou.

Depuis le morcellement de l'empire Tang en régions militaires puis en royaumes indépendants, la tyrannie du roi Liu-Yin sur le Guang-Dong et le Guang-Xi se faisait chaque jour plus cruellement sentir.

Par ailleurs, depuis longtemps rattaché à la Chine et plus récemment annexé par le roitelet après la dislocation de l'Empire, le royaume d'Annam secouait de plus en plus violemment sa tutelle.

Or, l'ambre et la cornaline, les précieuses écailles de tortues et le fructueux commerce avec Nan-Yue [1] ne pouvaient du jour au lendemain filer entre les doigts boudinés de l'avide monarque dont les caisses s'étaient vidées à force d'alimenter ses débauches et le dégoulinement de sa luxure.

Il fallait mater les rebelles annamites. C'était, hélas, sans compter sur le climat et le paludisme qui décimaient à grandes giclées les troupes embourbées dans le delta du fleuve Rouge, harcelées par ces pendards qui, leur coup réussi, retournaient se terrer dans leurs montagnes inexpugnables.

Saignées à blanc, les populations de la région commençaient à manifester leur mécontentement. A Guilin, les bras manquaient. Les Zhuang, majoritaires dans la province, s'insurgeaient, dents serrées, contre cette guerre menée contre leurs frères d'ethnie [2].

La veille du Jour de l'An, alors que les femmes

_____

1. Royaume d'Annam.
2. En effet, les Zhuang peuplaient le sud de la Chine comme le nord de l'Annam.

préparaient d'immenses chaudrons de riz aux cinq couleurs et de haricots rouges, dans l'intention de soudoyer le dieu du Foyer avant qu'il ne parte au Ciel faire son rapport annuel sur la conduite de chacun, deux hommes en noir vinrent annoncer à Ma-Ma et Hu-Hu la mort de leur fils sur la côte est de l'Annam.

Les fêtes furent moroses. Tandis que la ville chassait les « pestilences » de l'année, au son des tambours et des flûtes, et que les étendards multicolores des processions claquaient dans la brume, Shu-Meï avait rageusement déchiré les anciennes effigies de papier des gardiens de la Porte.

L'oisiveté la rongeait. Pendant que d'autres se faisaient tuer ou mouraient de faim, que faisait-elle sinon baigner dans son cocon insipide, tressant jour après jour les écheveaux incolores d'une vie dénuée de sens ?

Ironie du sort, elle n'était toujours pas enceinte.

Un mois s'était écoulé depuis la fête des Lanternes [1].

Désœuvrée, Shu-Meï noyait sa mélancolie en regardant, jour après jour, la pluie ruisseler sur le papier de la croisée.

Un matin, elle cessa enfin de tomber.

Shu-Meï fit coulisser la porte du jardin et se hasarda entre les parterres détrempés.

Sous les larges feuilles des bananiers, des fleurs géantes se balançaient, bouches carnivores, bulbes renflés, monstrueux pistils rigides et violacés.

Soudain, alors qu'elle trébuchait dans l'allée, un parfum sourd, enivrant, une senteur chaude de terre

1. Approximativement vers le 15 de la première lune, soit fin février.

mouillée la gifla au visage. Elle sourit, les sens étourdis, attentive à cette étrange musique qui la gonflait à nouveau de vie.

Elle ne pleurerait plus sur son passé. Talent Modeste avait raison.

Long-Jian aurait-il voulu qu'elle sanglote toute sa vie sur les bambous mouchetés de la rivière Xiang, à l'image des veuves éplorées de l'empereur Shun qui les avaient, dit-on, tachés de leurs larmes ?

Elle détacha un bourgeon humide de sa branche et le cacha dans sa manche.

Du haut de sa murette, Shu-Meï contemplait les toits étagés du faubourg de la Grue Rouge. Dans un jeu de lumière et de poussière dorée, les pics environnants, telles des effigies de papier déchiqueté, se découpaient dans le crépuscule, coqs de combat lancés à l'assaut, chevaux cabrés dans la brume.

La veille, elle s'était fâchée avec Yi-Shou. Elle avait osé lui demander la permission de monter à cheval. L'exercice physique lui manquait. Elle revoyait encore son air pincé et son front obstinément bombé sous sa calotte de gaze noire.

— Tu n'y penses pas ! Naguère, les mœurs dissolues des Tang permettaient peut-être aux femmes de jouer aux amazones, mais de nos jours ta requête me paraît du plus pur mauvais goût. J'entends déjà les quolibets des voisins : Quoi ! la femme de Yi-Shou « le futur licencié » prise le purin ! Par le gland mité de Bouddha, c'est lui qui devrait lui tenir la bride !

L'annulaire et l'auriculaire s'étaient mis à pianoter, petits légumes blancs et mous tranchant sur la laque patinée de sa table de travail.

— N'as-tu pas eu ta dose de chevauchées avec les sacs puants qui t'ont enlevée ? Tu sembles avoir oublié que la première tâche d'une épouse vertueuse est de rester dans ses appartements. Estime-toi heureuse. Si je n'avais pas daigné te prendre pour femme, tu n'aurais pas droit au manoir au quart de la liberté que je t'octroie.

Lèvres serrées, Shu-Meï s'était retirée, bien décidée à ne plus se soumettre à son devoir conjugal. Yi-Shou pouvait bien attendre, langue pendante, à l'arrêt devant la porte de sa chambre. Celle-ci resterait close.

Alors qu'elle se remémorait la scène, satisfaite d'avoir tenu tête à son mari, la silhouette légèrement voûtée de ce dernier se profila dans l'allée. Valsant d'un pied sur l'autre, indécis, Yi-Shou se gratta la gorge. Le long de sa robe œuf-de-pigeon, bordée d'un galon de soie cendrée, il tenait une fleur blanche qu'il hésitait à lui tendre.

Pauvre Yi-Shou ! Sa faiblesse avait quelque chose d'attendrissant. Comment ne pas lui pardonner ses ridicules bouffées d'autoritarisme !

— Petite sœur, commença-t-il, penaud, j'ai deux nouvelles à t'apprendre, et elles devraient te réjouir.

Lorgnant le bout de ses chaussons en velours, il reprit sa respiration.

— Ton père s'est remarié et...

Shu-Meï détourna la tête, écœurée. Son père ne les avait même pas invités. L'isolement à Guilin était bel et bien prémédité. Elle se consola à la pensée qu'en d'autres circonstances, une fois franchi le seuil de sa belle-famille, elle n'aurait eu le droit de retourner chez les siens.

— Quelle est l'heureuse élue ? s'entendit-elle murmurer.

— Nuage Irisé, la fille du sieur Wang, le plus riche propriétaire de Liu-Zhou.

— Ne sont-ils pas apparentés à la famille de Liu-

Zong-Wuan, le poète fonctionnaire disgracié, à qui la ville doit son essor depuis un siècle ?

Yi-Shou hocha la tête.

Shu-Meï s'en doutait. Elle détestait Nuage Irisé, la pimbêche maniérée qu'elle avait déjà rencontrée lors d'une joute de bateaux-dragons sur le Li-Jiang.

Ainsi son père avait succombé à un mariage d'intérêt qui ajoutait des milliers de mous [1] de terre arable à son domaine : ingénieuse façon de compenser l'union peu fructueuse de sa fille avec Yi-Shou.

— Et ce n'est pas tout, reprit ce dernier, pressé de faire diversion devant la pâleur de sa femme. Nous sommes conviés dans trois semaines chez le duc de Hue, principal conseiller de notre roi Liu-Yin. Sa femme était une amie d'enfance de ta mère. Elle exprime le désir de te connaître.

Au-dessous de Shu-Meï, les phénix et les aigrettes de terre cuite émaillée qui couraient sur les toits de la ville basse s'étaient figés dans la lumière du couchant.

1. Mesure chinoise correspondant à l'acre, soit à 50 ares.

4

Shu-Meï retira rageusement la longue épingle à tête de phénix de sa chevelure et l'édifice s'écroula. Ces coiffures surélevées, qui vous donnaient des airs de pièce montée avec une tour de guet sur le sommet du crâne, étaient du plus pur ridicule.

Goutte d'Or baissa le miroir rond à émail bleuté qu'elle tenait par sa poignée comme un bouclier barbare. Décidément, sa maîtresse n'était pas d'humeur. Pourtant, à sa place, elle n'aurait pas fait cette tête d'endive cuite si on l'avait conviée à de pareilles réjouissances. Elle secoua comiquement sa frange, ce qui fit grelotter les touffes en forme d'oignon de printemps, nouées de rubans multicolores, qu'elle portait de chaque côté des oreilles. Que la vie était mal faite !

Monsieur était déjà parti pour le palais de la Résurgence Cachée. Il y avait eu de l'énervement dans l'air. Monsieur ne savait pas quelle couleur de robe choisir. N'ayant pas encore le grade de fonctionnaire, le pourpre, le vert et le bleu lui étaient interdits.

Madame lui avait conseillé de mettre sa robe de cérémonie jaune à galon lilas, puis elle avait pouffé en lui disant qu'il ressemblait à un gros canari à capuchon noir. Elle voulait probablement se venger de ses airs d'autruche étranglée lorsqu'il lui avait annoncé, plusieurs jours auparavant, qu'il aurait peut-être le privilège de converser avec Liu-Yin en personne si celui-ci était de retour de sa tournée d'inspection sur le front annamite.

Bien évidemment, séparées des hommes pour la bienséance, les femmes n'auraient pas cet honneur.

— Dans ce cas, avait-elle rétorqué, je me félicite de n'être qu'une femelle. Cela m'évitera de croiser cette outre boursouflée qui s'amuse à faire rôtir des nouveau-nés à la broche pour les offrir en festin à ses pauvres.

Goutte d'Or n'avait pas entendu la suite de leur discussion. Shu-Meï l'avait fait sortir. Du reste, elle se moquait éperdument du Roi Borgne dont on se gargarisait à tisser une légende. En dehors du prix du fil et de la viande qui augmentait par ces temps de misère, pourquoi s'intéresserait-elle à ce vieux fou rongé par la gangrène, qui se faisait, dit-on, envelopper les parties dans des coussinets d'ouate parfumée à l'armoise lorsqu'il montait à cheval.

Tout en réprimant un bâillement, elle aida Shu-Meï à enfiler sa jupe vert de roche, brodée de macarons d'or, et sa longue robe de soie azur aux manches bruissantes comme des ailes de cigale.

A travers la portière de gaze de sa chaise à porteurs, Shu-Meï contempla les dragons ciselés qui chevauchaient la porte monumentale du palais des Quatre Saisons.

La perspective de cette invitation, en brisant la monotonie de son quotidien, l'avait un instant excitée. Mais elle dut vite se rendre à l'évidence : la journée se résumerait probablement à une corvée de courbettes devant un ramassis de vieilles dattes confites dans leur suffisance et leur oisiveté.

Reléguées à tricoter de leurs cervelles entre deux ouvrages de broderie, ces péronnelles pouvaient-elles décemment participer aux exubérances de ce monde autrement qu'en comptant les fils des tapis, en réprimandant leurs soubrettes ou en se goinfrant de truffettes de rayons de miel aux amandes ?

A l'idée que son avenir pût s'assimiler à celui de ces arbouses desséchées par les mondanités, Shu-Meï fut à deux doigts de se faire reconduire. Mais, déjà, un essaim de laquais ceinturés dans leurs tuniques de velours pollen à parements brun thé avait fondu sur la petite voiture à bras pour l'aider à en descendre.

Avant qu'elle ait pu s'orienter dans un dédale de galeries et de volières, de bourdonnants boudoirs et de cours ombragées, on l'introduisit dans un élégant salon en forme de rotonde, tout tendu de soie orpiment.

Sur une estrade au coffrage ajouré, une plantureuse créature au regard rieur, à moitié allongée sur un divan de repos tissé de plumes de paon, se laissait éventer par un chérubin en chaussons rouges.

Le luxe qui flamboyait des tapis aux courtines ne frappa même pas Shu-Meï, obnubilée par les yeux de jade de l'étrange animal qui ronronnait contre les seins blancs de sa maîtresse. A peine remarqua-t-elle les fleurs d'argent incrustées qui s'épanouissaient sous ses pieds et les riches caissons du plafond bleu et or, émaillés de chimères qui se mordaient la queue.

Talent Modeste lui avait décrit ces petits tigres à longs poils qui pouvaient griffer et cracher malgré leur tranquille apparence.

— Approche-toi.

L'éventail aux reflets d'automne cessa son lancinant va-et-vient. Fascinée par la grâce et l'autorité naturelle de son hôte, Shu-Meï en oublia de se prosterner.

— Tu ressembles à la Dame Bleue, ta mère. La dernière fois que je l'ai vue, elle avait ton âge. Comme elle aurait aimé te voir grandir !

Les beaux yeux humides se voilèrent de vapeurs vespérales. Shu-Meï n'en revenait pas. Se trouvait-elle en présence de la toute-puissante duchesse de Hue, celle-là même qui intriguait auprès des royaumes voisins et qui, disait-on, avait des accointances avec la capitale impériale[1] ? Elle qui s'attendait à rencontrer un vieux bâton de réglisse, hérissé de poils comme un cactus !

— Allons rejoindre nos invités.

La duchesse se leva, plus grassouillette dans ses atours de soie violette qu'on n'eût pu l'imaginer.

— Je n'ai pu résister à la tentation de te découvrir la première, dit-elle en lui saisissant le bras, et je n'en suis pas déçue. Si la finesse de ton jugement est à la hauteur de ton étourdissante beauté, nous ferons de grandes choses de toi.

Troublée par ses dernières paroles, Shu-Meï se laissa entraîner vers l'antichambre de la Vanité Escarpée.

La duchesse de Hue avait-elle le pouvoir de transformer son destin ?

Cramponné à son éventail, le petit serviteur ferma la marche, ses chaussons rouges glissant sur le parquet en bois de santal comme deux pétales de soie cramoisie.

1. Kaifeng, au nord de la Chine.

— Regardez donc cette péronnelle de Pépin d'Agrume, quel toupet! Nous narguer avec son chignon planté comme une fourche volante!

— Pouh, c'est démodé, on dirait le cou d'un cygne en alerte. En tout cas, mes amies, je n'aimerais pas être aussi soufflée que Dame Po. Ses viscères doivent jouer au mah-jong!

— Pas étonnant, vous avez vu combien de gâteaux aux épices elle a engloutis?

— Et Dame Ki qui n'en peut plus d'étaler ses cabochons gros comme des pommes de pin. On murmure qu'au lit elle fait moins la fière! Le marquis de Ki ne l'aurait pas touchée depuis douze lunes. Il paraît qu'il s'est amouraché de la « Fleur Parfumée de la Cour Arrière » du petit greffier de la cour.

— Hihihi... A propos de fleurs, savez-vous que l'épouse du seigneur Feng teint ses jupes au jus de tulipe pour qu'elles dégagent, à chacun de ses pas, un brouillard parfumé?

— Pouah! J'aurais plutôt cru qu'elle gardait au chaud un putois sous ses jupons! s'exclama une boulotte en pinçant son nez en pied de marmite.

— Attention, Dame Fa va poser son gros derrière dans le plat de macarons fourrés aux airelles. Miséricorde!

Assise droite sur une chaise à haut dossier, les mains à plat sur les genoux, Shu-Meï souriait évasivement pour marquer son assentiment à des propos qu'elle n'écoutait point.

Elle n'avait qu'une envie : fuir cette volière caquetante d'oiseaux empaillés, cette compagnie de pies hystériques sautillant d'un tabouret à l'autre au rythme des minuscules dés de liqueur d'ambroisie qui circulaient derrière les éventails échauffés.

Où étaient les hommes? Ils bâfraient probablement sous cette tente, grosse baleine blanche échouée au milieu du parc dont elle devinait les voiles gonflées entre les colonnades vermillon de la terrasse.

Yi-Shou pourrait-il converser avec le duc de Hue, conseiller avisé du roi, jusque dans sa chambre à coucher ? On affirmait à Guilin que le mignon duc avait le vent en « croupe » auprès de son suzerain et qu'il était en grande partie l'instigateur de cette lourde campagne annamite. Certaines langues acides insinuaient même qu'à travers les hautes fréquentations de son épouse, Hue manœuvrait Liu-Yin à son insu pour mieux le faire déraper dans ses propres excréments.

A côté d'elle, hippocampes et abeilles d'or incrustés de perles fines dansaient sur le décolleté de la duchesse. Son charme était indéniable. Mais était-elle aussi intrigante qu'on se plaisait à le dire ? Certains même prétendaient que son appétit à régner compensait les carences au lit de son époux trop efféminé.

Un gargouillis vorace fit sursauter Shu-Meï. Sa voisine, l'honorable Dame Po, rota poliment tout en continuant de se curer les dents à l'aide d'une pointe d'argent.

Dégoûtée, Shu-Meï tourna la tête. Du haut de la balustrade en bois de cèdre sculpté qui cernait la salle et communiquait avec le pavillon de l'Ouest, un homme de haute stature, tout de noir vêtu, la dévisageait sans aucun scrupule.

Gênée par l'insistance du regard sous le haut et insolent chapeau-cage en gaze laquée, Shu-Meï baissa les yeux. Qui donc était cet intrus pour s'introduire si familièrement dans une assemblée de femmes ? Sur sa droite, elle surprit un imperceptible échange entre l'homme et la maîtresse des lieux.

L'instant suivant, la duchesse riait à gorge poudrée, avec ses compagnes, comme si de rien n'était.

La curiosité l'emportant sur l'étiquette, Shu-Meï releva discrètement la tête. Le personnage mystérieux avait disparu.

— Et vous, chère petite, lui susurra une vieille carpe édentée, préférez-vous les danses douces qui nous font ressembler à des fées voguant dans le ciel, ou les danses vives où l'on saute comme punaises de parquet ?

Non loin, sur la gauche de Shu-Meï, recroquevillée dans son nid de coussins chamarrés, trônait l'aïeule Hue, sa tête pas plus grosse qu'un coing fripé, ensevelie sous un chapeau d'origine tartare en forme de pêche, dont les pendentifs de perles semblaient encore allonger ses oreilles de Bouddha.

Les crécelles se turent, narquoises. Les danses vives étaient d'origine barbare tout comme la mère de la duchesse qui revendiquait par sa coiffe ses fières racines de la région du Gansu.

La nouvelle allait-elle tomber dans le piège tendu ?

— J'aime les *hufus*[1] aux manches courtes des danseurs du Nord, répondit Shu-Meï d'une voix ferme. On ne peut nier qu'ils aient apporté vivacité et gaieté à nos lancinantes mélopées.

Sa voisine déglutit. Sa mouche jaune en forme de fleur de citronnier, plaquée sur sa joue vérolée, vira au gris. La délicatesse de Shu-Meï avait plu. La duchesse la gratifia d'un sourire approbateur.

— Allons, il est temps de s'aérer au jardin avant de rejoindre ces messieurs pour la promenade sur le lac des Réjouissances Fatiguées, dit-elle en frappant dans ses mains.

---

1. Costume d'origine tartare, porté par les hommes et par les femmes.

Laissant ces dames se diriger par petits groupes vers le kiosque aux balancelles en gloussant comme des pucelles, Shu-Meï se hissa sur une butte plantée de pins parasols et rafraîchie par une cascade artificielle.

Ces pyramides de nourriture, tout juste picorées, l'écœuraient. Dire qu'au bout de la rue Die-Cai-Lu, les mouches se collaient sur les bouches des enfants hébétés, leur gros ventre ballonné comme des grenouilles crevées.

Autour d'elle, pas plus hautes que des termitières, des rocailles multicolores, percées de minuscules grottes où brûlaient des parfums, s'éparpillaient comme des nuages. Réduite à la taille d'une fourmi, Shu-Meï rêvassait, escaladant les égratignures de sable qui fissuraient l'un des rochers miniatures.

— Êtes-vous de ces sages qui vagabondent en pensée en espérant atteindre entre deux arbres nains le séjour des Immortels ?

Shu-Meï fit volte-face. Des fleurs de frangipaniers voltigeaient autour d'elle comme des plumes de sarcelles. L'homme qui la narguait tout à l'heure du haut de l'escalier lui souriait. Sous son manteau de soie aile de corbeau, la bordure de ses trois robes superposées flottait sur ses fins pantalons de soie blanche.

— Votre teint a la pulpe d'un litchi frais. Ce sont mes fruits préférés.

Se moquait-il ? D'un coup d'œil, elle nota la courbe arrogante de ses lèvres minces et le sourcil charbonneux.

— Je ne suis pas à consommer, rétorqua-t-elle froidement.

Sur la berge du lac, les invités s'étaient agglutinés comme des papillons autour des lampions allumés.

Sans plus s'intéresser à ce grossier personnage, Shu-Meï dévala la pente aussi vite que le lui permettaient ses jupons serrés.

Les voiles bleues des embarcations fleuries tremblaient sur l'eau pâle. Le soir tombait. Dans un lâcher de cerfs-volants, jongleurs et acrobates se mêlaient aux invités par grappes bruyantes.

Le long d'une rigole empierrée où coulait un liquide sombre comme du sang qui n'était autre que du vin doux de Nanjia, des couples étaient assis pêle-mêle, riant fort et vidant avec allégresse les gobelets d'étain qui dérivaient jusqu'à eux.

Écœurée par cet avant-goût de débauche, Shu-Meï tenta de se frayer un passage entre deux bataillons de sauterelles à cothurnes jouant au bilboquet lorsque, tranchant sur l'herbe comme un gros nénuphar, une tache jaune l'arrêta de plein fouet.

La honte lui monta au visage. Vautré dos à elle, Yi-Shou, hilare, balançait son godet de laque noire par-dessus son épaule tout en fourrant une main salace dans le décolleté audacieux de sa voisine.

Comment son mari pouvait-il ainsi se ridiculiser !

— Par Amitabhâ ! Où était donc ma protégée ?

Surgie d'un bosquet, Dame Hue s'approcha d'elle en souriant. Shu-Meï eut du mal à réprimer son trouble. Aux côtés de la duchesse, l'inconnu vêtu de noir la toisait d'un air moqueur.

— Votre protégée, ma chère, préfère la compagnie des arbres nains à celle de vos rombières achalandées comme des échoppes du nouvel an.

— Ce n'est pas pour me déplaire, répondit celle-ci en arrondissant sa bouche gourmande.

— Je ne suis pas persuadé qu'elle goûte avec plus de plaisir la compagnie des gentilshommes d'honneur !

Sous l'œillade perçante, Shu-Meï rougit. Si _
paltoquet pensait la séduire par sa fatuité et son
profil de médaille, il se trompait.

Au même instant, elle surprit l'éclat de son insigne
de jade en forme de poisson. Seul un fonctionnaire de
très haut rang était habilité à porter cet emblème,
symbole de la toute confiance impériale. Le chapeau-
cage n'était donc pas — comme elle l'avait d'abord
cru — une fantaisie d'hurluberlu cherchant à se
distinguer du commun des mortels en copiant l'antique mode des Wei[1].

Confirmant son intuition, la duchesse se pencha
vers elle en minaudant.

— Notre vénérable ami Yikuai, envoyé spécial de
l'Empereur à Guilin, nous fait l'honneur infini d'être
présent parmi nous. J'ose espérer que ma protégée
sera à la hauteur de sa bienveillante magnificence
pendant son séjour dans notre province troublée.

Qu'entendait-elle par là ? Au-dessus de son épaule,
la robe jaune de Yi-Shou s'agitait grotesquement aux
côtés d'une silhouette en complète pâmoison.

— Je crains que votre jeune amie ne s'intéresse
davantage aux égarements de son époux qu'au destin
de son pays.

— Qu'en savez-vous ? s'écria Shu-Meï, piquée au
vif par sa troublante perspicacité. Vous qui paradez
dans les salons, que faites-vous donc pour arrêter
l'hémorragie de cette province ? Vous tous ne pensez
qu'à la conquête, qu'à agrandir les murs d'enceinte
de votre demeure alors que son toit s'écroule et que
vous n'y trouverez bientôt plus qu'un charnier.

A la fois excédée par ce fat et horrifiée par son
audace, Shu-Meï claqua des talons sans plus d'égard
envers le représentant de la cour impériale.

---

1. Dynastie Wei : époque des Trois Royaumes (220-265).

Abasourdie par l'insolence de sa protégée, la duchesse se tourna vers Yikuai en s'éventant nerveusement : la petite grue avait plus de cran qu'elle ne le pensait !

— Laissez ! la rassura Yikuai amusé, son audace et sa sincérité ne me la rendent que plus chère.

Tout en humant le bouquet de violettes poudrées qu'elle tenait à la main, Dame Hue sourit intérieurement. Son Abeille Galante tortillait-elle du dardillon pour la « cerise » encore verte de cette petite oie blanche tout embéquinée devant son sot de mari ?

Ne serait-il pas amusant de précipiter la sarcelle effarouchée dans les bras vigoureux de son amant et, par là même, de transformer la « fleur de jardin » en « fleur des champs » ?

Lorsque Shu-Meï parvint à la hauteur de Yi-Shou, celui-ci s'étrangla, le nez dans le petit chausson de brocart de sa voisine qu'il avait copieusement rempli d'alcool.

— Où étais-tu, petite sœur ? Je t'ai cherchée partout.

Son ton peu convaincu acheva d'exaspérer Shu-Meï. Qu'avait-elle fait aux dieux pour partager l'existence d'un pareil lâche qui couinait dans sa culotte à la simple vue de sa femme ! Pis, qui se dévergondait en compagnie de ces raclures occupées à se boucher le fondement avec des diamants pour ne pas étouffer dans leur propre puanteur.

La femme qui buvait Yi-Shou de ses gros yeux de génisse n'était autre que la mijaurée à la mouche en forme de fleur de citronnier. Tout en récupérant sa chaussure, cette dernière pouffa silencieusement en masquant ses grandes dents de cheval de ses ongles teints aux feuilles de balsamine rouge et à l'alun.

Une farandole de mignons grossièrement travestis,

...s pommadées de noir et sourcils houppés au b...

Yi-S... surgit d'un bosquet de bigaradiers e...
...encontre du Pommier et du Pêcher[1].
qui décupla...

— Tu n'y pens... femme avec des yeux ronds, ce
ser ! ...de sa voisine.
...n commence juste à s'amu-
— Pas moi. Je te demand... ...oir la décence de me
raccompagner.

— Non. (Yi-Shou se fâcha, le visage aussi rouge
qu'un derrière de gibbon...) Ton devoir d'épouse est
de rester à cette soirée, je te l'ordonne.

Sa phrase se termina dans un hoquet douteux. Il
vacilla et s'agrippa au mollet d'un valet qui, déséqui-
libré, en lâcha son plateau de rouleaux à la vapeur.

Shu-Meï avait compris. Elle se détourna sans un
mot, insensible aux cabrioles et aux danses qui se
déchaînaient entre les corbeilles de fruits et les
vasques d'orchidées. Elle chercha du regard la
duchesse, tremblant de tomber sur le visage narquois
de son compagnon, mais l'un et l'autre avaient
disparu.

Tant mieux, elle n'aurait pas à s'excuser pour son
départ précipité.

Sans même remarquer l'éphèbe poudré et maniéré
qui pataugeait dans le ruisseau de vin, son sexe
démesuré couronné de chèvrefeuille et dressé comme
un poing vengeur, Shu-Meï s'évanouit dans l'obscurité bleutée.

1. Jeu érotique.

5

« *Qu'est devenu le glorieux Empire du Milieu, soupirait mon père, celui qui sous les Tang rayonnait de la Corée aux Pamir en passant par le lac Balkash! Du reste, peut-on à présent parler d'Empire lorsque son pays s'est rétréci comme peau de chagrin, éclaté, morcelé en plusieurs petites cours aussi indépendantes que décadentes?*

Il regrettait, disait-il, la poigne ferme d'un Fils du Ciel[1] digne de ce titre, prêt à réunifier les lambeaux de cette Terre Sacrée, dépecée au sud et saignée au nord par ces tribus de nomades au crâne rasé.

Cette anarchie ne serait-elle pas simplement le reflet de nos mœurs dissolues? En repensant à la journée d'hier, à ces viscères marinés dans la débauche, à ce gâchis dégorgeant de luxure et d'ennui, j'en viens à me le demander. Quelle indécence lorsque tout autour on brûle les cadavres et on ronge les harnais des chevaux pour se nourrir!

Cette nuit Yi-Shou n'est pas rentré. En épouse soumise, je ne devrais pas m'en offusquer. Je devrais même l'encourager à prendre une ou deux concubines lorsque notre situation sociale nous le permettra.

1. Empereur.

*En tout cas, je souhaite de tout cœur qu[...]
sisse ses examens, ne serait-ce que pour co[...]
manque de confiance en lui-même qui le rend parfois si indécis et si susceptible. »*

Shu-Meï leva la tête. La lumière rasait le tapis
de Boukhara frangé, sculptant les pieds retournés
du tabouret à musique. Elle ne pouvait écrire
dans son journal que son mari n'était rentré que
tard dans la matinée, tête nue, le col fripé, le
teint plus brouillé qu'une soupe de navets, et qu'il
avait trépigné de colère lorsqu'elle lui avait fait
remarquer qu'il avait perdu son chapeau dans la
nuit étoilée.

— On me l'a volé, avait-il bredouillé.
— Je doute que l'Épingle de Perle[1] vienne un
jour l'orner, lui avait tranquillement répondu
Shu-Meï sans quitter des yeux sa tapisserie.

Devant son propos moqueur qui insinuait qu'il
avait peu de chance de devenir un jour mandarin,
Yi-Shou avait perdu son sang-froid. Il avait été à
deux doigts de porter la main sur sa femme. Le
visage horrifié d'Ébonite venu le délester de son
manteau de soie l'avait coupé dans son élan.

Sa poche de bile subitement dégonflée, il s'était
jeté aux pieds de Shu-Meï en pleurant, se confon-
dant en excuses et douteuses justifications.

Goutte d'Or passa sa frimousse délurée dans
l'entrebâillement de la porte.
— Un messager insiste pour voir personnellement madame. Je l'ai fait patienter dans le salon
de l'Illusion Ravivée.

---

1. Épingle que portent les mandarins au sommet de leur
chapeau.

Shu-Meï fronça les sourcils. Yi-Shou était ressorti en début d'après-midi. Un de ses amis lui avait donné rendez-vous dans l'une des luxueuses maisons de thé qui bordaient le lac du Cygne Rouge. Lui était-il arrivé quelque chose ?

Elle déchira hâtivement la feuille de soie sur laquelle séchait en guirlandes élégantes sa petite écriture ferme et serrée. Tout en cristallisant un instant sa rancœur, les idéogrammes l'avaient peu à peu aidée à s'en dépouiller.

Lorsque Shu-Meï souleva les tentures du Boudoir Violet, Goutte d'Or, les mains chargées de coupelles de gâteaux fourrés à la crème de lotus, roucoulait auprès du joli quidam en livrée prune qui bayait aux corneilles.

— Mon vénéré maître Yikuai vous prie de recevoir cet humble présent en souvenir de votre rencontre, annonça pompeusement ce dernier en se cassant en une triple courbette.

A ses pieds, trois magnifiques rouleaux du plus beau brocart de Fu-Xin s'étalaient dans un coffret de bois de rose à fermoir d'argent.

La prenait-on pour une de ces courtisanes qu'on achète à coups de babioles ? Troublé par son silence, le messager toussota en recrachant un débris de jujube glacé.

— Cela n'est que la modeste marque de l'amitié qu'il prodigue envers la famille Tsao. En revanche, dit-il en tirant devant Shu-Meï un pot en céramique à couverte vert-de-gris, cet arbre du bonheur vous est adressé personnellement.

Bouche bée, Goutte d'Or glissa un regard en coin vers sa maîtresse. Shu-Meï rougit violemment. Accrochée à l'une des branches d'un ravissant érable nain, une délicate banderole de soie célébrait sa beauté et

64

l'implorait d'accepter ce compagnon pour fleurir sa solitude.

Plutôt attirer la foudre de Yikuai que de gober son impertinence et son irrespect envers la femme mariée qu'elle était. Le pouvoir rendait-il les gens grossiers ?

— Dites à votre maître que j'accepte au nom de mon père le gage de sa bienveillance, mais que je ne peux en aucun cas recevoir son présent.

Sur ce, Shu-Meï quitta la pièce.

Déçue de devoir congédier aussi rapidement le bellâtre au mollet cambré dont elle aurait bien goûté les faveurs entre deux portes, Goutte d'Or soupira : quelle mouche avait donc piqué madame ! Il était vrai que le couple s'aiguisait la crécelle dans un concours de cliquettes depuis que monsieur n'était pas rentré de la nuit. Mais refusait-on aussi impunément les honneurs d'un personnage dont le valet portait des boutons de jade à ses chaussures ?

A croire que sa jeune maîtresse avait des crottes de souris qui lui bouchaient la jugeote.

Douceur moite, effluves sucrés. Le printemps était déjà bien entamé et le couple vivait une période de répit en partageant l'angoisse et l'obsession du grand concours officiel.

Shu-Meï se consacrait corps et âme à son mari, renonçant même à dormir la nuit pour le faire répéter. Sa réussite était devenue pour elle une idée fixe. Son avenir en découlait. Ce n'était bien sûr qu'une impression confuse née de son désœuvrement puisque, s'il était reçu, Yi-Shou pouvait très bien être nommé petit subalterne dans une lointaine sous-préfecture, et ce pendant trois ans.

Pourtant, même engluée de médiocrité, cette perspective avait le mérite de secouer l'inertie dans laquelle elle s'embourbait à Guilin.

S'il se montrait réellement brillant, elle pourrait toujours l'inciter à continuer ses études pour être accepté par l'une des deux grandes universités impériales à Tchang-An ou à Lo-Yang. Outre les sections littéraires réservées aux enfants de la très haute noblesse, il y avait cette section des Quatre Portes qui, elle s'était renseignée, inscrivait les étudiants de plus modeste origine qui avaient satisfait aux épreuves de « lettré distingué ». Et elle pourrait alors l'accompagner.

Ce filament d'espoir, arraché à son imagination, faisait presque vaciller le bloc d'airain qui obturait son ciel intérieur. Fuir Guilin, ses intrigues et sa torpeur viciée, son clapotis saumâtre et ses processions funèbres, s'éloigner de sa province natale, couper les amarres, ne plus penser à Long-Jian dont les préoccupations sociales et humaines la hantaient chaque jour un peu plus, comme pour mieux souligner son incapacité à se rendre utile, à bouleverser l'ordre des choses.

Peu à peu, elle s'était habituée à l'idée de ne plus jamais le revoir. Si les dieux avaient épargné Long-Jian, l'écho de ses faits et gestes lui serait déjà parvenu à l'oreille. Parfois elle rêvait qu'il était sain et sauf et qu'il avait fui très loin, mais cette troublante illusion avait tôt fait de s'évanouir au petit matin.

Partir... C'était du reste ce qu'elle avait demandé au Saint Empereur des Enfers de l'Est, le 28 de la troisième lune, fête anniversaire de celui qui fixe le lot de vie de chaque individu.

Un autel provisoire avait été installé au bout de la rue entre deux banians, tout fleuri de petites lanternes de papier qui se boursouflaient de lueurs rougeoyantes. La Maison Basse elle-même s'était transformée en temple pour célébrer Wen-Chang, le dieu de la Littérature, celui qui distribue les diplômes et les réussites.

Hu-Hu, qui se targuait de goûter à la peinture à ses heures, s'était amusé à barbouiller l'effigie du gros nain difforme armé de son pinceau et de son boisseau, et à la fixer au-dessus de chaque linteau afin que l'on puisse témoigner au sage le respect qu'il méritait.

Le sanctuaire de Wen-Chang s'était aussi métamorphosé en officine où bouillaient dans des tripodes de bronze et des marmites de terre d'étranges décoctions fricotées par Ma-Ma pour tonifier la mémoire du futur candidat, stimuler ses Trois Souffles et ses viscères, aguerrir sa résistance au sommeil et décongestionner son gros cervelet saturé du Livre des Rites, des Histoires Officielles et du Canon des Poèmes.

On gavait Yi-Shou de cendres de poirier, de boulettes de bézoard mêlées de sang de bœuf, médication hautement appréciée des autochtones Li de Hainan, d'yeux de tortues en gelée, de boyaux d'âne confits et de soupe d'hippocampe à l'agaric blanc.

Shu-Meï n'en trouvait pas moins absurde ce système d'examens, pierre d'achoppement du recrutement des fonctionnaires, tout juste apte à former des esthètes calfeutrés dans leur pagode d'ivoire.

Ce qui n'avait été que source de richesse pour Talent Modeste, son vieil oncle lettré, issu de l'académie de la Forêt des Pinceaux [1], ne pouvait que couper de la réalité ces futurs rouages de l'administration. Prétendre résoudre les problèmes d'actualité à travers l'interprétation des Classiques, voilà qui sonnait aussi grotesque que de boire son thé en se servant de baguettes.

Elle s'en était ouverte à la duchesse qu'elle revoyait

---

1. Nom du palais impérial où étaient reçus les lettrés admis au prestigieux grade de Han-Lin.

de temps en temps au pavillon de la Bourrasque Éthérée, un élégant reposoir ancré au milieu du lac Rong-Hu où la dame aimait à se retirer lorsqu'elle n'y rencontrait pas clandestinement ses galants de passage. Devant la mine offusquée de cette dernière, Shu-Meï ravala ses propos. Elle venait, une fois de plus, de faire preuve d'irrespect envers les lois de l'Immuable.

Les mœurs de son pays n'étaient pas près de changer.

Avec le temps, Shu-Meï s'était liée avec cette sulfureuse créature dont l'aimable babillage masquait mal l'opiniâtreté et la force de caractère.

A chaque visite pourtant, Shu-Meï craignait de se retrouver dans un guet-apens galant, s'attendant à voir surgir d'une tenture la sombre silhouette de Yikuai dont l'étroite liaison avec Dame Hue ne semblait plus faire l'ombre d'un doute : ces deux-là étaient plus unis que colle et laque !

Depuis l'épisode des présents, le dignitaire impérial ne s'était plus manifesté, mais les sous-entendus pressants de la duchesse à son égard rendaient Shu-Meï mal à l'aise. Elle apprit que la venue de Yikuai à Guilin n'était pas étrangère au mécontentement que les bourdes de Liu-Yin provoquaient à la cour de Kaifeng. Cherchait-on à se débarrasser du roitelet gangrené ? Le Fils du Ciel, coincé dans ses brumes du Nord, avait pourtant assez de démêlés dans sa lutte incessante contre ses voisins nomades. Pouvait-il réellement s'intéresser à ce petit royaume du Sud qui achetait son indépendance à coups de tributs versés annuellement à l'Empereur ?

A moins que les richesses convoitées de l'Annam n'en fussent l'enjeu ! Le bruit courait que Kaifeng lorgnait depuis longtemps sur le royaume de Nan-

Yue illégalement annexé par Liu-Yin qui bénéficiait seul de son juteux commerce.

Le cœur battant, Shu-Meï se prenait à rêver à la réunification de l'Empire et à l'éjection de cette infecte raclure de Liu-Yin. Pourtant, lorsqu'elle voyait Yi-Shou déambuler de pièce en pièce, hagard, un sac de sangsues fourmillant sur le crâne et un coussinet de flanelle fixé autour du ventre pour apaiser ses coliques de plus en plus trépidantes à la veille des examens, Kaifeng semblait bien loin, et sa plaine poudreuse et sa cour hiératique parfaitement inaccessibles.

Le matin fatidique, Ma-Ma massa Yi-Shou comme un gros poulet de grain. Elle le tritura, le fit craquer des pieds à la tête, grimpa sur sa colonne vertébrale, l'immergea dans l'eau bouillante, lui fouetta le sang à l'aide de larges feuilles de bananier et le frictionna au beurre de yak rance et à l'extrait de placenta de tigre déniché au marché noir à un prix exorbitant, tandis que Shu-Meï l'embrochait pour la dernière fois sur le fil de ses inlassables questions.

Enfin essoré de recommandations, la tête craquelante comme un potiron, Yi-Shou s'en alla avec au bras son panier rempli de boulettes de viande séchée, d'une flasque de vin, de six gousses d'ail et de trois rouleaux de soie qu'il devait respectueusement remettre à son examinateur.

Il ne serait pas de retour avant trois jours. Les candidats couchant sur place, Hu-Hu lui déposerait en fin de journée une natte ouatinée au pavillon des Lettrés.

Le sort en était jeté.

Les trois jours s'écoulèrent. Au matin du quatrième, Shu-Meï ne s'inquiéta nullement de l'absence de Yi-Shou. C'était plutôt bon signe. Il avait dû fêter son succès avec ses compagnons. Du reste, après l'excitation et la tension des derniers mois, ce répit lui permettait enfin de savourer sa solitude.

Le soir venu, elle eut un mouvement de colère. Yi-Shou avait le droit de s'amuser, certes, mais sans la laisser moisir d'inquiétude.

Le lendemain, l'anxiété prit le dessus. Elle aurait pu se confier à ses deux voisines, mais elle les entendait déjà ricaner : n'était-ce pas le lot des épouses que d'être régulièrement abandonnées au profit de beuveries ou autres musarderies ?

Yi-Shou n'était pas ainsi. Et s'il avait glissé sur le pont aux Anes et s'était noyé ? La brume était épaisse le dernier soir de l'examen. Peut-être même gisait-il égorgé au fond d'une ruelle, le corps piétiné par les cochons de l'abreuvoir !

En un éclair, elle revit sa silhouette dégingandée, drapée dans son manteau de vourine bleu nuit, s'éloigner au petit matin entre les feuillages des kapokiers, puis son visage bouffi de cernes et parcouru de tics tremblotants tandis qu'il lui disait au revoir avec ce petit sourire usé, presque désabusé, et elle éclata en sanglots.

La voix ténue de Goutte d'Or la fit sursauter. Pieds en dedans, les yeux baissés, celle-ci triturait les pans de son tablier comme si elle hésitait à s'exprimer.

— Qu'y a-t-il ? Aurais-tu des nouvelles ?

La servante secoua la tête.

— Ne soyez pas malheureuse. « La grenouille boude et le crapaud rit, ainsi va la vie. » Peut-être notre maître bien-aimé est-il allé se distraire chez les Reines du Vent et de la Brume dans le quartier de la Joie Mouillée. Sans doute y cuve-t-il son vin en bonne compagnie.

Et cette gourde la dérangeait pour de pareilles

sornettes ! Shu-Meï réprima son agacement. Qui sait, avec ses airs de Bodhisattva éplorée, Goutte d'Or en savait peut-être davantage. Elle rangea son mouchoir et pria sa servante de s'expliquer plus clairement.

— Eh bien, au risque de vous déplaire, reprit la petite un peu gênée, je tiens du valet des Ho que son maître et votre mari se retrouvent souvent au cabaret de la Louche Fêlée... Uniquement pour boire, évidemment.

Ainsi Yi-Shou lui mentait pour aller se saouler dans quelque lupanar de bas étage ! Dans le lointain, le tambour de la tour à la Clepsydre annonça l'heure du Chien.

Shu-Meï se leva et fit appeler Ébonite.

Elle allait de ce pas rechercher Yi-Shou et vérifier si sa soubrette ne se payait pas sa tête.

Shu-Meï s'étonna de croiser pareille foule agglutinée sous les remparts à une heure si tardive. Dans ce faubourg excentré qui abritait les corporations les plus diverses, badauds de toutes classes déambulaient en jacassant entre les amuseurs publics et les montreurs de marionnettes.

D'un pas décidé, Ébonite l'entraîna dans le bazar couvert où, entre deux échoppes, on bâfrait, coudes serrés, dans un tohu-bohu graisseux, au milieu des bassines d'huile et des montagnes de choux. Ils empruntèrent bientôt une ruelle qui se distinguait par la profusion de ses enseignes. Des lanternes colorées coiffées d'une protection de bambou signalaient l'entrée de plusieurs établissements.

Au-dessus de l'une d'elles, se balançait de façon obscène une grande louche taillée dans une calebasse desséchée.

Ils étaient arrivés.

Une fois introduite dans la maison de plaisir, Shu-Meï remarqua avec soulagement qu'il ne s'agissait pas d'un tripot enfumé puant la vinasse et la sueur aigre de corps mal lavés, comme elle l'avait d'abord craint. Elle eut même honte à la pensée qu'elle avait pu imaginer Yi-Shou vautré dans les bras d'une de ces prostituées au rire grasseyant.

L'endroit était plutôt luxueux malgré ses lampions dorés et ses stores pourpres du plus mauvais goût. Sous les galeries aérées aux balustrades rouges et vertes, quelques beautés aguichantes invitaient leurs hôtes à boire. Parmi eux, le visage vérolé d'une des larves ventripotentes croisées à la soirée de la duchesse clignotait de béatitude, le nez plongé entre les seins d'une joueuse de *pipa* qui le gavait de bouchées de pâté de cocon de ver à soie [1].

Une voix grave et langoureuse s'éleva. Un garçon-net passa, un plateau chargé de bols d'huîtres nageant dans leur bouillon comme de grosses morves azurées.

— Pas de femmes ni de nègres ici ! hurla une matrone mafflue qui se dandinait dans leur direction comme un canard constipé.

Sans perdre contenance, Shu-Meï déclina son identité, demanda d'une voix ferme à voir son mari. Le vieux brugnon entortillé dans son rideau de courtine s'esclaffa en prenant l'assistance à témoin. Si les épouses de ses clients venaient maintenant faire la loi chez elle, elle n'avait plus qu'à rejoindre la corporation des « vide-merde » et aller ramasser le caca. Eux

---

1. Amuse-gueule servis dans les cabarets.

au moins étaient assurés de garder leur clientèle[1] !

Inutile d'insister devant un tel déploiement de vulgarité. Le rideau de perles retomba derrière eux.

Surgie de la cour attenante aux cuisines, une grande jeune femme à l'allure masculine les rejoignit. Shu-Meï reconnut la beauté fardée qui chantait ce *tseu* troublant d'une voix si rauque. Elle s'étonna de la grandeur démesurée de ses Lys d'Or qui flottaient dans d'étranges chaussures de satin à bout recourbé et de l'ombre qui bleuissait ses joues sous l'épais maquillage.

— Vous cherchez Yi-Shou, chuchota-t-elle. A votre mine de papier mâché, j'en ai déduit que vous n'étiez pas une de ces harpies tordues de jalousie mais que vous vous inquiétiez plutôt sur son sort. La petite Li le connaît. Allez la voir de ma part. Je suis « la Coréenne », ajouta-t-elle fièrement en indiquant à Ébonite une porte basse dans la venelle adjacente.

Un rire tonitruant les accueillit en bas d'un escalier de bambou tremblotant. A quatre pattes sur une table en rotin, présentant son énorme derrière au tout-venant, un monstrueux poussah chauve, suintant comme un beignet, tressautait de tous ses bourrelets tandis qu'une jeune fille, l'air sévère, lui chatouillait le fondement à l'aide d'un plumeau trempé dans de la cire d'abeille.

Horrifiée, Shu-Meï eut le temps de reconnaître Lao-Bao, le marchand d'épices de la Grande Rue. Pris en flagrant délit, ce dernier s'affala sur son piédestal en voulant cacher sa misérable gargouille jaunâtre qui pendouillait dans un amas de replis graisseux comme une girolle chiffonnée.

— Vous trouverez Li derrière le rideau vert, chuchota la petite vieille qui les avait accueillis.

1. Allusion aux vidangeurs qui avaient leur clientèle attitrée.

73

Elle gloussa en portant une main devant sa dentition déchaussée et s'éclipsa en claudiquant.

Bris de vaisselle et éclats de voix retentirent au-dessus d'eux. Les soudards s'échauffaient à l'étage supérieur. L'endroit était sordide. C'était un de ces bouges aux murs suintants où les instincts les plus vils croupissent dans la crasse.

Odeurs de pied, d'ail frit. Relents d'urine, tentures tachées de sperme et de vomissure. Laideur des corps vautrés, emmêlés sur des bat-flanc crevés. Gémissements éraillés surgis de l'ombre dans cette antichambre des désirs refoulés.

Sans écouter Ébonite, soucieux d'éviter à sa maîtresse cette descente aux enfers, Shu-Meï s'engagea dans un long boyau humide. Sur sa gauche, derrière un panneau non tiré, deux fillettes au corps nubile caressaient un vieillard dont les atours richement brodés ne laissaient aucun doute sur son origine sociale.

Penchée sur le bas-ventre flétri, l'une d'elles soufflait à travers un bambou un liquide gluant que la seconde lapait avidement dans un suçotement obscène, ses fesses rondes et cuivrées se dandinant à la hauteur du visage extasié.

Shu-Meï détourna les yeux. Il y avait un malentendu. Yi-Shou ne pouvait venir ici.

A cet instant, poursuivi par une jeunette armée d'un *kriss* javanais et vêtue d'un haut-de-chausse troué, un gaillard couturé jaillit en hurlant, sa Quenouille Baveuse toute barbouillée de sang. Quelques secondes plus tard, poussée par la petite vieille, la créature essoufflée revint vers eux. Devant les mines effarées des deux visiteurs, elle baissa son poignard et l'essuya sur ses cuisses en riant.

— J'ai appris que vous me cherchiez... N'ayez crainte, cet ancien mercenaire n'éprouve du plaisir que si on le menace de lui couper en tranches son Cactus Chauve, vieux souvenir d'un supplice qu'il a vu infliger au Surinam... Ce qui me dégoûte le plus, c'est d'avoir à tuer un poulet à chaque fois. Enfin, soupira-t-elle, que puis-je faire pour vous ?

La tête bourdonnante, Shu-Meï lui demanda si elle connaissait un homme du nom de Yi-Shou.

Li baissa la tête. Shu-Meï remarqua que, malgré un physique plaisant, un léger bec-de-lièvre lui retroussait la lèvre supérieure.

— Alors c'est vous ? murmura la prostituée.

Elle s'écroula sur le bat-flanc douteux et se cacha le visage.

— Je vous avais presque reconnue... Il me parle si souvent de vous. Il m'arrive même d'en être jalouse.

Malgré la crudité de l'aveu, Shu-Meï ne parvenait pas à lui en vouloir. Sa franchise avait quelque chose de touchant. Li renifla et la fixa avec un pauvre sourire.

— Vous devez donc l'aimer pour avoir suivi son ombre jusqu'ici ! Je ne peux vous mentir. Yi-Shou vient ici régulièrement. Surtout pour se confier, ajouta-t-elle gênée.

— Je ne veux pas le savoir, trancha Shu-Meï. Dites-moi seulement si vous l'avez vu récemment.

Le visage de Li se referma soudain. Perdue dans ses chimères, elle tritura un instant les pans de sa ceinture.

— Il m'a promis de me sortir d'ici... bientôt. Mon père était un criminel de droit commun [1]. Suivant la coutume, j'ai été mise sur le marché comme ma mère et ma sœur et...

— Mais Yi-Shou, où est-il ?

1. On recrutait souvent les prostituées de bas étage parmi les criminelles de droit commun ou dans les familles de criminels.

Li hésita et se moucha bruyamment avant de répondre d'une voix neutre, mécanique, comme si elle ramassait les débris de son piteux rêve brisé.

— Il m'a quittée ce matin. Il est resté ici plusieurs jours... à boire. Il m'a dit qu'il avait honte, qu'il ne pouvait plus rentrer chez lui.

Prise de frénésie, Shu-Meï la secoua par les épaules.

— Mais pourquoi ? pourquoi ?

Son regard accrocha la patère où pendait, parmi quelques oripeaux froissés, une cravache à pommeau nacré qu'elle n'eut aucune peine à reconnaître. Yi-Shou ne s'en séparait jamais. Elle chassa de son esprit le corps blanc, lacéré par la petite pute grimpée en amazone sur son ventre... Yi-Shou devait se sentir en effet bien coupable pour en arriver à se faire flageller dans ce claque encroûté de vermine !

— Pardonnez-lui.

Li s'était jetée à ses pieds, sa natte postiche basculant sur son front trop poudré.

— Il n'a pas eu le courage de se présenter aux examens. Il m'a tout raconté, continua-t-elle en sanglotant. Alors qu'il se dirigeait vers le pavillon des Lettrés, tout s'embrouillait dans sa tête, ses jambes flageolaient... Une carriole l'a bousculé. Il est tombé avec son panier. Des gamins se sont moqués. Devant le vin qui se répandait sur les rouleaux de soie et son manger qui avait roulé dans la boue, ses nerfs ont lâché. Il s'est dit : c'est un présage. Je vais rater l'examen officiel. Je serai comme cette gousse d'ail piétinée par les sabots du mulet : un vulgaire résidu, l'empreinte baveuse d'une limace ou pire, celle d'un pet fangeux... et il est venu se réfugier ici.

— Il aurait pu tout aussi bien rentrer chez lui !

— Non. (Les yeux brillants, Li releva son joli visage...) Yi-Shou vous aime. Il vous respecte trop pour oser vous dire la vérité.

Derrière un paravent, quelqu'un urinait au-dessus d'une cuvette. Un rire fusa.

Consternée, Shu-Meï ne trouva rien à répondre. Elle regarda le rat qui venait de surgir dans la pièce et qui farfouillait voracement dans un tas d'immondices et de lingeries douteuses.

Brusquement, elle sortit.

« *Pauvre Yi-Shou. Ai-je trop exigé de lui ? L'aurais-je surestimé ? Sa déchéance me tue parce que j'en suis la seule responsable. Mon orgueil démesuré l'a poussé dans cette spirale sans fond. Je l'ai méprisé avant d'apprendre à le comprendre.* »

Shu-Meï leva la tête, les yeux brouillés de larmes. Tout se mélangeait : la petite Fleur de Brume encore vibrante de Yi-Shou, son sexe gluant d'amour, les corps viciés de ces grotesques vieillards en quête de jouissance avide, les rires gras, les coups de fouet et les cris de Yi-Shou expiant son crime, lui hurlant pardon à travers le corps souillé de la pauvre Li.

Elle se leva et vomit.

Cette nuit-là, lorsqu'ils étaient arrivés devant la porte de la Maison Basse, Goutte d'Or, les yeux rougis, les attendait.

Shu-Meï n'était pas encore au bout de ses surprises. Yi-Shou avait fait parvenir un message comme quoi il n'était pas digne d'elle et s'était engagé.

6

« Ainsi Yi-Shou s'est engagé ! »

La duchesse fronça ses sourcils en antennes de phalène et se carra dans le fauteuil-cage à haut dossier où elle se tenait assise, jambes repliées.

— Je ne conseillerai à personne de partir en Annam. D'ici quelque temps, il y aura plus de morts que de moustiques.

Le regard de Shu-Meï se noya dans la brume mouillée d'un paysage escarpé qui courait sur le large panneau de santal pourpre tendu de soie. Un petit être isolé semblait jauger la masse d'ombre déchiquetée qui le surplombait. Elle pensa à Yi-Shou abandonné dans une jungle obscure, à la merci des tigres et des coupeurs de têtes.

La duchesse croqua quelques graines de pastèque grillées et renvoya d'un mouvement du menton ses deux suivantes. Elle se rapprocha de Shu-Meï en faisant tinter ses pendentifs de turquoise damasquinés de fleurs.

— Le conflit s'aggrave. Je sais par mes « oreilles attitrées » que des pirates persans et arabes basés dans l'île de Haï-Nan ont l'intention de mettre à sac Guang-Zhou.

— Je ne vois pas le rapport avec Yi-Shou.

— J'y viens. Ils n'agissent pas seuls. Derrière eux se profilent les Annamites de mèche avec un certain eunuque, commissaire aux bateaux marchands. Leur but est de porter un coup fatal à la crédibilité de Liu-Yin en paralysant les activités du port, et de détourner par la même occasion une partie du trafic des mers du Sud vers le nord de l'Annam... Or, renchérit Dame Hue à voix basse, un de mes amis — et vous le connaissez — veille au grain... Mais je ne suis pas certaine qu'une fois l'affaire réglée, l'Empereur ait tellement intérêt à soutenir Liu-Yin.

Shu-Meï avait compris : que Liu-Yin déjoue le complot ou qu'il se fasse berner par des instances supérieures, l'escalade était certaine. Si la répression anti-Champâ allait être sanglante, on pouvait penser que la résistance annamite farouche et tenace ne s'en tiendrait pas là. Sans appui, les armées du roi risquaient bien vite de se transformer en purée d'insectes.

Mille questions troublaient Shu-Meï. Pourquoi Kaifeng tenait-elle tant à voir Liu-Yin s'enliser ? Que faisait donc le ténébreux Yikuai à Guilin ? Sa visite au Guang-Xi s'éternisait. Sous prétexte de conseiller le roitelet, essayait-il sournoisement de tirer les ficelles afin de mieux l'abattre ? Une chose était sûre, dans le but d'affaiblir le tyran, on avait décidé de laisser pourrir la situation en regardant la mangouste et le serpent s'entre-tuer.

En attendant, Yi-Shou en serait la victime.

— J'aimerais vous aider, mais je ne peux hélas rien demander au duc... (La Hue soupira en contemplant ses mains blanchies à la poudre de jasmin.) Comme vous vous en doutez, notre couple n'est qu'une façade. En revanche, notre ami Yikuai pourrait sûrement vous être d'un grand secours.

La duchesse contempla Shu-Meï de ses grands yeux

myopes. L'appel au secours de sa protégée allait enfin lui donner l'occasion de pimenter son petit jeu amoureux avec le jeune dignitaire.

Ce n'était pas encore gagné, mais elle était patiente. Depuis le temps qu'elle attendait de pouvoir lui offrir ce présent de choix !

— Il vous apprécie beaucoup. Cela facilitera les choses... Je l'espère, du moins, ajouta-t-elle avec un fin sourire en rinçant ses longs doigts dans un bol de porcelaine Kouan à émail gris lavande.

Dépitée, Shu-Meï se leva.

— Je ne suis pas venue vous voir pour vous demander d'intercéder auprès de votre ami. Je n'ai pas l'habitude de lécher la plante des pieds du Tigre, ni de venir manger dans sa main.

Jamais elle ne céderait. Elle ne tenait pas à se faire dévorer. Surtout pas par Yikuai !

« *Aujourd'hui j'ai vu Yi-Shou.*

D'après les renseignements recueillis par Ébonite, j'ai appris que les engagés volontaires étaient parqués dans un campement provisoire en dehors de la ville.

" Un honnête homme, disait mon père, ne se fait pas soldat. " Ce qui était un comble dans la bouche du commissaire militaire qu'il était ! Pourtant, à voir la misère qui traînait dans cette garnison de fortune, j'ai compris ce qu'il voulait dire.

A présent, on recrute parmi la lie. Où sont donc les pétulants soldats bardés de métal et de cuir qui piaffaient naguère dans la cour du manoir, leurs morions à ailes de phénix étincelant au soleil ? Je n'ai vu que des ombres dépenaillées, des gueux vociférants, de pauvres hères rongés de vermine, se ruant vers leurs gamelles comme s'ils ne s'étaient enrôlés que dans l'espoir de remplir leurs ventres creux.

Personne ne connaissait Yi-Shou, et pour cause : il s'était inscrit sous un faux nom.

Lorsque je l'ai vu surgir d'une tente, morne et livide, j'ai tremblé, ce n'était déjà plus le même homme. Juste une enveloppe amaigrie flottant sur une âme inhabitée.

Alors qu'il s'approchait lentement sans oser me fixer, j'ai compris sa souffrance morale et je lui ai pardonné. " Je ne suis pas capable de devenir fonctionnaire. Il ne me reste que l'armée ", m'a-t-il dit seulement.

Malgré mes arguments, je n'ai pu le faire fléchir. Dans quelques jours il sera trop tard et Yi-Shou sera parti à la guerre. »

La lourde porte de bronze grinça. Shu-Meï frissonna. Il lui fallait habituer ses yeux à l'obscurité.

Au fond du sanctuaire, sculpté dans la roche, un gigantesque Bouddha fixait paisiblement l'éternité. Shu-Meï s'agenouilla sur le dallage humide et se laissa envahir par le silence. Autour de la statue, de petites lampes à huile de fève brûlaient autour des coupelles d'offrandes, ravivant d'ombres la pierre froide et sacrée.

« Mieux vaut mourir dans les rizières, lui répétait inlassablement Yi-Shou, plutôt que d'être indigne de toi. » Au campement, un de ses compagnons avait ricané dans son dos. « Le lettré » ne tiendrait pas le coup longtemps. Avant même d'affronter le climat insalubre du Champâ, « le talent en fleur » avait déjà par deux fois tourné de l'œil lors de l'entraînement.

Engoncé dans son *kuzhe* [1] plissé à haut col qui le faisait ressembler à un héron, Yi-Shou était resté imperméable aux supplications de Shu-Meï. Le seul espoir qui le faisait encore tenir debout était celui de

1. Manteau militaire.

racheter son honneur en cherchant la mort au combat.

Shu-Meï serra son sachet à parfum de mousseline rouge. Il ne lui restait plus qu'à s'incliner. Si Yi-Shou se faisait massacrer au fond d'une gorge, la tradition obligerait la veuve indésirable à finir ses jours cloîtrée dans le manoir paternel. Si par miracle son mari en réchappait, il se trouverait dans l'obligation d'adopter une ou deux concubines afin d'assurer définitivement sa descendance. Car malgré les philtres et les amulettes de Ma-Ma, le ventre de Shu-Meï restait désespérément sec.

Dans ce dernier cas, épouse stérile reléguée aux « intérieurs », elle ne pourrait pas même prétendre accompagner Yi-Shou s'il devait quitter Guilin. Ses épouses secondaires s'en chargeraient.

Shu-Meï leva les yeux. Au-dessus d'elle, perdu dans ses volutes d'encens, le sourire énigmatique de Bouddha bravait l'Infini.

Dans le prolongement de la Salle d'Or, un doux chant liturgique s'éleva. Deux nonnes au crâne luisant longèrent l'autel en balayant l'espace de leurs larges manches comme deux mouettes blanches.

Bouddha pouvait-il l'aider ?

Yikuai fixa d'un œil vague l'eau glauque qui frissonnait sous la brise molle. La minuscule barque avançait doucement, se frayant un passage entre les lentilles d'eau et les gros nénuphars blancs.

Si cela n'avait tenu qu'à lui, il aurait demandé des fonds pour l'embellissement du site et fait recruter des bras pour curer le lac de sa vase et de ses plantes aquatiques.

Une bande de joyeux drilles entourés de chanteuses

le hélèrent de leur embarcation fleurie tandis qu'une tille croulante de légumes et de coquillages croisait son sillage.

Sa mission piétinait. Son réseau d'espions s'était pourtant ramifié, mais il fallait tenir compte des sympathies sournoises qui liaient la population Zhuang à leurs frères de sang annamites, et cela ne facilitait pas son travail.

Il avait réussi à déjouer de justesse le complot de Haï-Nan. Malgré sa tâche qui consistait à surveiller Liu-Yin et à tout mettre en œuvre pour qu'il mijote et s'épuise dans ce bourbier sans fin, il ne pouvait laisser l'Annam prendre le dessus. Kaifeng devait veiller à ce qu'aucun des camps ne gagne cette guerre. A elle ensuite de tirer son épingle du jeu.

Balayée par une rafale, une pluie de pétales de cerisier vint se noyer dans l'eau. Il leva la tête. Devant lui, dressé au milieu du lac, le pavillon de la Bourrasque Éthérée étirait ses auvents recourbés comme des plumes de faisan.

Il fronça les sourcils. Derrière le balustre vermillon de la première véranda baignée des derniers rayons du couchant, il venait de reconnaître la silhouette replète de Dame Hue. Celle-ci semblait converser avec animation. Pourquoi n'était-elle pas seule, comme promis ?

Précédé de la duchesse, Yikuai traversa les salons plus agacé qu'émoustillé. Dame Hue venait de lui annoncer une « surprise » avec la même désinvolture que si elle organisait un jeu de fléchettes à un goûter de dames. Il n'avait pas la tête à la bagatelle. Pas aujourd'hui. Une migraine galopante lui essorait le cervelet depuis l'aube.

A sa précédente visite, cette chère duchesse lui avait déniché un délicieux « puits d'amour » en la personne d'une époustouflante danseuse arabe qui n'avait pas son pareil dans l'art de gober la Flûte Enchantée. L'évocation de ce ventre bombé tanguant dans un roulis endiablé et de cette bouche gourmande dévorant l'auguste « bambou odorant » lui aurait à tout autre moment aiguisé l'appétit mais, par les couilles ratatinées de l'Empereur ! sa visite à la Hue avait un motif autrement plus sérieux.

Le corps de l'agent double qui avait permis l'élimination de l'eunuque commissaire aux bateaux marchands de Guang-Zhou venait d'être repêché, cousu dans une outre remplie de chaux.

C'est donc de fort mauvaise humeur que le représentant de la cour de Kaifeng pénétra sur la terrasse des Promesses Accumulées. Pourtant, lorsqu'il aperçut entre un tripode de bronze et une jarre de porcelaine gris-bleu la courbe insolente de cette nuque et le nuage sombre de ce chignon enroulé en volute, Yikuai en oublia sur-le-champ migraine et soucis.

Accoudée à la rambarde qui plongeait sur l'eau dormante, Shu-Meï se retourna. L'apparition d'une déesse aux seins nus entre les rideaux de son châlit n'aurait pas fait plus d'effet au dignitaire. Mais il n'en montra rien et se contenta de sourire intérieurement.

Ainsi l'épouse fidèle avait ployé ! Il saisit dans sa manche le minuscule cheval de jade vert qui ne le quittait jamais et se mit à réchauffer la pierre dure dans sa paume.

Par les cornes de Wen-Shu[1], qu'il aurait aimé empoigner l'encolure de ce pur-sang qui lui faisait face !

1. Divinité bouddhiste de la Chance.

La lumière dorée renforçait la pureté de ses traits. La bougresse était encore plus belle que dans ses songes.

Shu-Meï expliqua la situation et exposa brièvement sa requête. Le cœur battant, elle attendit la réaction du dignitaire. Yikuai tira nonchalamment à lui un repose-pieds en bois de rose sculpté et étendit les jambes.

— L'aimez-vous tant que ça ?

Il retira le couvercle en forme de tête de cerf d'une bonbonnière incrustée d'or et saisit une grosse datte fourrée d'un air gouailleur.

Shu-Meï le toisa sans se laisser démonter.

— Le devoir de toute épouse n'est-il pas de respecter et d'aider son mari quoi qu'il arrive ?

Tels deux poissons cabrés, les pieds brodés de l'Envoyé Céleste manifestèrent leur agacement.

— A condition, persifla-t-il, que celui-ci soit digne de guider son épouse, nous dit aussi le Livre des Odes.

Shu-Meï n'eut pas le temps de répliquer. L'homme se leva, un sourire carnassier aux lèvres.

— Et si je consens à vous aider, que me donnerez-vous en échange ?

— Mon amitié, si vous l'acceptez.

— Vaut-elle tant d'efforts ?

— A vous de juger !

Yikuai fixa rêveusement la pagode des Cent Nuages qui le narguait du haut de son rocher bleu, là-bas, sur l'autre rive.

— J'y réfléchirai, dit-il en envoyant d'une chiquenaude son noyau de datte par-dessus bord.

Songeuse, la duchesse regarda Yikuai raccompagner Shu-Meï et laissa retomber la gaze épaisse à travers laquelle elle venait d'épier la scène. Parfois, elle se sentait l'âme d'une impératrice douairière espionnant son fils et ses ministres derrière le rideau jaune de la salle du Conseil.

Elle sourit. Qui sait ! Ne se débarrasserait-on pas un jour du roitelet gangrené afin de glisser sur son trône une âme bien-pensante qui permettrait à Kaifeng de récupérer le mirage du Champâ ?

Dans un soupir feutré, la tapisserie de la portière se souleva. Yikuai revenait déjà sur ses pas. Les regards brûlants dont il enveloppait la jeune femme déferlaient dans la tête de la Hue comme des vagues d'automne. Il y avait plus qu'un simple désir dans ces œillades-là !

Habituée pourtant à lui fournir de temps à autre quelques nymphettes à la chair croquante afin de raviver l'ardeur de son Pic Solitaire, la duchesse en ressentit un pincement au cœur.

— Ainsi, vous allez aider ma protégée !

Elle fit tinter ses bracelets d'opale et descendit trois marches pour le rejoindre.

Yikuai fit volte-face. Dans son désir de tout régenter, la Hue n'avait pu s'empêcher d'assister à la rencontre qu'elle avait soigneusement manigancée. Il fronça les sourcils, irrité. Qu'elle savoure en cachette ses ébats fiévreux avec quelque poule faisane passait encore, cela ajoutait même du piquant au jeu. Mais aujourd'hui, elle exagérait.

Il se laissa tomber sur le *kang* recouvert de soie verte.

— En effet, j'y pense. Pourquoi ne sortirais-je pas son époux des griffes de l'Annam ?... A propos, je tiens à vous signaler que Wong, notre principal indicateur dans la délicate intrigue du sac de Guang-Zhou, vient d'être tué après avoir été torturé.

— Par les Annamites ?

— Rien n'est moins sûr. Depuis que j'ai offert à

Liu-Yin le dénouement du complot sur un plateau, ce dernier, loin de m'en savoir gré, semble agiter ses grandes oreilles et remuer son gros nez de durian cabossé au-dessus de nos affaires. Je n'aimerais pas qu'il en apprenne plus qu'il n'en devrait savoir.

— Le duc, mon mari, se charge jour et nuit d'apaiser ses soupçons et de glorifier votre présence. Vous pouvez me croire, répondit la Hue en s'installant confortablement parmi les coussins chamarrés de son divan.

— On raconte pourtant à la cour qu'un mignon fort intrigant du nom de Li-Pang se serait attiré les faveurs royales. L'Auguste ne jurerait plus que par le Bâton d'Osmanthe Fleuri de son nouveau favori !

Le visage de la Hue se rembrunit. Sa grenouille de mari n'était pas plus capable de satisfaire Liu-Yin que d'arroser sa Pivoine Flétrie. Par sa mollesse, ce godiveau risquait de faire échouer le projet qui lui tenait tant à cœur.

— Mais je compte sur vous, reprit-il, pour y remettre bon ordre après mon départ pour Kaifeng.

— Ainsi, vous nous quittez déjà !

La duchesse fit bouffer distraitement la soie bruissante de sa traîne aux reflets gorge-de-pigeon. Elle ne pouvait s'empêcher de repenser au picotement qui l'avait envahie un peu plus tôt à la vue du couple si agréablement assorti.

— Mais j'y songe, que va devenir le mari de cette petite lorsque vous l'aurez extirpé de l'armée ? Y avez-vous réfléchi ?

Yikuai souleva une paupière morose vers sa maîtresse. Sa voix aiguë ravivait son ulcère.

— Je pensais lui trouver un poste à la cour de l'Empereur, lâcha-t-il avec hauteur. Votre protégée mérite mieux que de rester enfermée à Guilin.

— L'appréciez-vous tant que ça ?

Yikuai ne répondit pas.

N'était-ce pas là le prétexte tout trouvé pour emmener avec lui la fille Tsao sous les cieux violets de la grande cour du Nord, tandis qu'elle-même resterait à se morfondre dans sa province ?

Elle ravala son dépit et tapota négligemment son repose-pieds de ses chaussons parfumés, décorés de fleurs de pêcher.

— Pourquoi Kaifeng ? N'y a-t-il pas d'autres endroits pour satisfaire l'ambition d'un ver de terre pâlichon qui n'a pas plus de vésicule [1] qu'une fleur de courge ? Non, mon ami, je ne suis pas d'accord.

Yikuai leva ses yeux gris. Quelle mouche la piquait ? Jamais la Hue ne s'était montrée aussi agressive dans leur petit jeu des Saules et des Grives.

— Il serait tellement dommage que le ministre Feng, mon oncle et votre généreux protecteur, ait quelque sujet d'irritation à votre égard, ne pensez-vous pas ?

Abasourdi, Yikuai en laissa choir sa tabatière.

Le marchand de melons, gardien de la colline aux Morts, s'essuya le visage et contempla avec délices les pièces de cuivre trouées qui brillaient dans sa paume. Ce n'était pas tous les jours qu'on se montrait si généreux à son égard.

Il regarda les deux silhouettes sombres s'éloigner entre les monticules sacrés et respira l'odeur âcre des poireaux sauvages qui poussaient sur la pente du premier tertre. Pour sûr, cet homme avait une bien belle compagne même si elle était un peu maigre à son goût. Il cala sa nuque contre une botte de canne à

1. Une grosse vésicule est symbole de courage.

sucre fraîche, tassée au fond de sa charrette, et s'endormit en rêvant aux fesses moelleuses d'une grosse poularde dodue.

Plus pâle qu'à l'habitude, Shu-Meï n'osait dévisager son compagnon. Pendant trois jours elle avait été déchirée entre la crainte de devoir renoncer à ce nouvel espoir et le dégoût de sa compromission. L'idée de pactiser avec cet arrogant personnage et de lui être redevable l'écœurait au plus haut point.

L'arrivée du message lui donnant rendez-vous pour le lendemain sur la colline des Ombres Errantes, située à l'extérieur de la ville, balaya ses états d'âme. Il fallait sauver Yi-Shou avant qu'il ne se fasse tatouer le numéro de son régiment sur le visage[1] et que les trompettes du Prince des Enfers ne sonnent son départ.

Le regard flottant au-dessus des tumulus sacrés qui moutonnaient à l'infini, le dignitaire rompit le silence.

— Cela n'a pas été facile, mais votre vœu sera satisfait. Votre mari ne partira pas en Annam.

Devant le soulagement de Shu-Meï, il sourit.

— Je lui ai trouvé un poste en Corée... J'avais deviné que vous souhaitiez quitter Guilin. Sachez seulement que les voyages ne guérissent pas toujours les âmes désœuvrées.

Était-elle tellement transparente ? Troublée, Shu-Meï se prosterna pour le remercier.

Yikuai ralentit l'allure et se dirigea vers une allée de saules pleureurs qui balayaient la terre de leurs mèches argentées.

— Ne me remerciez pas. La vie sera dure là-bas. J'ai fait nommer Yi-Shou inspecteur de la

---

1. Tout déserteur était ainsi repéré et décapité.

mine d'or de Sok-Yong. J'espère que sa diligence scrupuleuse sera à la hauteur de ma confiance.

— J'en réponds pour lui. (Shu-Meï releva gracieusement les pans de sa robe en queue d'aronde et hésita)... Je croyais pourtant que l'Empire n'avait plus de colonies en Corée !

— Vous n'êtes pas sans savoir que si le royaume de Koryo [1] est parfaitement indépendant, nos amicales relations nous permettent de nombreux échanges. Sans y avoir de commanderies comme auparavant, il nous arrive parfois de contrôler certaines concessions en accord avec l'administration locale.

« Le Pays du Matin Calme », se répéta Shu-Meï. Talent Modeste évoquait souvent les cimes bleutées couvertes d'azalées de cette contrée de lettrés qui avait calqué son administration sur celle de l'Empire du Milieu. Un ancêtre Tsao s'y était d'ailleurs brillamment distingué lors d'une campagne militaire, lorsque l'empire Tang désirait reconquérir ce territoire naguère colonisé [2].

Yikuai toussota et reprit, tout en foulant la menthe sauvage à grandes enjambées :

— Par ailleurs, à votre désir évident de ne pas rester mon obligée, j'ai pensé que vous accepteriez si je vous demandais à mon tour une faveur... Vue l'emprise des Khitan sur le nord de la Chine, la Mongolie et la Mandchourie, nous avons besoin de suivre de très près les tendances et les mouvances qui agitent Koryo. Il se pourrait très bien que son roi Tae-Jo se rapproche de ses voisins barbares. Or, une alliance entre ces nomades et la Corée serait catastrophique pour notre pays.

---

1. Cette dynastie succéda à celle du royaume de Silla et unifia la Corée en 936.
2. Du IIe au IVe siècle, les côtes occidentales de la Corée étaient sous influence chinoise.

Où voulait-il en venir ? Shu-Meï le pria respectueusement de poursuivre.

— Eh bien... (Yikuai inspira longuement.) Nous avons besoin d'un nouvel agent dans la région de Kum-San.

Une lumière fauve rasait la terre rougeâtre.

— Cette mission est délicate. Peu d'hommes en seraient dignes... Si j'ai songé à vous, c'est que vous me semblez vibrer à un autre destin.

C'était trop d'honneur ! En quoi, à ses yeux, méritait-elle une telle marque de confiance ?

Sous son bonnet de crêpe amidonné, le visage sévère prit un air malicieux.

— Ne détestez-vous pas ceux qui paradent dans les salons au lieu de veiller à la santé de leur pays ?

Shu-Meï baissa les yeux.

— La femme est une Souris et l'homme est un Tigre. Vous devriez reconsidérer votre offre.

— Je suis sûr de mon choix, pour peu que vous appreniez à maîtriser vos élans. Personne ne soupçonnera l'épouse effacée d'un petit inspecteur des mines. Je vous connais un peu maintenant. C'est un rôle que vous aimerez jouer malgré les apparences, j'en suis certain.

Yikuai s'arrêta et se retourna vers Shu-Meï en la fixant droit dans les yeux.

— ... Et puis, je serai ainsi sûr de ne jamais vous perdre, puisque vous travaillerez pour moi.

7

Dans un rugissement victorieux, l'énorme paluche s'abattit sur la pile de briquettes et la pulvérisa. Yeux exorbités, l'ancien soldat venait de répandre sa jouissance pour la troisième fois, son épais plantard gargouillant d'aise entre les lèvres de Li. Elle ferma les yeux.

Que ne fallait-il pas inventer ! Ce lutteur de foire qu'elle surnommait Poing Volant ne pouvait concrétiser le Saut de la Carpe qu'en brisant tout sur son passage. Depuis que son coffre à habits y était passé, Li, prévoyante, se faisait régulièrement livrer par le marchand de tuiles.

Le « gros ver de terre boursouflé » recommença à se tortiller paresseusement sous son nez. Elle sourit intérieurement à la pensée qu'il aurait tout aussi bien pu l'utiliser pour briser ses briquettes. Seulement alors, adieu Estoc Velu et bonjour Purée de Limace !

Elle fit la grimace et soupira. Avec le temps, elle s'était habituée à tous ces sexes, à ces moignons morveux. Il y avait belle lurette qu'ils n'avaient plus pour elle ni goût ni couleur, sauf — elle rougit — celui du gentilhomme lettré. Elle aimait tant sa petite Libellule Soyeuse lorsqu'elle dansait devant sa Fleur

Plissée tandis qu'il lui chuchotait à l'oreille des mo... tout miel.

A cet instant, tout caracolant dans un pourpoint lilas brodé d'oiseaux huppés, Yi-Shou souleva le rideau tissé de barbes de crevettes et fit irruption dans la pièce.

— Par la Courgette du père Ki-Chi, t'imagines-tu que je vais rester à te regarder astiquer les Champignons Mous de toute la garde ? Allez ouste ! chasse-moi ce manant d'ici.

Ce disant, il lança une bourse pleine de sapèques sur le lit et commença à se déculotter.

Furibond, le lutteur s'était déplié en secouant sa longue crinière hirsute [1]. Devant la masse de viande qu'il avait tout d'abord sous-estimée dans l'ombre, Yi-Shou recula d'un pas.

— Savez-vous à qui vous avez affaire ? Je suis le nouvel inspecteur des mines d'or de Corée, bêla-t-il devant les gigantesques jambonneaux moulés qui s'avançaient vers lui en faisant trembler les lattes du plancher.

— Ah oui, eh bien lèche, misérable mouillette ! gronda le géant en brandissant un esturgeon long de huit pouces tout tuméfié de rage. Moi aussi j'ai payé. Tu attendras ton tour, grotesque petit vermicelle sans poil !

— Attendez que je vous fasse arrêter. On verra si vous fanfaronnerez autant lorsque vous porterez vos misérables grelots accrochés autour du cou, infecte charogne !

Inquiète de la tournure prise par les événements, Li pria Poing Volant de s'éclipser sans lui demander son dû.

Tout en bougonnant, ce dernier ramassa sa cein-

1. Les lutteurs laissaient leur chevelure déployée en signe de virilité.

93

ture en peau de buffle et rafla les jetons de bambou qui s'étaient échappés de son bourseron. Puis il se retourna vers Yi-Shou et lui arracha d'une chiquenaude sa calotte en forme de châtaigne d'eau qu'il écrasa comme une vulgaire punaise.

— Vous n'êtes qu'un individu méprisable !

Yi-Shou n'eut pas le temps de s'indigner davantage. Un coup de poing magistral le fit tomber à la renverse.

Lorsque l'ouragan eut vidé la pièce, le nouvel inspecteur s'évanouit de soulagement, l'œil gonflé comme une pêche.

Ragaillardi par une demi-fiole d'alcool de riz fermenté, Yi-Shou s'était fait chevaucher au petit trot, plus préoccupé par son œil poché que par les ébats du Loriot et de l'Hirondelle.

Alors que Li se dégageait mollement pour agrafer sa jupe froissée, il glissa une main entre les cuisses brunes et palpa le tabernacle douillet.

— Je t'avais pourtant interdit de faire saliver ta mignonne petite lézarde les jours où je venais.

Li soupira. Depuis quelque temps Yi-Shou devenait tyrannique. Son nouveau poste lui tournait la tête.

— Enfin, je suis bon prince. Je vais te donner l'occasion de te faire pardonner... Appelle Peau d'Orange Amère, que l'on joue un peu tous les trois.

Li ravala sa déception et frappa à la cloison. Quelques secondes plus tard, une splendide Hakka [1] faisait son apparition. Elle eut tôt fait d'ôter son caraco de voile qui cachait à grand-peine ses appas juteux et gonflés comme de gros pamplemousses. Devant ces seins aux aréoles dressées comme des fleurs de prunus et son « huis » plus lisse et plus

1. Minorité venue de la région du fleuve Jaune.

94

chauve qu'un crâne de bonzesse, Yi-Shou crut défaillir.

Sans plus d'égards pour Li, il se jeta dans la bataille comme un Faucon Enragé. « Eh oui, même le marchand d'œufs se lasse de l'omelette », se dit la petite prostituée en repliant tristement ses atours.

A la vue de celui qui lui avait soufflé des rayons de lune dans la tête et qui maintenant écartelait sa compagne, sa cocarde assortie à son asparagus violacé, elle se leva doucement et sortit.

Elle longea le couloir suintant de râles et de remugles grouillants, et songea à la belle jeune femme qui devait attendre son mari.

Quel mensonge inventerait-il encore cette nuit en se glissant entre les rideaux de son alcôve ?

Les grandes malles d'osier étaient bouclées. Dans trois jours, une caravane acheminerait Yi-Shou et son épouse jusqu'au port de Guang-Zhou où ils attendraient des vents favorables pour entreprendre la traversée de la mer Jaune.

Depuis le retour du maître de maison, une certaine gêne s'était installée dans le couple. Pendant que Yi-Shou papillonnait à travers les faubourgs, Shu-Meï, qui ne se sentait plus retenue chez elle par le devoir conjugal, passait ses journées à secourir quelques familles de Hakka dont les maisons de bois et de bambou s'étaient volatilisées dans les flammes d'un incendie qui avait ravagé le quartier sud de la ville.

Les superstitieux associaient cette catastrophe à une histoire de baleine qui s'était échouée un an plus tôt sur les bancs de sable de l'estuaire de la rivière des Perles. Dans les jours qui suivirent, le feu s'était déclaré simultanément à Guilin et Guang-Zhou. L'esprit du gros cachalot blanc, que des gamins armés d'échelles avaient sauvagement dépecé et dont les fanons même avaient été dévorés, avait dû probablement se révolter à nouveau !

Malgré les drapeaux agités par les soldats de garde postés aux tours de guet des remparts, on avait eu grand-peine à maîtriser la catastrophe. Les escouades affectées au secours avaient été depuis belle lurette envoyées sur le front.

Tandis que l'on rebâtissait à la hâte des abris de fortune, beaucoup de sinistrés avaient trouvé refuge dans les monastères environnants. Shu-Meï s'occupait bénévolement des brûlés qui n'avaient pu plonger à temps dans le lac et qu'elle soignait au temple de la Parole Muette.

Ce jour-là, des sacs de riz étaient arrivés. Shu-Meï était heureuse. C'était elle qui avait intercédé auprès de Yikuai et de la duchesse pour qu'ils obtiennent de la cour une distribution de vivres gratuite.

Entourée d'enfants accrochés à sa jupe rouge, les bras chargés d'œufs frais protégés de leurs fourreaux de paille brune, elle aperçut soudain Ébonite dont la peau noire tranchait violemment sur sa soubreveste de chanvre blanc [1]. Elle eut du mal à contrôler les battements de son cœur.

Quelqu'un était mort dans sa famille.

A travers les rideaux légers de la courtine, l'ombre de l'encensoir à gueule de lion semblait bondir sur sa proie, crachant comme une haleine embuée ses volutes âcres contre les panneaux de laque noire.

Ainsi Talent Modeste n'était plus.

Shu-Meï serra contre son cœur son oncle si frêle dans son éternel manteau de gaze thé et respira longuement ce parfum de camphre et de cannelle qui ne pourrait plus jamais la quitter.

1. Couleur de deuil.

Garant des lois et des valeurs qui régissent ce monde de l'illusoire, c'était lui qui lui avait inculqué le sens de la vraie liberté. Lui qui refusait d'emprisonner les grillons dans de petites cages parce qu'il aimait trop leur chant soyeux.

Le seul être qui l'ait comprise et pardonnée, celui qu'elle aimait tant allait partir vers les Sources Jaunes sans même un adieu de sa petite nièce.

C'était peut-être mieux ainsi.

Allongée sur son édredon de vourine ouatinée, Shu-Meï se boucha les oreilles pour ne pas entendre les cris stridents des pleureuses, les branches de saule fouettant le sol en cadence, les gongs et les flûtes nasillardes se déchaînant autour du mort.

Comme il seyait à son rang, le lettré ne serait enterré que dans vingt et un jours. D'ici là, effigies, reproductions de chevaux en papier, sapèques et figurines de terre cuite brûleraient sans relâche pour accompagner « ses âmes spirituelles jusqu'aux neuvièmes nuées ». Usé par les ans, le vieil homme se devait de partir aussi paisiblement qu'il avait vécu : comme une douce fumerolle s'élevant au-dessus d'un tas d'herbes séchées et parfumées.

Pourtant, à la pensée que Talent Modeste siégeait à présent sur l'autel des ancêtres de la salle de la Pure Harmonie, Shu-Meï éclata en sanglots. On avait sûrement pris soin de capter et fixer son esprit au moment où il rendait l'âme en transposant sur la Tablette Sacrée la place de ses yeux et de ses oreilles avec de petites taches de sang sacrificiel.

Mais Talent Modeste n'avait pas besoin de ça pour survivre. Ne voyageait-il pas déjà dans l'intemporel lorsqu'il passait des heures assis sur une pierre chaude du jardin, la cage de son rossignol sur les genoux, à écouter la musique de l'au-delà qui colorait ses yeux morts d'un étrange arc-en-ciel ?

A l'extérieur de la chambre de Shu-Meï, les clochettes accrochées aux cornes des auvents tintèrent doucement. Un craquement suivi d'un long tressaillement la fit sursauter. Probablement un rat musqué sautant des bougainvillées. A cette heure, cela ne pouvait être Yi-Shou.

Depuis qu'elle le savait tourbillonnant sans relâche d'un cotillon à un autre jupon, son contact physique la révulsait. Parfois, elle regrettait de l'avoir extirpé de l'armée.

Quant à lui, persuadé qu'il ne devait ce retournement de circonstances qu'à la tardive reconnaissance de ses qualités, il exultait, pérorant comme un coq de basse-cour.

Plus son ambition ronflait, plus ses désirs se multipliaient, à croire que sa Tige de Jade enflait en proportion de sa tête ! Et plus Shu-Meï barricadait la Porte de sa Vallée Parfumée, plus Yi-Shou s'enfonçait avec délectation dans les plaisirs du quartier de la Joie Mouillée.

La tenture se souleva brutalement. Les yeux brillants, Yi-Shou se rua sur le lit sans même retirer ses bottes et plaqua sa bouche avinée sur celle de Shu-Meï, tout en palpant grossièrement ses seins.

— Ma femme a-t-elle bien épouillé ses pauvres ?

Shu-Meï se dégagea avec violence, écœurée par le parfum de musc bon marché qui imprégnait ses vêtements.

— Tu aurais dû rester coucher chez les Fleurs et les Saules. Tu pues la vieille charmille [1].

— Mieux vaut poires talées que poire trop haut perchée.

1. Allusion à l'expression « Verte Charmille » qui désigne les bordels.

98

Yi-Shou lança en l'air son brodequin damassé puis s'affala sur son épouse, le souffle court.

— ... Mais ce soir, vois-tu, je croquerais bien une petite pêche fraîche, même récalcitrante.

Il immisça crûment un doigt dans son intimité.

— Eh bien, quoi, tu n'es pas heureuse de retrouver ton mari ?

Il s'aperçut alors qu'elle pleurait.

— Notre oncle n'est plus.

— Ce n'est pas une raison pour m'asperger comme une fontaine, ça ne lui rendra pas la vie.

Sans tenir compte de son indignation, Yi-Shou retroussa d'un coup sec la chemise brodée et écarta les cuisses de Shu-Meï.

— Au lieu de gigoter comme une carpe, tu ferais mieux d'apprendre à me donner un fils.

Yi-Shou déraillait. La luxure lui avait-elle ramolli le cœur comme un navet bouilli pour manquer à ce point de respect envers l'Ancêtre et pour être aussi insensible à sa peine ?

Obsédé par son « idée fixe » qui se boursouflait avec indécence, il l'écartela sans ménagement.

— « Fleur nouvelle portera fruit, mais fleur flétrie nenni. »

Chantonnant une comptine d'une voix pâteuse, Yi-Shou dégagea promptement un sexe hirsute qu'une main habile venait de tatouer entièrement à la teinture de grenadier et rota bruyamment au-dessus de son visage.

Cette fois-ci, c'en était trop. Hors de ses gonds, Shu-Meï saisit la coupe de confiture d'airelles qui traînait sur la planchette de douceurs et la lui brisa sur le crâne au moment où le Dragon Chauve s'apprêtait à investir la Grotte Rouge.

Le cœur battant après l'accomplissement de ce geste sacrilège, Shu-Meï s'écroula, bouleversée. Comment Yi-Shou pouvait-il se conduire ainsi ? Elle comprenait maintenant ces femmes du Surinam qui, comme le racontait Ma-Ma lorsqu'elle était en verve, découpaient tranquillement les testicules du mari indigne pendant son sommeil et les accrochaient à la queue d'un cerf-volant.

A côté d'elle, Yi-Shou assommé ronflait. Elle se sentit étrangement libérée. Brutalement, tout devint clair. L'eau glauque et croupie des derniers jours recouvrait sa limpidité, comme si ses écailles grisâtres et nécrosées s'étaient enfin détachées. Elle avait mué.

Un grillon se mit à grésiller tout bas, quelque part entre les branches d'un paulawnia. Shu-Meï pensa à Talent Modeste et sourit entre ses larmes.

— Seize rouleaux de soie fine de Suzhou, cinquante-quatre boisseaux de riz brun, vingt livres de chandelles et d'encens... Cela suffira pour le sacrifice du jour anniversaire de la naissance du Bouddha Sâkyamouni !

La duchesse passa en revue les comptes de ses divers domaines que son intendant venait de lui apporter soigneusement roulés et retenus par un cordon rouge.

Avec les entrepôts situés au nord des remparts qu'elle louait au prix fort compte tenu de la garantie qu'offraient leurs épais murs de protection contre le feu et les voleurs, cela lui permettait d'accroître agréablement ses revenus et de se lancer dans quelques spéculations dont elle avait le secret.

La cire molle et tiède moutonnait dans son godet de pierre polie. Elle en imprégna son sceau de jade blanc à tête de phénix et l'apposa avec violence au bas du manuscrit.

Ce matin, elle était d'une humeur massacrante. Sa nuit avait été désastreuse. Depuis qu'elle avait suggéré à Yikuai d'envoyer la fille Tsao à Koryo, son amant ne valait plus un coup de dé au lit. Elle en était venue à utiliser ces fameuses clochettes de Birmanie [1] pour assouvir sa soif de Vent et de Lune !

Loin de chercher à revoir ou à abuser de la petite, Yikuai semblait s'être amouraché d'elle sans même avoir goûté à son Melon Fendu. Un comble pour un trousseur de jupons qui maniait l'art du Coq Fleuri avec autant d'appétit qu'un ver à soie !

Dame Hue ne tolérait pas de perdre ainsi le contrôle d'une situation. Elle aimait jouer avec le feu mais détestait se brûler. Elle suçota une pastille de thé à l'osmanthe pour se rafraîchir la gorge et se leva.

En passant devant son grand miroir à pied, la psyché lui renvoya son reflet. Les ans commençaient à avoir raison de sa beauté. Nom d'une Burette Fissurée, voilà qu'elle se flétrissait comme une fleur de sterculier ! Elle tira avec agacement un fil argenté qui tranchait sur sa chevelure.

Réflexion faite, n'avait-elle pas intérêt à lui faire la surprise d'une dernière rencontre avec la douce perdrix, histoire de libérer ce benêt de la frustration de son goupillon ?

Une fois ses désirs assouvis et sa mauvaise conscience dissipée, il ouvrirait ses quinquets. La Xi-Shi [2] n'était-elle pas, après tout, qu'une grue parmi tant d'autres ?

D'ailleurs, que risquait-elle ? Shu-Meï allait partir.

---

1. Billes métalliques que la femme pouvait introduire dans son intimité et qui provoquaient une délicieuse sensation en roulant les unes contre les autres.
2. Beauté ravageuse de l'Antiquité.

Le lendemain, Shu-Meï alla faire ses adieux à la duchesse. Hérons pourprés et grèbes à cou noir s'ébattaient en criaillant au-dessus de l'immense roselière, griffant le ciel plombé de sombres présages.

Dame Hue était sortie.

Shu-Meï ne réagit pas. Elle avait encore aux lèvres un goût de sciure et d'eau saumâtre en souvenir de la nuit précédente. Sa solitude lui faisait penser à celle de ces orchidées sauvages qui poussaient dans les landes marécageuses.

En l'absence de la Hue, comment allait-elle faire parvenir ses vœux de quiétude et de reconnaissance à Yikuai ?

Comme s'il avait deviné son embarras, maître Lou, le vieux serviteur de la duchesse, proposa servilement de la conduire chez le dignitaire.

Une fois installée dans le palanquin, elle paniqua devant son audace. Yikuai n'avait pas cherché à la revoir depuis qu'il lui avait donné ses instructions pour la Corée et une bourse de taels d'argent pour couvrir ses frais et graisser la patte de son contact.

Et s'il interprétait mal sa visite ? Sa faculté de percer ses états d'âme la troublait. Il était le seul à avoir deviné le cri rentré qu'elle étouffait.

Dans sa lassitude, elle décida de se laisser emporter par le courant comme une feuille de micocoulier. Elle n'avait pas le courage de rentrer chez elle et de s'affronter.

Elle s'étonna de pénétrer dans un faubourg populeux et s'agrippa au portillon à double battant. Où l'emmenait-on ? Le cocher l'arrêta devant une porte basse qui jouxtait celle d'un établissement de bains publics, comme l'annonçait le pot rouillé qui se balançait au-dessus de sa tête. Un marchand d'eau chaude aux yeux chassieux dodelinait d'un pied sur l'autre, offrant sans grand succès ses savonnettes de pois et d'herbes et quelques purgatifs au suc d'aloès empaquetés dans des feuilles de bananier.

Shu-Meï se rappela qu'on ne se lavait pas par superstition les jours du Rat et du Lièvre. De peur sans doute d'attraper des boutons !

Comme elle se demandait ce qu'elle venait faire dans un pareil quartier, le serviteur vint l'assurer qu'elle était annoncée et que le noble personnage daignait la recevoir.

Une petite dame accorte, au visage rond comme une mangue, la conduisit dans un entrelacs de corridors mal aérés. Yikuai vivait donc chez l'habitant. Cela renforçait le mystère dont il aimait s'envelopper.

L'homme n'avait pas plus d'attaches qu'un coléoptère.

De l'autre côté de la courette, Yikuai l'accueillit dans une grande pièce sombre d'une austérité absolue, encombrée de caisses de livres non déballés. Débarrassé de son impressionnant chapeau-cage, ses cheveux relevés en un chignon serré au-dessus de sa robe d'intérieur lie de soja à large ceinture brodée d'oiseaux, il lui sembla beaucoup plus jeune qu'elle ne l'avait tout d'abord pensé.

Il se prosterna galamment et se débarrassa prestement de sa servante en l'envoyant chercher du vin et de la viande de cerf séchée. Shu-Meï se souvint brusquement du laquais en livrée flamboyante qui était venu lui apporter les présents. Yikuai se moquait d'elle, il ne pouvait habiter là. Comme s'il devinait ses pensées, ce dernier lui rapprocha un tabouret.

— Personne ne connaît cet endroit. Je viens y étudier mes dossiers lorsque je désire ne pas être dérangé. Il faut que maître Lou ait bien confiance en vous pour vous avoir guidée jusqu'ici... Que me vaut l'agréable surprise d'une telle visite ?

Shu-Meï revit soudain le sourire dégoulinant de mélasse et l'empressement dudit Lou. Malgré ses airs faussement étonnés, le dignitaire avait dû discrètement faire entorse à sa consigne en ce qui la concernait.

Elle rougit.

— Je quitte la ville demain. Je m'étonne que le personnage hautement informé que vous êtes l'ait déjà oublié.

— J'ai appris le deuil qui touche la très honorable famille Tsao... A vrai dire, je ne vous espérais plus.

Décidément, rien ne lui échappait. Sur sa table de travail, l'érable nain qu'elle avait fait renvoyer s'étiolait dans son pot vernissé. Le jour tombait. Shu-Meï se sentit soudain ridiculement petite.

Elle eut envie de pleurer.

— Seriez-vous venue puiser un peu de réconfort avant la tâche délicate que je vous ai confiée ?

La lumière pâle estompait peu à peu les traits de Yikuai. Gênée par la douceur cuivrée de son regard, elle détourna le visage.

— Je ne suis pas ici pour mendier. Je n'ai besoin d'aucun soutien.

— La force de caractère n'a jamais empêché une femme de rechercher un peu de tendresse.

Shu-Meï se leva, ulcérée. Cet homme ne se complaisait qu'à la rabaisser. Ses blessures ne regardaient qu'elle. Elle désigna le petit arbre au tronc tordu.

— Ses feuilles jaunissent. Prenez garde à ces taches blanches, elles annoncent des parasites. C'est lui qui aurait bien besoin qu'on s'occupe de lui.

— J'y veillerai. Je vous le promets.

Elle se raidit.

L'homme était là, dans son dos. Sans le voir, elle

pouvait sentir son ombre, sa chaleur diffuse, mais aussi sa mélancolie qui prenait la teinte violette des fleurs d'alise plaquées contre le papier huilé de la croisée.

Elle voulut s'écarter. La situation devenait absurde. Elle se comportait comme une poulette mouillée prête à se laisser tomber dans la gueule du renard.

« Dirige-toi où les dieux ont décidé de t'attendre », sembla chuchoter la voix ténue de Talent Modeste.

Elle n'osa pas se retourner, retenant son souffle. Un *khên* à bouche émit un long son plaintif, repris en écho par une cascade de rires d'enfants.

Soudain tout bascula. Sans montrer plus de résistance, Shu-Meï se laissa envelopper par les bras protecteurs. Dans un élan désespéré, le silence venait de s'abattre sur leurs deux solitudes.

Shu-Meï ne ressentit pas grande émotion lorsque l'attelage s'ébranla. Elle garderait seulement le souvenir poignant du couple zhuang en larmes, de Hu-Hu, soulevant haut son chapeau de palme aux cordons tout neufs, en serrant maladroitement sa femme qui cachait son visage congestionné dans son tablier.

Les reverrait-elle un jour ? Les branches des sterculiers balayèrent vite leurs silhouettes tassées par le chagrin.

Horizon brûlé, terre ocre et poudreuse, chaleur âcre, poisseuse, dégoulinante.

Le voyage fut éprouvant.

Protégée de la poussière par un large chapeau conique à voilette, Shu-Meï laissait défiler la monotonie des rizières. De temps à autre le flamboiement d'une aire de terre battue où le riz séchait au soleil entre des bottes de paille accrochait son regard. Les silhouettes de quelques paysans besogneux, passant les grains au crible du tamis ou les secouant au vent pour en séparer la balle plus légère, dansaient devant ses yeux absents.

Vers le sud, les monts pelés se couvrirent de jungle, d'hévéas aux troncs lisses charcutés de corolles sanguinolentes. Des fleurs-pustules jaillirent des marécages tandis que jacanas et gobe-mouches froissaient le feuillage des palétuviers.

Mais Shu-Meï s'interrogeait davantage sur la lente métamorphose de son paysage intérieur.

Lorsqu'elle avait quitté Yikuai, ce dernier lui avait demandé avec une certaine nostalgie si le Phénix reverrait la Tourterelle. Elle avait dit non.

L'adultère, couleur de serpent-liane !

Maintenant qu'elle avait goûté à sa liberté, elle regardait Yi-Shou avec plus d'indulgence. Il n'avait jamais évoqué l'épisode du vase. Shu-Meï se demandait si l'incident s'était évaporé dans le brouillard de sa cuite ou s'il préférait faire semblant de ne pas s'en souvenir pour sauvegarder leurs faces respectives.

En allant embarquer à Guang-Zhou, elle tournait définitivement une page de sa vie et larguait les amarres.

8

« *Nous avons quitté Guang-Zhou à l'aube. Adieu terre de mes ancêtres, nuit végétale grouillante d'esprits et d'oiseaux multicolores, chant strident des kakés au-dessus des flamboyants et des bougainvillées.*

La mer, la mer plate et mauve. Les voiles rousses et nervurées de la jonque comme un énorme insecte aux élytres rapiécés.

J'ai laissé Goutte d'Or sur le quai entre les ballots de riz et les casiers de crabes. Elle m'avait suppliée de ne pas l'arracher à ses racines. La femme du gouverneur qui nous hébergeait lui a trouvé une bonne place chez un riche armateur du Fujian. Sa frimousse délurée me manquera. »

Shu-Meï sourit : la petite lui avait avoué avoir déjà goûté à la Courgette Farcie de son nouveau maître. « Une adorable petite crevette de rivière, de celles que l'on cuit dans le thé », avait-elle ajouté en gloussant.

Shu-Meï avait été stupéfaite par la verdeur de son propos. Goutte d'Or avait alors saisi sa main et l'avait portée gravement à son cœur.

— Pardonnez-moi, je voulais vous faire rire. Vous ne montrez jamais vos cinq sentiments mais je sais à quel point vous êtes triste de quitter votre pays.

Elle découvrit ses petites dents blanches comme des graines de melon et tendit dans sa paume ouverte un bracelet de coquillages qu'elle avait acheté au marché avec ses maigres économies.

— N'oubliez pas Goutte d'Or, chuchota-t-elle. Jamais elle ne vous a trahie, pas même avec monsieur.

Shu-Meï l'avait serrée dans ses bras.

Plus d'un mois s'était écoulé depuis qu'ils avaient quitté Guilin.

Pendant qu'ils attendaient le départ du navire à l'ombre des anacardiers de la belle demeure aux toits pentus de leur hôte, Shu-Meï, angoissée, avait dû se rendre à l'évidence : le Flot Rouge ou plutôt le « liquide de la fleur de pêcher[1] » n'arrivait pas.

Mis à part la fameuse nuit où la coupelle d'airelles avait assommé Yi-Shou au moment précis de l'abordage, il y avait belle lurette que le Dragon Vert n'avait pas plongé dans la caverne du Tigre Blanc.

L'enfant ne pouvait être que de Yikuai.

« Avant de partir de Guang-Zhou, je suis allée voir la sorcière tanka qui a confirmé mes craintes. Elle m'a donné à absorber le contenu de cette petite fiole et de cette boîte de graines au cas où je déciderais de me libérer de mon fardeau.

Quelle ironie du sort ! Dire que je devrais sauter de joie et bénir tous les dieux de m'avoir accordé la grâce de tomber enceinte et de m'éviter ainsi le triste statut d'épouse stérile, de méprisable épluchure, dans une société où seul l'enfantement semble justifier l'utilité de la femme.

1. Expressions chinoises pour désigner les menstrues.

108

Mes nausées reprennent. Je ne sais que faire. Dois-je m'enfermer dans le mensonge ? Supporterai-je, un jour, d'entendre mon fils appeler Yi-Shou : " père vénéré " ? »

Shu-Meï s'allongea sur l'étroite couche de la cabine qu'on leur avait réservée sur la jonque. Ébonite l'avait aménagée avec amour afin que sa maîtresse ne s'y sente pas dépaysée pendant la longue traversée. Tous ses objets intimes avaient été délicatement sortis des malles, de son encrier en pierre dure au coffret en bois de santal de Talent Modeste dans lequel elle conservait toute sa correspondance.

Elle contempla les fleurs de manguier qui se fanaient déjà dans leurs corbeilles laquées.

Yi-Shou voudrait-il croire que cet enfant était le sien ? Ses âmes supérieures s'étaient-elles réellement évaporées dans l'alcool, le soir où Shu-Meï avait appris la mort de son oncle ?

À cet instant, la natte en abaca se souleva et le visage souriant et hâlé de Yi-Shou apparut derrière un plateau garni de calamars séchés et d'arbouses trempées dans du jus de miel.

— J'ai soudoyé les cuisines. Le chef coréen m'a donné ce qu'il avait de meilleur pour la perle rare que je garde cachée.

Il déposa fièrement le fruit de son troc aux pieds de Shu-Meï. En versant l'eau bouillante sur les feuilles de thé aux pousses de bambou salées, un petit paquet soigneusement ficelé glissa de sa manche.

Sa gêne n'échappa pas à Shu-Meï. Encore une babiole de courtisane, pensa-t-elle, un souvenir d'amour volé fleurant l'essence de jasmin qui flotte dans les bordels.

— Quel est donc cet objet précieux qui te brûle les doigts et qu'il te faut dissimuler comme un voleur ?

À sa grande surprise, Yi-Shou ne chercha pas à se

dérober. Aussi écarlate que son gilet de damas boutonné sur sa robe de satin, il déposa l'objet sur la table basse. Puis, avec autant de précautions que s'il s'agissait de la dent de Bouddha, il déplia l'emballage et dégagea de l'écrin de fortune un petit morceau de bois de camphrier.

Shu-Meï le vit alors baiser avec ferveur l'écorce rougeâtre.

— Du bois de notre pays, petite sœur. Rends-toi compte, je l'ai recueilli la veille de notre embarquement afin qu'un infime morceau de Chine nous accompagne où que l'on aille !

Il baissa la voix et regarda Shu-Meï intensément. Ses yeux brouillés de nostalgie flambaient à présent d'une fierté mal retenue.

— Si nous avons un fils et qu'il naisse en Corée, je veux qu'il apprenne à respecter et à vibrer pour sa terre sacrée.

Le soir même, bouleversée, Shu-Meï avala d'un coup les graines multicolores et la potion vitreuse au goût de marron amer, sorte de jus fermenté à base de noix de galle macérée dans du mercure, de bouillie de taon et de sangsues cuites dans du tanin aromatisé au suc de rhubarbe et mélangé à de la cendre d'œufs de vers à soie.

Elle ne pouvait continuer à duper Yi-Shou et à se mentir à elle-même.

Les jours glissaient sur la mer étale, à peine ridée par le cri des mouettes.

De temps à autre une voile gonflée, pétale safran burelé de lumière, croisait le *Perce-Vent* bourré à craquer de soies, de plantes médicinales et de porcelaines. Il reviendrait du Pays du Matin Calme chargé de peaux de tigre, de ginseng, de pignons et peut-être même d'or ou d'argent dont les Chinois avaient tant besoin.

Depuis qu'elle avait ingurgité la décoction de la Tanka, Shu-Meï restait alitée au fond de l'étroite cabine, de plus en plus malade.

Munie de huit grandes rames, la jonque transportait une centaine de personnes dont beaucoup s'entassaient pêle-mêle au fond de la coque, grouillantes chenilles allongées entre les ballots de bois aromatique et les rouleaux de brocart destinés à la cour du roi Tae-Jo.

Seuls quelques riches marchands, quelques bonzes en robe grise et de jeunes aristocrates coréens de retour de Chine où ils avaient fait leurs études officielles partageaient le sort privilégié de Shu-Meï et se calfeutraient dans leurs cabines.

On craignait bien sûr les pirates qui infestaient les côtes, mais Shu-Meï n'en avait cure. Incapable d'absorber la moindre nourriture, elle divaguait, en proie à une étrange fièvre, ne supportant que la présence attentionnée d'Ébonite à son chevet.

Inquiet, Yi-Shou redoublait de petits soins. Son épouse avait le mal de mer. C'était à ne rien y comprendre, jamais les flots n'avaient été aussi plats !

Après l'escale à Fuzhou, Shu-Meï s'inquiéta. Malgré son état et ses vomissements répétés, l'enfant ne passait toujours pas.

Un soir, alors que la jonque tanguait sous les étoiles, elle tâta son ventre. Celui-ci s'arrondissait en une courbe lisse comme le grain duveteux d'une mangue. La bouche sèche, elle garda les deux mains à plat contre sa peau tiède. Il lui sembla que son ventre accordait sa respiration à celle de la mer.

L'enfant palpitait-il déjà ?

La moiteur de la cage de bambou devint alors insupportable. Elle arracha son col et déchira l'étroite bande de tissu qui enroulait ses seins. A côté d'elle, Yi-Shou dormait comme un bienheureux, écroulé sur sa natte.

Il fallait qu'elle lui avoue tout.

Aaaah! Réveillé en sursaut, Yi-Shou s'affola. Que se passait-il? A peine éclairée par la flamme du bougeoir, sa femme se penchait au-dessus de lui, livide.

La jonque avait-elle été attaquée par les pirates?

Les yeux brouillés de larmes, Shu-Meï porta une main tremblante à son cœur.

— Petit frère, jusqu'ici je n'en étais pas sûre, mais maintenant, il faut que je te le dise, ta femme est enceinte et...

Avant qu'elle ait pu continuer sa phrase, Yi-Shou s'était jeté à ses pieds, baisant le petit ventre rond tout en la remerciant d'avoir exaucé son vœu le plus cher et priant Guan-Yin pour que ce soit un fils. Puis, fou de joie, l'inspecteur des mines se rua sur le pont, trébuchant dans les cordages et ameutant passagers et équipage pour leur annoncer que bientôt il serait père.

Lorsqu'à l'aube il s'assoupit enfin, l'oreille collée contre le nombril de sa femme, Shu-Meï avait pris sa décision.

Elle laisserait faire le destin.

« *Kum-San. J'ai peine à croire que je mets enfin pied sur la terre ferme. Fini le vertige de l'immensité sans retour, le sel sur ma bouche et les odeurs sures des corps qui se languissent sur la mer gondolée au gris nausée.*

La Corée, enfin. Que le ciel y est pur, transparence de la lumière et des regards fiers. Dignité des vieillards accroupis, vêtus de chanvre blanc. Paysannes aux pommettes hautes et aux larges visages tannés qui vous offrent de grosses poires fondantes sur le quai, leurs paniers d'algues ou de goémon séché fixés sur la tête. Couleurs acidulées de leurs fichus et de leurs larges jupes flottantes.

Maître Kim-Ok, l'intendant de notre mine, nous attend. Je n'ai jamais vu pareil visage de pastèque couperosée. Il rit sans cesse en imitant un bruit rocailleux d'intestin qui se débouche. A côté du cantonnais si chantant, la langue coréenne me semble pour le moins gutturale.

Notre route est, paraît-il, bien longue encore. Nous n'arriverons à la mine qu'à la tombée de la nuit. »

Toits de paille, murs de torchis couleur poussière, villages tassés au creux des vallons cernés de crêtes violettes.

Tirée par deux bœufs rouges et nerveux, la carriole allait bon train, soulevant derrière elle des nuages de latérite.

Shu-Meï respira longuement le parfum entêtant des pins et des larges fougères. L'air était sain. Elle aimait les yeux brillants et les joues roses et gonflées des enfants qui jouaient dans les champs ou au bord des rizières cultivées en cuvettes.

Ici, elle se sentirait bien.

Guilin, ses magnolias blancs et sa moiteur poisseuse sombraient dans un passé délayé et brumeux. Seule l'étreinte musclée de Yikuai surgissait de temps à autre entre deux secousses grincheuses. Des images brisées, noyées dans le crépuscule... Yikuai, à qui ils devaient de se retrouver là, coupés du monde comme deux orphelins.

Son ventre la tirailla. Shu-Meï se demanda si c'était la fatigue du voyage, l'enfant ou le souvenir trouble du Vent s'unissant à la Lune.

Elle glissa sa main dans celle de Yi-Shou.

Kim-Ok émit un grognement de bête en rut et sauta lourdement de la charrette en enfonçant ses bottes de paille dans la terre meuble.

Shu-Meï écarquilla les yeux. Étaient-ils arrivés ? Malgré la beauté du site, le vertige de ces montagnes abruptes et sauvages, le lieu était lugubre.

Un couple de milans planait dans la brume. Légèrement en contrebas, entre des touffes d'armoises et d'azalées, quelques baraquements grisâtres s'étageaient à flanc de rocher, comme abandonnés.

— Voici votre domaine, pérora l'intendant avec fierté.

Seul un écho assourdi de pelles et de pioches attestait la présence de la mine, protégée des regards indiscrets par un épais bois de pins.

Avaient-ils parcouru autant de chemin pour venir s'enterrer dans un pareil endroit ?

Shu-Meï se boucha les oreilles.

Shu-Meï toucha à peine aux navets craquants confits dans l'ail et le piment. La nourriture vous arrachait la bouche. Face à elle, la trogne réjouie de Kim-Ok se fissurait de rire en racontant les bourdes du précédent inspecteur qui avait effectué sa première visite à la mine en chaussons de soie. Par la suite, ce dernier s'était révélé fervent amateur de l'Œillet Débridé, coinçant férocement certains mineurs contre sa table de travail afin de vérifier de son auguste doigt s'ils ne cachaient pas des pépites dans leur terrier sournois.

Pour célébrer leur arrivée, l'intendant avait tenu à les inviter dans sa cabane crasseuse à deux pas de leur habitation, une petite maison aux tuiles serrées en forme de pignons, enfouie un peu à l'écart du campement au milieu du bois de pins.

Légèrement gris, Yi-Shou semblait avoir oublié la présence de sa femme.

— Racontez-moi, maître Kim-Ok, est-il vrai que le fondateur de la Corée descendait d'une ourse ?

L'intendant plissa des yeux. A la lueur de la flamme, sa grosse tête cabossée prenait des allures de calebasse fendillée.

— Pardi ! un roi céleste avait promis à une ourse et à un tigre de les transformer en humains s'ils parvenaient à manger vingt gousses d'ail en s'abstenant de regarder le soleil pendant cent jours. Seulement, renchérit l'intendant en soufflant son haleine fortement aillée dans les narines de Shu-Meï, le Tigre eut du mal à rester végétarien. Ahahah... voilà pourquoi seule la dame Ours devint femme. Elle épousa le Roi Céleste et c'est ainsi que naquit notre vénéré Tan-Gun.

Shu-Meï comprenait mieux à présent le culte frénétique des Coréens pour l'ail.

— Puisqu'il est question de femmes, s'enquit-elle poliment, je m'étonne de n'en avoir aperçu aucune en passant devant le campement. Les travailleurs ne sont-ils pas entourés de leur famille ?

— Bien heureusement, la mine leur est interdite.

Kim-Ok repartit d'un énorme éclat de rire.

— D'ailleurs, les mineurs sont tellement fatigués à la fin de la journée qu'ils ne risquent pas de réclamer leurs épouses. Pilonner la caillasse leur suffit amplement... Ahahah !

Shu-Meï se mit à détester cordialement ce sanglier aux yeux chafouins qui se soulevait sur une fesse en lâchant des vents tonitruants et malodorants pour mieux ponctuer ses dires.

Pour qui donc se prenait-il !

Deux gaillards hébétés, vêtus de *padji*[1] bouffants serrés à la cheville, surgirent de la cuisine avec un plat fumant d'escargots aux feuilles de sésame.

— Ici, continua Kim-Ok, seuls les gardiens ont le droit d'occuper les cabanes en torchis.

— Mais où dorment tous les autres ?

Shu-Meï devenait de plus en plus intriguée.

L'homme se fourra un doigt dans le nez et en extirpa un petit vermicelle verdâtre qu'il regarda un bon moment frétiller au bout de son index. Puis il releva le visage tout en retroussant sa grosse lippe couleur de foie cru en une moue dédaigneuse.

— Ces fils de bouchers[2] couchent à la belle étoile, enchaînés comme des chiens. Au moins sont-ils sur place dès le lever du jour pour reprendre leur tâche. Ahahah.

Yi-Shou sourit bêtement.

Ces Coréens avaient de drôles de mœurs. Leur sens de la hiérarchie et du travail y était encore plus développé qu'en Chine !

— Ces larves de détenus n'ont que ce qu'ils méritent, grommela Kim-Ok en lapant avidement sa soupe de nouilles aux petits piments.

Abasourdie, Shu-Meï croisa le regard incrédule de son mari. Yikuai lui avait parlé d'une mine, pas d'un bagne !

— Mais ici, continua-t-il, on peut racheter sa peine. Quand on fait montre de bonne conduite, on ne reste pas toujours au fond du trou. La preuve, regardez Abricot Sec et Louffe Puante !

Il indiqua du bras le couple de serviteurs qui

1. Pantalons coréens.
2. Injure coréenne : les bouchers formant la caste la plus basse de la société.

exhibèrent leurs gencives noires en hochant du chef lugubrement.

Dégoûtée, Shu-Meï repoussa le bol ébréché. Des détenus, était-ce possible ?

Yi-Shou se racla la gorge, impatient de faire diversion.

— Eh bien, nous continuerons dans ce sens, mon brave... Je veux que cette mine soit un modèle de justice et d'égalité.

Là-dessus, il se versa une large rasade d'alcool de serpent.

— Par ailleurs, connaîtrais-tu une chamane dans les environs ? J'ai beaucoup entendu parler des sorciers coréens !

Il taquina le ventre de sa femme.

— Je voudrais savoir si l'héritier de votre inspecteur sera un petit mâle. J'espère en tout cas qu'il ne sera pas alcoolique ! Ahahah...

Il se pencha à l'oreille de Shu-Meï et lui murmura, comme pour se faire pardonner :

— J'ai souvenance d'avoir beaucoup éclusé cette nuit-là. Je me suis réveillé avec un de ces mal de crâne... A croire qu'un soliveau m'avait écrabouillé le carafon !

Le lendemain à l'aube, botté de frais, Yi-Shou vint chercher Kim-Ok pour se faire montrer la mine. L'intendant le regarda avec des yeux ronds de brochet coincé dans la vase.

— C'est que... votre tâche consiste surtout à vérifier nos comptes. Mais si vous tenez à goûter à l'enfer...

— J'y tiens, le coupa sèchement Yi-Shou. Je suis l'inspecteur de cette carrière. Il y va de mon devoir.

Au détour du sentier, il eut tout à coup l'impression de surplomber un gigantesque cratère. Cramponnés à la muraille comme de misérables insectes englués dans un piège, des hommes entaillaient la montagne à coups de masse tandis que d'autres, aspirés par les entrailles de la termitière, se faufilaient dans des trous à rats pour continuer leur sape sous terre.

Le sol vibrait dans un concert hallucinant de pelles et de pioches, répercuté à l'infini. Yi-Shou suffoquait. Une poussière aveuglante s'élevait de la crevasse grignotée de l'intérieur par son réseau de galeries et de boyaux souterrains.

Au fond de l'entonnoir, le long du cours d'eau qui serpentait, de longues colonnes de fourmis noirâtres s'étiraient entre les plaies croûteuses qui fissuraient le sol.

Au rythme des pilons qui broyaient la caillasse dans d'énormes mortiers, de pauvres hères chargés de sacs de gravier titubaient jusqu'à la rivière où les attendaient d'étranges silhouettes cassées en deux au-dessus de leurs tamis.

Lorsqu'il arriva en bas de la pente, Yi-Shou s'approcha de ces hommes qui s'ingéniaient dans un mouvement circulaire à faire glisser l'or, plus lourd, au fond de leurs gigantesques batées. Il fallait prendre soin que le courant, en éliminant sable et petits cailloux, n'emporte aussi les fines paillettes.

Les détenus qui pataugeaient dans l'eau glaciale jusqu'à mi-genou étaient nus. Kim-Ok surprit la gêne de Yi-Shou.

— C'est pour leur éviter d'avoir la tentation de cacher des pépites. Ahahah...

Embarrassé à la vue de ces virilités pendouillantes qui flagellaient en cadence les cuisses décharnées, Yi-Shou ne savait plus quelle contenance adopter.

Un grand Coréen, monté comme un mulet, le toisa avec insolence. Troublé, l'inspecteur baissa les yeux.

Profitant alors de son inattention, un prisonnier

qui passait devant lui lâcha ostensiblement son sac de terre au-dessus d'une flaque. Éclaboussé de haut en bas, Yi-Shou voulut reculer d'un pas et dérapa.

Ahahah... Les détenus avaient lâché pioches et pelles pour se gausser du nouvel inspecteur qui gigotait les quatre fers en l'air, comme une tortue retournée.

Ridiculisé, sa jolie veste en bourre de soie coquille d'œuf maculée comme s'il était tombé dans une fosse à merde, Yi-Shou vit la haine étinceler sur les faciès barbouillés de terre ocre.

— A poil, le Chinois ! siffla entre ses dents le mastodonte coréen.

Avant même que Yi-Shou se fût relevé, un fouet cinglait l'air. Il voulut s'interposer, mais l'intendant l'en empêcha.

— Laissez, la bastonnade est un jeu qui amuse beaucoup les gardiens.

— Mais ces méthodes sont barbares. Elles entretiennent une tension de haine !

Kim-Ok secoua ses bottes crottées.

— Vous semblez oublier que ce sont des criminels.

— Ce n'est pas une raison.

— Si. Toute cette vermine a les mains tachées de sang. Pour quelques taels, le plus doux d'entre eux étriperait père et mère. Donnez-leur le petit doigt, ils vous arracheront le bras.

Une clameur hargneuse enfla dans leur dos. Un instant, Yi-Shou se demanda si les Coréens ne préféraient pas placer un Chinois à la tête de leur mine afin de cristalliser astucieusement les rancœurs sur l'étranger qu'il était.

Devant eux, le garde-chiourme, une sorte de rat musqué à tête de vipère, se défoulait sur le mutin, lui lacérant le dos jusqu'à ce que les chairs grésillantes éclatent comme la peau d'une tomate trop mûre.

C'était plus que n'en pouvait supporter Yi-Shou. Devant sa réaction indignée, Kim-Ok l'entraîna de force vers les baraquements. Le nouvel inspecteur avait-il du lait caillé à la place de la cervelle ?

— N'avez-vous pas entendu qu'on injuriait votre race ?

— Je ne peux tolérer un tel sadisme.

Le gros intendant déglutit d'indignation. Comment se freluquet inexpérimenté pouvait-il se contenter de formules bien huilées, moulées comme des étrons, alors qu'on ridiculisait ses ancêtres ? Il ne tiendrait pas longtemps dans un enfer où seuls comptaient les rapports de force.

De son côté, profondément choqué par cette violence et par l'antipathie qu'il provoquait, Yi-Shou décida de s'enfermer à double tour dans son bureau.

Il aurait bien le temps de montrer à ces sauvages aux pieds plats comment on obéissait aux seigneurs de l'Empire du Milieu.

9

Shu-Meï ramassa un gros tas d'aiguilles de pin pour faire chauffer le riz du matin. Une boule de poils jaunes vint se frotter contre ses jambes en jappant.

Devant le trognon de queue qui remuait frénétiquement, elle sourit et flatta la truffe du petit animal : les Coréens coupaient-ils aussi la queue des chiens pour les inciter à monter bonne garde[1] ?

Sa rencontre avec Yang-Yang datait de sa première descente en ville. Le chien errant l'avait suivie du marché jusqu'à la carriole, essayant de l'amadouer par mille pitreries auxquelles elle avait su rester insensible.

Le soir, alors qu'il sortait de la maison pour chercher du petit bois, un aboiement étouffé avait alerté Ébonite. Harassé par sa course de plusieurs lis, Yang-Yang était sorti de son fourré la queue tremblante. Allait-on enfin l'accepter ?

A la vue de la bogue hérissée de brindilles qui se blottissait dans les bras de son serviteur, Shu-Meï avait cédé. La persévérance de Yang-Yang avait triomphé.

---

1. Les Chinois partent en effet du principe que le chien est un animal frileux et qu'il ne peut dormir au chaud qu'en se protégeant le museau sous sa queue. D'où l'impérieuse nécessité de leur couper l'appendice caudal.

Rires et pépiements de femmes manquaient terriblement au fond de ces montagnes pelées. Une fois pourtant, des paysannes d'un village voisin vinrent saluer Shu-Meï et lui offrirent de la toile de lin fraîchement tissée qu'elles venaient de blanchir et de piler.

Après leur départ, la jeune femme ressentit un grand vide. Que faisait-elle ici ?

Yikuai l'avait bernée. Il lui avait offert la mine dans un grand jeu de manches afin probablement de mieux la séduire. A présent, le dignitaire devait savourer sa victoire à petites gorgées de vin trop sucré et se gausser de sa grande naïveté.

Il lui était interdit d'errer dans le camp. Yi-Shou, qui ne quittait d'ailleurs plus sa table de travail, restait très évasif sur les conditions de vie des mineurs. Shu-Meï commençait à suspecter le pire.

Impossible non plus de communiquer avec les deux détenus qu'on avait assignés à leur service. Ils demeuraient muets comme des carpes.

Un matin, entrant par surprise dans la cuisine, elle les trouva en train de laper la soupe d'orge en grognant comme des bêtes. Pris sur le fait, l'un d'eux recracha aussitôt sa goulée, l'éclaboussant d'une gerbe de grumeaux, un petit tronçon bleuâtre frétillant de salive au milieu de sa bouche grande ouverte.

C'est ainsi qu'elle découvrit avec horreur qu'on leur avait coupé la langue.

Lorsqu'elle interrogea l'intendant sur la raison de cette monstrueuse pratique, Kim-Ok se tapa à nouveau sur les cuisses en hurlant de rire.

— Mais pour vous éviter d'entendre les insanités qu'ils brûlent de vous cracher au visage, nom d'un toupet de poils de cul d'une vierge ! Ahahah.

Outrée, Shu-Meï décida de ne plus adresser la parole à ce monstre puant de grossièreté.

Restait heureusement la réconfortante présence d'Ébonite. Ébonite, le sage et le silencieux, qui rivalisait d'astuces pour décrocher un sourire sur le visage de sa maîtresse. Un jour, c'était une corbeille de grosses pêches jaunes et juteuses qu'il lui apportait avec son ombrelle, un autre, de belles feuilles de chêne écarlates pour décorer ses assiettes de bois...

La première fois que Shu-Meï retourna en ville, elle prétexta qu'il lui fallait voir la chamane. En réalité, elle voulait contacter l'agent coréen de Yikuai. C'était un riche négociant qui parcourait le royaume et s'arrêtait à Kum-San chaque quinzaine pour fixer les cours du riz.

Shu-Meï le retrouva sans peine grâce aux instructions reçues. Engoncé dans sa robe tourdille, Bouille de Suif empocha promptement les taels qu'on lui offrait et déclara qu'il partirait pour Kaesong[1] dès le lendemain. Il lui communiquerait à son prochain passage tous les renseignements que son réseau d'oreilles aurait récoltés.

Le soir venu, elle annonça joyeusement à Yi-Shou qu'elle attendait bien un fils. Ému, ce dernier éclata en sanglots et alluma un bâtonnet d'encens à la fleur de lotus pour remercier Guan-Yin de veiller ainsi sur eux.

Cette nuit-là, Shu-Meï se laissa faire lorsque son époux la caressa.

Allongé sur un coude, l'intendant agita les doigts de pied. Débarrassé de sa souquenille, le jeune homme

---

1. Capitale de Koryo (Corée).

versa tranquillement l'eau froide dans la cuvette d'argile.

— Ne me fais pas languir, ça me rend méchant.

Kim-Ok désigna le galet rond qu'il palpait amoureusement dans sa main.

— Aujourd'hui, je te veux aussi lisse et propre que lui.

L'eau ricocha sur les épaules crottées de Purge Amère. Kim-Ok ferma les yeux.

Quand tout cela avait-il commencé ? Lui, le plus fort gaillard de son village, celui qui arrivait toujours le premier en haut du mât de cocagne et qui gagnait haut la main tous les concours de lutte. Lui qui, à l'époque des amours pastorales de la fête du printemps, parvenait à trousser dans la paille plus d'une demi-douzaine de jeunettes, et qu'en gloussant ses faciles conquêtes surnommaient le Gros Manche !

Cela avait débuté au temps de l'ancien inspecteur. A force de l'entendre hurler sa jouissance à travers la cloison, il ne pouvait plus trouver le sommeil. Il imaginait le vieux gélatineux en train de se faire caresser la couenne tandis que lui, Kim-Ok, devait se contenter de secouer sa Blette Bouillie entre deux murs suintants.

Tout en se rongeant les ongles de dépit, il se demandait même si son pistil, à force de ne plus jamais tremper dans une douillette rosée, n'allait pas se détacher comme un vieux longane pourri.

Eh oui ! il y avait belle lurette qu'on ne pouvait plus faire monter de villageoises dans ce trou perdu. Les fillettes effarouchées préféraient se faire battre par leur père plutôt que d'affronter ces montagnes infestées de tigres et de chats-huants.

Aussi un soir, lorsque le micheton de l'ancien inspecteur repassa devant sa fenêtre, Kim-Ok le menaça des pires bastonnades s'il ne lui prodiguait pas à lui aussi quelques douceurs.

Par la suite, il prit l'habitude de tester les aptitudes de certains nouveaux venus en leur faisant astiquer frénétiquement la poignée de son Chasse-Mouches.

Un jour, il eut une réelle illumination devant le cierge dressé d'une petite frappe tout en muscles qui le regardait méchamment. La haine contenue dans les yeux trop bridés lui noya le bas-ventre d'un délicieux frisson d'anticipation. Il ordonna à la nouvelle recrue de le fouetter à coups de ceinture. Il voulait pour une fois connaître les sensations ressenties par les détenus lorsqu'ils se faisaient flageller par leurs gardiens. Ce dernier ne se fit pas prier.

Dans son excitation, Kim-Ok osa même se faire défoncer le Bubon Noir, cet œil fripé sur lequel il s'asseyait pour mieux le camoufler.

Le Pilon Voyageur était ressorti de la gouttière embourbée, tout dégoulinant de boue et de fiel. Ému, l'intendant avait contemplé le gland souillé puis, dans un débordement de reconnaissance, il l'avait avidement léché pour le débarbouiller.

Kim-Ok releva la tête. L'évocation de sa première rencontre avec Purge Amère lui rôtissait les testicules.

Par les mamelles ballottantes de la mère Ours ! plus les semaines passaient et plus il était fou du détenu, de ses attaches fines, de ses cils trop ombreux, de ses poings et de ses dents serrées lorsqu'il forçait de sa longue trompe molle son mignon bouton de lotus excédé.

Devant lui, le corps rosi et enfin propre, le garçon s'étrillait les jambes avec un bouchon de paille. Son sexe, comme une tendre pousse de bambou, s'était épanoui en crevant sa corolle violacée.

Kim-Ok se leva lourdement, flatta la croupe ferme,

puis d'un coup sec écarta les fesses lisses à l'aide d'une baguette de coudrier. Il saisit alors le galet rond et poli qu'il venait de réchauffer dans sa paume pour la circonstance et l'enfonça sadiquement dans la lézarde ourlée.

— Pour te rappeler que tu es mien, ajouta-t-il en caressant le crâne rasé.

Purge Amère retint son cri. Ce tortionnaire dépravé ne perdait rien pour attendre. Un jour viendrait où, débarrassé de son chantage, il l'étranglerait comme un chapon et lui ferait bouffer sa quenelle comme un étron.

Il vacilla tandis que l'ignoble intendant le forçait à se plier à genoux, et se retint de mordre la bouffissure bourgeonnante et malodorante que Kim-Ok venait de dégager de son *padji* trop serré.

Un matin, Shu-Meï partit se promener en carriole en compagnie d'Ébonite et de Yang-Yang. Occupé par ses comptes, Yi-Shou avait grandement approuvé cette initiative qui ne pouvait qu'oxygéner les souffles vitaux de son futur rejeton.

Un peu avant le repas, ils s'installèrent dans une clairière au bord d'un torrent et s'amusèrent à capturer des sauterelles. Ébonite indiqua ensuite à sa maîtresse comment les fixer au bout d'une herbe longue et solide afin d'attraper d'un geste vif de petits poissons dans le cours d'eau.

La besace remplie de frétillants goujons jaunes et noirs, le serviteur décida d'aller vider leur pêche dans la carriole restée à l'ombre des grands pins bleus, tandis que Shu-Meï disposait sur une natte les paniers du déjeuner.

Soudain, à travers le bruit du torrent, elle crut percevoir le martèlement assourdi des pioches.

S'étaient-ils sans s'en apercevoir rapprochés du versant opposé de la mine? Au même instant, deux visages grimaçants, barbouillés d'argile comme des masques d'opéra, surgirent du talus.

Elle poussa un cri. Bave aux lèvres, les squelettes ambulants se hissèrent sur le terre-plein, génies verdâtres aux orbites creuses, aussi décharnés que pattes de dindon. L'un d'eux claudiquait, le pied hideusement arraché à hauteur de la cheville.

Sans se soucier de Yang-Yang qui tournait autour d'eux en aboyant furieusement, les deux hommes se ruèrent aussitôt sur les rouleaux de riz frit et les croquettes de poulet étalés sur l'herbe. Ahurie, la jeune femme les laissa faire. Vu leur appétit, une chose était sûre, il ne pouvait s'agir d'esprits errants. Mais comment pouvait-on laisser des êtres dans un tel état de délabrement?

Elle comprenait mieux soudain pourquoi on prenait tant de soin à l'éloigner de la mine!

Yang-Yang s'était calmé et flairait les intrus avec intérêt. Par instants, l'homme au pied fauché était pris de tremblements. Recroquevillé sur lui-même, il passait régulièrement un doigt nerveux sur son crâne mité. Son compagnon, lui, gesticulait comme une marionnette et déglutissait sans mâcher, accroché aux victuailles comme une tique à un bœuf.

En voyant la jeune femme se rapprocher, ils se mirent à lui tirer la langue en roulant de gros yeux. Sans saisir un mot de leur baragouin, Shu-Meï comprit qu'ils ne détestaient pas sa cuisine, et sourit, touchée. Comment pouvait-elle soulager leur misère?

Lorsque Ébonite débticoula du sentier escarpé, elle s'empressa de les calmer à grand renfort de gestes.

— N'ayez pas peur... (Elle désigna son serviteur.) Ébonite vous portera chaque jour quelques vivres, ici même.

Les yeux du plus gourmand s'illuminèrent tandis que l'infirme s'affolait en se grattant furieusement l'oreille.

— Ils n'ont pas confiance, maîtresse.

— Explique-leur qu'ils n'ont rien à craindre. Nous prendrons toutes nos précautions.

Soulagés, les détenus acquiescèrent et s'éloignèrent en sautillant, cassés en deux comme des tiges de sorgho. Avant de dépasser le remblai, Shu-Meï les vit agiter une main dans sa direction puis détaler la pente avec une agilité déconcertante malgré leur drôle de posture. Comment et pourquoi étaient-ils arrivés jusque-là ? Elle ne le saurait probablement jamais. Pensive, elle fixa l'ombre qui noyait à présent la vallée. Au loin, les crêtes vertes déferlaient dans une brume mordorée. « Pied Zélé » et « Bras d'Honneur » : ces surnoms leur allaient bien. C'est ainsi qu'elle appellerait désormais ses deux nouveaux amis.

Quand Pied Zélé se retourna, la jupe rouge de Shu-Meï gonflée par le vent lui fit penser à ces baies écarlates qu'il cueillait, petit, derrière l'enclos de sa maison. Des baies de soo-yoo... Soo-Yoo, c'était aussi le nom de la fillette qu'il avait violée voici cinq ans.

Pour la première fois de sa vie, un remords au goût de cendre lui assécha la bouche. Il revit le visage rond, les joues roses comme des fleurs de pommier, les deux nattes brillantes comme de la laque qui s'envolaient lorsqu'elle sautait d'une pierre à l'autre pour traverser le ruisseau... Et lui, pauvre bête laide et stupide, vagabond des étoiles caché derrière son buisson d'églantier, ébloui par sa jeunesse et son rire de cristal, ulcéré par ses regards hautains et le mépris que son apparition avait déchaîné.

Tout à coup, le ciel avait basculé, il avait perdu la

tête, il avait bondi sur la petite, écrasant son jupon neuf, tremblant de palper ses cuisses fraîches dont le parfum crémeux lui tournait les sens. Soo-Yoo s'était débattue, cris, pleurs, il l'avait frappée pour la faire taire, il avait enfoui un doigt dans la minuscule fente imberbe, et puis...

Il entendrait toujours les socques du père cogner contre la terre gelée, le frissement de la serpe prête à s'abattre sur son visage étonné, encore extasié. La peur au ventre, le voile rouge devant les yeux, il avait roulé sur le talus, il s'était presque dégagé, seul son pied avait été fauché comme une vulgaire racine, giclant en l'air sous les applaudissements de Soo-Yoo.

Il trembla. Voilà comment il était arrivé au bagne, capturé dans un filet de pêcheur, comme une bête malfaisante. Seule consolation, la gangrène n'avait pas pourri sa jambe.

S'il avait sympathisé avec Bras d'Honneur, ce n'était guère par admiration pour son passé. Bras d'Honneur, lui, s'était fait surprendre en train de détrousser un cadavre dans une sépulture encore fraîche.

Alors qu'il n'atteignait pas encore le pis de la vache, ses parents l'avaient dressé à arracher les dents en or des morts, à couper les doigts où brillait un anneau de jade, ou les oreilles serties de pendentifs en diamants.

Ce n'était pas un mauvais bougre. Simplement habitué à cette routine, il ne voyait pas le mal à s'emplir le ventre sur le dos de ceux qui n'en avaient plus besoin.

La tête dans de doux nuages parfumés, Pied Zélé et Bras d'Honneur dégringolèrent de rocher en rocher sans oser se parler. Pour être si bonne et si belle, cette créature ne pouvait être une femme. C'était à coup sûr un esprit-renard ou une déesse incarnée. Peu importait, cette rencontre était plus douce qu'un édredon de soie.

La perspective de retourner à la mine les fit se courber un peu plus sous la brise qui plaquait leurs oripeaux trempés. Pour y accéder discrètement, il leur faudrait ramper à travers un petit souterrain dissimulé derrière de gros blocs de pierre. Mais ils en avaient l'habitude.

Trois des gardes-chiourme fermaient les yeux sur leurs escapades, et pour cause ! Le stratagème était simple. En échange d'un traitement plus humain et d'une certaine protection, Fouet Tapageur, Cravache Lubrique et Gourdin Massif les obligeaient à avaler les pépites qu'ils avaient dérobées. Les deux malheureux couraient alors évacuer l'or à un endroit bien précis du bois de pins qui surplombait la carrière.

Les gardiens ne prenaient aucun risque. Le jour où un problème surviendrait, seuls les deux simples d'esprit seraient châtiés.

Bras d'Honneur écarquilla les yeux. Il ne s'agissait pas de se faire repérer par Corne de Cerf ou un de ses acolytes. La moitié des détenus, pour la plupart paysans reconvertis en bandits de grand chemin, obéissaient tacitement au géant coréen, un ancien montreur de foire qui tyrannisait les nouveaux venus et savait faire régner son ordre parmi les bagnards. Seule façon selon lui pour résister à l'odieux Kim-Ok et à ses chiens galeux de gardiens.

Ni le violeur ni le détrousseur de cadavres n'avaient été acceptés dans sa bande, leurs actes passés les rendaient méprisables. Ils ne s'étaient pas non plus intégrés à l'autre clan qui regroupait voyous et prisonniers politiques, de ceux qui fomentaient contre le roi Tae-Jo pour remettre sur pied l'ancienne

130

dynastie Silla[1]. Parmi eux, beaucoup de lettrés ou d'aristocrates déchus, abandonnés par les leurs, ombre de leur ombre, réduits à l'esclavage comme de vulgaires criminels de droit commun.

Campé sur ses jambes courtes, Fouet Tapageur leva la tête. Les deux détenus avaient repris leur travail. Soulagé, il agita négligemment son chasse-mouches, et sourit en pensant au collier de pépites qu'il pourrait bientôt égrener entre ses doigts. Cela avait pour mérite de calmer cette poussée d'hémorroïdes qui lui transformait le fondement en poêle à frire.

La mèche à huile de navet vacilla. Une brise mouillée rabattit sous la véranda l'appétissante odeur des goujons grillés. Yi-Shou s'étira comme un tigre au soleil et bâilla bruyamment en se tapant sur l'estomac.

— Les pluies arrivent, j'en ai bien peur. Le vent a tourné. Je sens d'ici les remugles de la fosse d'aisance.

Shu-Meï contempla son visage fatigué. En trois lampées, il avait englouti le contenu de son bol sans même remarquer ce qu'il mangeait.

Les masques craquelés des deux détenus dégoulinants de reconnaissance, des larmes de faim dans les yeux, fouettèrent son indignation.

— Pourquoi restes-tu cloîtré comme un usurier à compter ton or ? N'as-tu pas envie d'adoucir le sort de ces malheureux ?

Sur le chemin du retour, elle n'avait pu s'en empêcher. Elle s'était avancée au-dessus de la fosse maudite et cette fois-ci elle avait vu, vu jusqu'où l'horreur pouvait aller. La poussière qui étouffe,

1. Précédente période dynastique qui a duré 992 ans de 57 avant J.-C. à 935.

ronge les poumons et aveugle, le fracas des masses qui fait gicler le sang des oreilles, les hommes-chenilles avalés et recrachés par la fourmilière, fouettés, laminés, broyés sous leur charge quand ils ne dégringolaient pas de la paroi comme des mouches attirées par le vide.

Le cauchemar était insoutenable.

Yi-Shou alluma la longue pipe d'argile que lui avait offerte son intendant le matin même.

— Laisse donc cette harpaille tranquille !

— Mais ce sont des hommes ! N'as-tu pas remarqué qu'après avoir rampé et porté des sacs toute la journée, ils ne peuvent même plus se déplier ?

Yi-Shou leva la tête et fixa durement sa femme.

— Je croyais t'avoir interdit de t'approcher de la mine !

Devant son air buté, il renchérit méchamment en tapotant le fourneau de sa pipe contre la table basse en noyer.

— Les animaux marchent bien à quatre pattes. Partages-tu la paille et l'auge des bêtes de somme ?... Non ! alors, occupe-toi de mon fils, cela vaudra mieux.

Shu-Meï s'étrangla. Était-ce la grossièreté du gros Kim-Ok qui déteignait à ce point sur Yi-Shou, ou bien l'enfer de la mine qui le rendait aussi insensible qu'un caillou sur le feu ?

« C'est la misère qui rend l'homme plus piquant qu'une ortie », lui avait une fois répliqué Long-Jian.

Elle l'espéra et se leva sans achever son repas.

10

Shu-Meï n'avait plus le temps de s'ennuyer. Chaque jour elle préparait une grosse ration de raviolis et de boulettes de viande, suivie par Yang-Yang qui frétillait entre ses jambes dans l'espoir de glaner quelques miettes. Pour elle qui n'avait jamais touché aux poignées d'une marmite, c'était un exploit.

En fin d'après-midi, Ébonite partait en catimini vers le bois, deux paniers couverts de linge au bout de chaque bras. Quant à Yi-Shou, il avait fini par s'étonner des prouesses culinaires des deux bernicles voûtées qui jouaient aux dominos, accroupies au fond de la cuisine enfumée.

— Il m'arrive de mettre la main à la pâte, lui avoua Shu-Meï en rougissant. Cela me distrait.

Ravi, il l'encouragea. Tant qu'elle resterait sagement dans l'enclos du bois de pins, rien de fâcheux ne pourrait survenir.

Shu-Meï avait avancé la date de la célébration des Esprits Errants que l'on honorait une fois l'an par un grand sacrifice. Elle avait supplié Yi-Shou de lui permettre de tuer un cochon pour apaiser la faim des malheureux dont l'âme glissait le long de la rivière ou hantait la cime des arbres du haut desquels ils étaient tombés. Il en allait de leur bonne santé à tous.

Yi-Shou avait trouvé les esprits un peu trop gourmands à son goût, mais il n'osa rouspéter. Pour toute cette viande engloutie ils avaient intérêt à protéger son fils !

Il s'inquiéta quand même en voyant la liste des vivres s'allonger à chaque fin de semaine. L'engouement subit de Shu-Meï pour les fourneaux commençait à lui coûter cher.

— Petit frère, lui dit-elle en caressant son ventre rond, ton fils a faim. Mon appétit a décuplé ces jours-ci. Il me faut grignoter tout l'après-midi, sinon le petit diable se rebiffe.

Convaincu, Yi-Shou ferma une fois pour toutes les paupières devant les caprices de son épouse. Il fallait bien que grossesse se passe. Il finit même par accepter Yang-Yang dans leur chambre.

Un jour, Ébonite revint du bois les yeux luisants comme des lucioles. Il s'assura que les bernicles ne traînaient pas leurs galoches dans les parages et tendit son poing fermé vers Shu-Meï.

Le tablier encore plein de farine de riz, celle-ci était occupée à écosser de grosses fèves rouges. Un instant, elle surprit le regard du Malais frôler sa panse rebondie et rougit. C'est vrai qu'elle ne se reconnaissait plus en paysanne déformée par la grossesse. Était-ce donc le destin promis par Yikuai ?

— Laisse-moi deviner, plaisanta-t-elle. Aurais-tu capturé une libellule en badigeonnant ses ailes de pollen de fleur de citrouille ?

Trop impatient de lui faire partager sa surprise, le Noir déplia ses longs doigts d'un air mystérieux : une pépite brillait dans sa paume rose.

— C'est un présent de nos amis, maîtresse.

Le regard de Shu-Meï se perdit dans le ramage du paravent. Elle imagina Yi-Shou somnolant derrière

qu'il r... ...s'amoncelaient en petits tas les pépit...
Quels d... 's'amoncelaient en petits tas les pépit...
d'Honneur p... précautions d'un apothicaire.
détourna vite le ...nt dû encourir Pied Zélé et Bras
puisse y lire son émo... ...ter ce débris d'or? Elle
...fin que son serviteur ne

Le troisième jour de la semain... ...vivante, Shu-Meï
prit comme prétexte la foire de la Mul...plication des
Épis pour descendre à Kum-San en compagnie
d'Ébonite.

Bouille de Suif lui avait précisé qu'il se trouverait
ce jour-là à la Halle au Riz, à l'extérieur de la porte
des Sables Mouvants. Quelques riches négociants,
dont il était, fournissaient aux boutiquiers les com-
mandes effectuées la quinzaine précédente. En tant
que chef de la corporation, Bouille de Suif devait
également fixer les prix d'achat sur le marché.

Ébonite fut chargé de courir le prévenir tandis que
Shu-Meï attendrait comme prévu chez le marchand
de bonnets à oreilles pour lettrés dont la boutique
siégeait dans la Grande Rue entre celle du prêteur sur
gages et l'échoppe d'un brosseur de dents [1].

Le Malais s'évanouit dans la foule, glissant entre
les porteurs essoufflés, les clients gesticulants et les
fabricants de sacs de jute qui piétinaient devant les
montagnes de riz tardif, de riz pelé d'hiver, de riz aux
graines de lotus rouge et de riz à épis jaunes. Sans
parler des nouvelles moutures, du riz à tige et du riz
glutineux. De quoi en avoir la nausée!

Bouille de Suif lissa son bouc noir qu'il lustrait
coquettement chaque matin à la cire d'abeille. Ce

1. Dentiste.

petit bout de Chinoise l'intri... t qu'elle
soit bien rouée ou bien ...mier coréen.
jouer les espionnes sur le g... s'amuser à
En tout cas, jamais j... mployer une créature du sexe faible ...urait effleuré l'esprit.
« La langue d'une... frétille comme un gar-
don et son cœur... à la place de ses ovaires »,
c'est bien conn... Alors, prudence !

Il se racla la gorge.

— Les Chinois peuvent être rassurés. Le roi
Tae-Jo, je le sais de source sûre, vient de refuser
le présent de trente-deux chameaux et l'ouverture
de relations diplomatiques avec les Khitan.
Comme vous le voyez, nous ne risquons pas de
nous liguer à ces Barbares pour mieux envahir
l'Empire Céleste déjà bien grignoté d'ailleurs !

Il émit un gargouillis de complaisance.

— Il serait même question que nous renforcions
nos garnisons sur notre frontière nord-est pour
éviter à nos voisins la trop grande tentation de
venir goûter au *kim-chi*[1] coréen.

Shu-Meï fit la grimace, amusée. Le chou macéré
dans l'ail et dans le jus de poisson fermenté ne
l'avait jamais transportée. Dans la boutique, le
marchand de bonnets, un vieillard sourd et caco-
chyme s'était assoupi, le menton appuyé sur sa
canne de bambou. Personne ne risquait de les
entendre.

Bouille de Suif était sûrement un contact rusé.
Mais si tout allait si bien, pourquoi les Chinois
s'inquiétaient-ils tant ? La veille de son départ,
Yikuai ne lui avait-il pas avoué que l'agent qu'elle
allait remplacer avait trouvé la mort dans des
conditions atroces ?

1. Condiment national à base de chou fermenté dans l'ail.

Non, l'épais faciès huileux ne lui inspirait pas confiance. Intuition féminine, sans doute !

— Maître O'Gil, lâcha-t-elle brusquement, comment expliquez-vous donc que mon prédécesseur dans la région ait subi le supplice du pal ?

Les yeux, trop rapprochés, papillotèrent. Visiblement, Bouille de Suif était embarrassé par la question. Il balança son gros corps en avant pour s'assurer que personne n'était entré entre-temps dans la boutique.

— Laissez-moi y venir. Koryo aspire à la paix et veut consolider son gouvernement sans interférence étrangère, qu'elle vienne du Nord ou de l'Ouest...

L'homme se fourvoyait dans des généralités. Il lui fallait des détails.

— Je vous paie pour obtenir des renseignements précis, et non pour entendre des considérations plus vaseuses que le fond d'un étang.

Bouille de Suif se gratta le gros orteil à travers sa botte de toile recourbée et baissa encore la voix d'un ton.

— Les Chinois devraient se contenter de notre tribut annuel. Outre nos fourrures, nos rouleaux de soie et nos boisseaux de riz, les trois cents peaux humaines réclamées chaque printemps en signe de vassalité devraient suffire à l'empereur. En vérité, reprit-il en toussotant, la population gronde et se rebelle contre la discrète mainmise des Chinois sur certaines concessions. Votre prédécesseur en a fait les frais. Cette région est un de nos points sensibles de même que certains ports et villages du littoral. Leurs habitants en ont assez des pirates du Shandong et du Jiangsu qui viennent les piller et emmènent leurs femmes comme esclaves.

— Sont-ils soutenus en haut lieu ?

— D'une certaine façon, oui. Mais pas ouvertement. C'était déjà le cas sous Silla. Disons que le mécontentement local est attisé par certains princes de l'entourage du roi Tae-Jo, hostiles à l'influence confucéenne et à l'établissement de ses institutions.

Le Coréen but une petite gorgée de bouillon de navet.

— Eh oui ! votre système d'examens est nettement plus égalitaire que le nôtre, ma chère. Il sélectionne en principe les fonctionnaires sur la base de leur *mérite*. Il permet donc aux aristocrates de rang inférieur de briguer des postes qui revenaient jusqu'à présent de droit aux seuls membres de la famille royale. D'où le courroux de ces derniers qui tremblent de perdre leurs prérogatives.

— Quelle est votre intuition sur l'évolution des événements ?

— Celui qui parle trop ne garde pas longtemps la tête sur les épaules ; néanmoins, votre humble serviteur aurait tendance à penser qu'un mouvement populaire de grande envergure les arrangerait fort, même à l'encontre de nos amis chinois. Ne serait-ce que pour couper l'herbe sous les pieds de nos compatriotes qui ont poursuivi leurs études en Chine et qui se battent pour arracher le pouvoir à cette faction conservatrice.

Shu-Meï le dévisagea un instant. Sympathisait-il lui-même avec ces lettrés modernistes ? Difficile de le savoir. En tout cas, il maniait la langue chinoise avec une parfaite maîtrise. Était-il réellement négociant ? Une chose était certaine : pour les quelques représentants de l'Empire Céleste coincés entre les griffes du Royaume Ermite, l'aventure risquait de mal se terminer.

Ébonite porterait la missive au bateau. Yikuai ne serait pas mis au courant de la situation avant plusieurs lunes. Avant qu'une décision concernant les ressortissants chinois ne soit prise, il attendrait les rapports des agents placés dans les autres provinces de Koryo. D'ici là, Yi-Shou et son épouse auraient largement l'occasion de se faire égorger.

Cela n'empêcha pas Shu-Meï d'aller flâner au marché. Devant l'opulence des étals, les pyramides de fruits bien astiqués et la robustesse des femmes qui triaient le poisson en chantant, elle comprit que ce peuple bien nourri aspirait à la sérénité.

Un vieillard à haut chapeau de crin la dévisagea malicieusement en se balançant sur ses socques retroussées. Les Coréens n'avaient certainement pas besoin de ces Chinois qui venaient les harceler sur leurs côtes ou diriger leurs mines.

Songeuse, elle acheta deux gros melons d'eau en pensant au plaisir de ses amis détenus.

Délaissé par sa maîtresse, Yang-Yang s'était échappé de son enclos. Il fut accueilli à la mine par les coups de pied et les ricanements des détenus.

— Un chien, ça se mange.

Corne de Cerf saisit l'animal par la peau du cou et le brandit à la ronde en claquant la langue, rapidement entouré par une demi-douzaine de prisonniers prêts à étriper ce mirage de saucisses ambulant.

De son côté, Bras d'Honneur avait reconnu le chien de Shu-Meï. Vif comme le lézard, il bouscula de son sac de terre le grand Coréen qui en lâcha sa proie de surprise. Alors que Yang-Yang reniflait son sauveur avec d'autant plus de reconnaissance qu'il venait de humer un fumet de raviolis à la viande, Corne de Cerf, furieux, se jeta sur le détenu en le secouant comme un sorbier. A ce moment précis, le reste d'estouffade que Bras d'Honneur camouflait dans sa ceinture tomba dans la poussière.

— Regardez, le détrousseur nous cachait des friandises entre ses cuisses ! hurla Purge Amère.

— Pas étonnant qu'il engraisse comme un chapon, le traître se nourrit dans notre dos.

La meute se jeta à quatre pattes aux pieds du détenu. Trop tard ! Yang-Yang avait déjà détalé avec la nourriture.

— Que se passe-t-il ?

Se pavanant comme une grosse citrouille dans sa robe cannelle à doublure vert pistache, Kim-Ok venait de surgir derrière eux.

— Cette crotte de mouche a volé des *man-tou*[1], grogna Corne de Cerf.

— Donnez l'exemple, maître Kim-Ok, il faut punir ce gibier de potence comme il le mérite, renchérit Purge Amère... « Qui vole un litchi, étranglera son père au lit. »

Comment l'intendant pouvait-il ne pas prêter l'oreille aux admonestations de son favori !

— Amenez-moi le coupable.

Le sang de Gourdin Massif et de ses deux comparses ne fit qu'un tour. Pour une peccadille, ce vermicelle souffreteux risquait d'anéantir leur juteux trafic ! De plus, saurait-il tenir sa langue ?

Couilles serrées, les trois gardes suivirent la horde vociférante, tandis que l'on traînait à coups de fouet le pauvre Bras d'Honneur vers le lieu du supplice.

— « Mieux vaut bourse aplatie et or aux orties que testicules de macchabées pourris », marmonna Cravache Lubrique à ses deux complices pour les réconforter.

Pendu par les gros orteils à une branche de caroubier, Bras d'Honneur ferma les yeux. Par trois fois on

1. Raviolis.

lui avait plongé la tête dans un baquet d'eau saumâtre, le forçant à avouer son délit : où et comment avait-il volé ces estouffades ? Mais il n'avait rien dit. Jamais il ne mêlerait la douce Fée des Bois à cette triste histoire. Plutôt mourir que d'entacher son honneur.

Soudain les visages grimaçants penchés sur lui se brouillèrent. Exaspéré, Kim-Ok releva sa grosse tête de poire blette et saisit la torche qu'on lui tendait. Le plaisir de caresser la plante des pieds de cette fistule variqueuse le démangeait depuis longtemps.

A sa grande déception, Bras d'Honneur n'eut aucune réaction. Il s'était évanoui sous la douleur.

— Puisque ce misérable ne se souvient plus de rien, purgeons-lui les entrailles au vinaigre, ça lui rappellera pendant plusieurs lunes son péché de gourmandise. Ahahah !

En prononçant le mot « gourmandise », l'intendant ressentit comme une colonne de fourmis rouges lui grignoter le bas-ventre. L'image de la bouche en cul de poule de Purge Amère aspirant sa Courgette Paresseuse venait très précisément d'enflammer son esprit.

— Cette fois-ci je suis clément, déclara-t-il du bout des lèvres, mais dorénavant que chacun se le dise, qui sera surpris en train de voler aux cuisines aura les mains coupées.

Il remonta sa paire de *kumquat* d'un air satisfait et chuchota à l'oreille de Fouet Tapageur :

— Quant à toi, tu as intérêt à m'amener Purge Amère sur-le-champ si tu ne veux pas que je t'aplatisse les bourses comme des galettes de sésame.

Sur ce, il enfonça sa torche éteinte dans la bouche ouverte du supplicié et retourna faire sa sieste.

Sur le chemin du retour, à quelques lis de Kum-San, la carriole bâchée croisa un long cortège nuptial qui s'acheminait vers le village de la promise.

Vêtu de son manteau de cérémonie vert pâle, le marié chevauchait en tête sous un large parasol, droit comme un piquet sur son destrier harnaché de cuir rouge et de clochettes. Suivaient, piaffant, chevaux à crinières tressées et joueurs de cymbales caracolant dans les flaques où basculaient le bleu du ciel et les bannières écarlates déroulées comme de longs serpentins.

Le regard noyé dans la neige des cerisiers qui bordaient les champs, Shu-Meï rêvassait lorsqu'une fleur violette galamment lancée atterrit sur ses genoux. Au même moment, le palanquin vermillon la croisa, vide, tandis que se déchaînaient nacaires et buccins.

Elle eut alors comme un pressentiment. Le rouge, symbole de la joie, se mit à cogner dans sa tête, fleuve de lave charriant le sang des pires massacres.

Shu-Meï descendit de la carriole. Une tension inhabituelle saturait l'air.

En se dirigeant vers le seuil de la maison, elle comprit soudain : c'était l'intensité du silence qui l'avait désarmée. L'écho assourdissant des barres et des pioches s'était dissous dans l'atmosphère. Pourquoi les hommes s'étaient-ils arrêtés de travailler ?

Elle envoya Ébonite aux nouvelles et se laissa tomber sur les marches de bois décorées de guirlandes de poivrons séchés. Finalement, le sol pouvait bien se crevasser et engloutir la mine tout entière, peu lui importait.

Que faisait-elle ici, loin de son Empire ? Un peu de terre humide glissa entre ses doigts. Paria et maintenant étrangère! En cette fin d'après-midi, l'odeur des sous-bois gorgés d'humus se doublait d'un étrange parfum de nostalgie.

— Venez vite, venez vite! Ils vont tuer un homme... Là, en bas... le maître y est déjà.

Affolée, Shu-Meï releva sa robe et s'élança à la suite d'Ébonite.

Au détour du sentier, la carrière éventrée apparut, énorme cratère ensanglanté par le couchant. En contrebas, les détenus, enchaînés pour la circonstance, avaient été parqués en arc de cercle autour d'une tranchée fraîchement creusée.

Debout sur une roche plate, le vent chaud gonflant l'ourlet de sa robe, Yi-Shou se protégeait du soleil, une main en visière.

Jamais elle n'avait vu ces hommes d'aussi près, tassés, voûtés, squelettes alignés, tordus comme des ceps blanchis, leurs nuques ployées sous la surveillance hargneuse de leurs cerbères en turban noir.

Leur maigreur était impressionnante, leur saleté aussi. Leurs crânes rasés luisaient comme des genoux bleus. Elle sentit ses jambes trembler. Les bouches sans dents n'étaient plus que fleurs noirâtres, cloaques boursouflés. Les membres aux chairs craquelées, brûlées par le soleil, avaient pris l'aspect du bois mort lorsqu'ils n'étaient pas couverts de cloques pleines de pus jaunâtre et de mouches, comme les ventres translucides des margouillats.

Un détenu n'avait plus de peau sur les jambes. Un autre grattait son corps grouillant de vermine à l'aide d'un moignon aussi lisse qu'une peau de litchi.

Certains d'entre eux n'étaient revêtus que de leur seule crasse et de leurs plaies. Leurs sexes dégoulinaient, couleur de terre, flétrissures brunâtres, appendices ratatinés et désormais inutiles, comme de gros orteils sectionnés, glaires de glaise fouettées par le sel de la sueur, reptiles dévertébrés.

Une pierre roula. Une centaine de têtes se tournèrent aussitôt vers Shu-Meï. Gênée, elle baissa les yeux. Elle eut malgré tout le temps d'apercevoir aux côtés d'une trompe démesurée qui pendouillait entre deux genoux cagneux, deux mains se presser hâtivement contre une petite virilité blafarde.

Elle reconnut Pied Zélé et des larmes lui montèrent aux yeux.

A sa vue, Kim-Ok se dirigea vers elle, furibond.

— N'êtes-vous pas consciente que ces hommes n'ont pas vu de femme depuis des lunes ? Rentrez chez vous si vous ne voulez pas occasionner une émeute.

— Je voudrais d'abord savoir ce qui se passe.

— Un homme a volé deux pépites. Simple routine. Il doit payer.

Shu-Meï frissonna à la pensée du risque qu'avaient encouru pour elle ses deux protégés.

— Vos gardes ne seraient-ils pas assez vigilants ? Je croyais pourtant qu'il était impossible de subtiliser de l'or !

L'intendant la saisit par le bras.

— Détrompez-vous, chère amie. L'astuce bourgeonne même dans les esprits les plus arriérés. Cette racine de chiendent s'est fait prendre accroupi dans sa merde. Il avait pour habitude d'avaler des pépites et de les recracher par la « cour arrière ». Finaud, hein !

Il lustra triomphalement ses ongles longs contre le revers croisé de son *chagori* de satin gris et toussota.

— C'est au cours d'une purge que nous avons découvert son subterfuge... Et savez-vous pourquoi on l'a purgé ?

Kim-Ok se pencha vers elle tout en la dévisageant d'un œil sournois.

— ... Parce qu'il avait volé de la nourriture... des raviolis.

Shu-Meï sursauta, plongeant le Coréen dans un délice perfide.

— Des raviolis chinois, à ce qu'on m'a dit... Que c'est étrange ! On se demande bien où il a pu les trouver, n'est-ce pas ?

Redoutant le pire, Shu-Meï se dégagea pour s'avancer vers la tranchée.

L'homme ligoté et agenouillé tourna la tête vers elle. Elle reconnut Bras d'Honneur. Ce dernier croisa son regard et lui sourit timidement, ses gros yeux d'effraie tremblant dans ses orbites trop creuses.

Et si c'était à nouveau pour elle qu'il avait volé ? Pour la remercier des croustilles aux pignons dont il était si friand ? Non, c'était trop injuste ! Bouleversée, Shu-Meï n'entendit même pas Yi-Shou entamer d'une voix peu assurée la lecture de l'acte d'accusation, ni le grondement sourd qui bourdonnait au-dessus des prisonniers.

Elle ne voyait à présent que les deux yeux qui se cramponnaient à elle avec une ferveur hallucinée.

Il fallait qu'elle le soutienne coûte que coûte, malgré ses larmes, jusqu'à ce que ses trois âmes s'évadent de cet enfer et qu'il s'envole loin, très loin au-dessus des neuf nuées.

Gourdin Massif empoigna brutalement le condamné par le toupet de cheveux qu'il gardait en trophée sur le sommet du crâne et le força à coucher sa joue sur le billot tandis qu'on présentait une hache à un second garde aux jambes tordues. Le coupable n'avait même pas droit au sabre.

Rasséréné par la présence de Shu-Meï, la peur avait doucement quitté Bras d'Honneur. Ses traits se

145

détendirent peu à peu, comme s'il acceptait son sort.

Le bruissement des vagues emplit soudain ses oreilles. Sur le rivage, là-bas, la jupe brune de sa mère s'affolait. Elle rentra dans l'eau tout habillée en tendant les bras à sa rencontre.

D'un geste bref, Yi-Shou ordonna la décapitation. Le bourreau leva la hache. Bras d'Honneur rassembla alors toutes ses forces et fixa une dernière fois celle qui souriait comme sa mère, comme s'il lui faisait don de sa vie tout entière.

Horrifiée, Shu-Meï vit l'éclat froid du métal s'abattre brutalement sur la nuque. La tête à moitié décolletée dans une bouillie de grenades écrabouillées se pencha vers le torse comme un gros tournesol à la tige cassée, tandis qu'un geyser de sang éclaboussait la pierre chaude à dix pieds à la ronde.

Deux fois, trois fois, la cognée zébra le couchant avant que la tête ne roule dans la fosse humide.

La boule rouge avait disparu derrière l'horizon. Deux pieds bottés poussèrent le corps encore tiède qui s'écrasa dans la tranchée avec un bruit mou de poulpe dégonflé.

Sans mot dire, Shu-Meï s'avança. Elle lança alors la fleur violette qu'elle serrait dans sa main, priant pour que les pétales mouillés aspirent doucement le sang et caressent les plaies du petit homme coréen.

De l'autre côté du trou béant, Pied Zélé avait vu. Le cœur gros, il baissa les paupières en serrant les poings de reconnaissance. Autour de lui, un long murmure d'approbation souligna le geste de la femme étrangère.

Bras d'Honneur n'avait pas parlé sous la torture. Par son courage, il venait de prouver à tous qu'il avait du vrai sang dans les veines et qu'il méritait autant qu'un autre les honneurs de ses frères.

Suivant l'exemple de Corne de Cerf, les mineurs se

mirent à frapper en cadence la caillasse de leurs chaînes pour accompagner le supplicié dans l'au-delà.

Brisant alors le cercle de fantômes décharnés aux crânes enduits d'argile rouge pour marquer leur deuil, Shu-Meï s'enfuit.

11

« *La mousson n'en finit pas de se prolonger. Il pleut tous les jours. Une pluie lourde, chaude, qui remue les odeurs, brasse la terre et brouille les sens.*

Le camp est devenu impraticable. Les hommes travaillent malgré tout, l'eau ruisselant sur leurs chapeaux coniques et sur leurs corps couverts de champignons. Les galeries ont été provisoirement abandonnées. Les éboulis fréquents tuaient trop de détenus.

Je suis torturée à la pensée que Bras d'Honneur n'aurait peut-être jamais eu la tête coupée s'il ne m'avait pas rencontrée. Quant à Pied Zélé, il n'est plus revenu chercher de victuailles. Les melons ont dû pourrir sous leur abri de fougères.

Mon comportement le jour de la décapitation n'a pas fait l'unanimité. Le gros Kim-Ok a failli en avaler sa badine et Yi-Shou m'a rendue responsable des nouvelles tyrannies mises en vigueur. Le pauvre ! Son honneur a été souillé par une petite fleur violette. Je plains Yi-Shou et ses contradictions. »

Ce soir-là, Yi-Shou était encore plus nerveux qu'à l'accoutumée. Malgré la surveillance accrue, les vols augmentaient. Un dixième de la recette s'évaporait dans la nature. Cela devenait intolérable.

— Pourquoi toujours accuser les détenus ? Les gardiens et ton ami Kim-Ok ne doivent pas non plus s'en priver.

Yi-Shou avait retiré sa camisole de gaze empesée sous sa robe de siglaton turquoise. Son torse et le tour de ses aisselles étaient recouverts d'une légère bourbouille rosâtre.

— Ne dis pas de pareilles sottises. Ils sont dignes de confiance.

Shu-Meï démêlait ses cheveux devant un petit miroir rond calé au-dessus du coffre à habits. Elle leva tranquillement les yeux sur son mari.

— Et pourquoi seraient-ils plus honnêtes ?

— Voyons, ils représentent le pouvoir ! Lorsqu'on est investi d'une telle responsabilité, on ne triche pas.

Comment l'esprit de Yi-Shou pouvait-il être aussi obtus ? Shu-Meï préleva d'une fiole quelques gouttes d'huile de calemba et entreprit d'en enduire sa chevelure.

— Tu sais bien que l'or rend fou. Crois-tu qu'ils acceptent de bon cœur que la moitié de la recette aille au seul profit des Chinois ?

— Par la barbe mitée de Wenshu, je t'interdis de proférer pareilles sornettes. Ton cœur n'a jamais été qu'une auge à ferments !

— Cela vaut mieux qu'un cœur gonflé d'eau comme une éponge.

Sous l'affront, Yi-Shou se déplia comme un diable d'un dé à coudre, les yeux brillants de rage.

— Ta présence au bord de la tranchée et ton geste scandaleux étaient une invite à la révolte, à la sédition.

Il saisit alors sa femme par les épaules et la secoua brutalement.

— Non contente de pisser dans les bottes de

l'inspecteur, l'émule de Mulan[1] en profite pour barbouiller de caca la face de son époux. Tu soutiens ces
gueux, cette racaille contre moi... avoue !

Shu-Meï haussa les épaules.

— J'espère seulement que notre fils ne te ressemblera pas.

Sans lâcher son peigne en corne de buffle, elle avait
égrené d'une petite voix blanche les mots qui tuent.

Une gifle magistrale lui fit ployer la tête contre le
pilier décoré de grues multicolores.

La nuit avait basculé, lourde d'humeurs poisseuses
qui gonflaient le bois des cloisons.

Une flûte plaintive vrillait l'obscurité au loin dans
la vallée. Probablement les jeunes gens d'un village
tout à leurs chants et à leurs danses. Certains même
s'affronteraient à la lutte jusqu'au petit matin,
autour du feu qui éloigne les moustiques.

Après s'être assurée que la maisonnée était bien
endormie, Shu-Meï sortit la pépite offerte par Bras
d'Honneur de son oreiller de porcelaine verte.

La poussière d'étoile brûlait étrangement dans sa
paume, comme un cri qui déchire.

Vêtue d'une *chima* rouille et d'un boléro aux tons
pêche à large nœud flottant, Shu-Meï avait trouvé
plus facile — habillée ainsi à la coréenne — de se
fondre dans la foule lorsqu'elle descendait à Kum-
San.

Aujourd'hui, elle rentrait bredouille. Elle n'avait
pu rencontrer Bouille de Suif mystérieusement
retenu au nord de la capitale.

Le paysage défilait. Ici, point de buffles comme

1. Pasionaria chinoise légendaire.

150

dans la région de Guilin. De grandes vaches efflanquées paissaient paisiblement dans les champs qui jouxtaient les rizières.

Amusée, Shu-Meï remarqua qu'on leur harnachait les naseaux à l'aide de grosses chevilles de bois dans lesquelles on passait une longe ornée de clochettes de fer qui tintaient comme des gouttes d'eau au fond d'une cuvette de métal.

Bringuebalée par les cahots, elle se divertit à compter les fagots de branches de sorgho que les femmes transportaient en pile impressionnante sur leur tête. Un mouflet accroché dans le dos de sa mère agita la main dans sa direction.

Plus les jours passaient, plus elle se posait de questions sur la fameuse mission que lui avait confiée Yikuai.

En quoi pouvait-elle bien lui être utile ?

Au-dessus des crêtes vertes, le ciel vira soudain au gris ardoise. Un vent violent se leva, gonflant la bâche comme une citrouille. Devant la carriole, délaissant leurs fardeaux sur le bas-côté, les gens se mirent à courir dans tous les sens comme des fourmis sur un poêle.

Affolé, Ébonite cravacha les bœufs roux alors qu'une poussière aveuglante décollait brutalement du chemin en rafales tourbillonnantes.

— C'est le vent qui rend fou, maîtresse, couchez-vous.

De chaque côté de la route, les lauriers et les saules pliaient comme des flammes. Shu-Meï pensa avec angoisse aux détenus qui allaient dormir cette nuit à ciel ouvert, enchaînés entre eux comme des chiens.

Quand ils arrivèrent au campement, une pluie diluvienne se mit à crépiter sur les feuillages. En un rien de temps, le sol déjà détrempé s'était transformé

151

en un véritable marécage tandis que la force du vent décuplait, couchant fleurs et cultures sur son passage.

Brusquement, les toits de chaume du campement furent soufflés comme des fétus. Quelques ombres affolées, surgies des cabanes décoiffées, furent projetées à terre par une rafale plus forte tandis que débris divers, cheminées et branches cassées voltigeaient dans la tourmente.

Soucieux, Yi-Shou pria Shu-Meï de se barricader sans allumer de lampe.

— Je sors, il faut que j'aille voir ce qui se passe à la mine.

— Est-ce bien le moment de jouer au héros alors que tu n'as jamais quitté ton cabinet de travail !

— C'est au combat qu'on mesure le courage du soldat, déclara-t-il avec emphase, sa calotte de soie enfoncée jusqu'aux oreilles.

Sans prendre le temps de nouer les rubans de son manteau, il tira la porte et sortit.

A travers la petite croisée, Shu-Meï le vit se prendre les pieds dans un faisceau de racines et continuer son chemin en rampant. Puis, aspiré par la tornade, Yi-Shou disparut dans la nuit noire.

Yang-Yang se mit à hurler à la mort. Ébonite s'était agenouillé, le front contre l'*ondol* huilé. S'il n'avait fait face au rouet couvert de toiles d'araignée, elle aurait pu penser qu'il faisait le grand *chôl* à la coréenne [1]. En fait, son serviteur priait à la manière de ces étrangers qui déroulaient leurs petits tapis devant le minaret bleuté de la mosquée Guang-Ta-Lu, dans le quartier arabe de Guang-Zhou.

Derrière la maison qui tremblait comme une lan-

1. Révérence respectueuse consistant à saluer, le front contre terre. L'ondol est un plancher de papier huilé.

terne de papier, un craquement sinistre se fit entendre. Shu-Meï pensa alors avec effroi au gros pin centenaire contre lequel l'habitation s'adossait.

Vautré dans la glaise comme un sac gonflé d'eau, Yi-Shou essaya à plusieurs reprises de se relever. Sous son ventre, la terre gargouillait dans un clapotis de crabes remuant dans la vase. Trois pins déracinés s'abattirent à l'unisson, barrant le ciel sans lune de leurs troncs lisses.

Encore un effort, la carrière n'était plus très loin. Aveuglé par les trombes, il continua sa progression à quatre pattes. Le sifflement du typhon lui vrillait les oreilles. La boue qu'il aspirait par le nez l'empêchait de respirer. Dans quel état allait-il trouver la mine ? Le travail de ces dernières semaines devait être anéanti, les goulettes détruites, le sable nettoyé de son or, les pépites emportées par le ruissellement torrentiel. Adieu rendement dont il était si fier ! Les pertes infligées par ce maudit typhon allaient être terribles.

Alors qu'il touchait au but, le campement plongea soudain dans l'horreur. Surpris par le glissement de terrain, certains détenus recroquevillés sous leurs abris de fortune furent ensevelis par la vague de boue qui déferlait sur eux, provoquant l'effondrement des galeries souterraines à peine étayées par de maigres branchages. D'autres se virent écrasés par les énormes roches qui se détachaient de la falaise et qui roulaient à grand fracas jusqu'au lit de la rivière.

Ce fut l'affolement.

Arrivé sur place, Yi-Shou tenta d'organiser les secours. Il fallait coûte que coûte aider les survivants à remonter la pente. Partout on s'enfonçait comme dans des sables mouvants, on se traînait avec difficulté entre les corps déchiquetés, les membres broyés. Les cris déchiraient l'air, repris en écho par le tonnerre.

Pendant ce temps, l'eau montait en tourbillonnant, emportant inexorablement tous ceux qui ne parvenaient pas à s'accrocher à ce vertige gluant.

— Où est votre intendant ? hurla Yi-Shou en direction de Gourdin Massif qui tentait absurdement de rechausser sa botte.

— On ne l'a pas vu.

— Trouvez-le et ramenez-le-moi immédiatement.

Cramponnés l'un à l'autre, Gourdin Massif et Cravache Lubrique obéirent en maugréant. Un bras arraché glissa tranquillement vers le néant.

A quelques pas de Yi-Shou, trempé comme une algue dans sa robe de chambre de soie ébène, Kim-Ok suivait à contrecœur les deux gardes-chiourme qui venaient de le débusquer chez lui, tremblant sous sa natte.

— Allez aider les détenus, il faut remonter les blessés avant qu'ils ne soient entraînés par le courant, lui cria Yi-Shou, occupé à dégager un corps dont seuls les pieds dépassaient de la boue.

Fesses serrées, Kim-Ok n'en menait pas large. A tout moment, il risquait de perdre l'équilibre et d'être happé par le vide. Une main sur le crâne, il luttait contre les rafales en jurant, attendant le moment opportun pour s'esquiver sans attirer l'attention.

Succédant à un coup de tonnerre assourdissant, un nouvel éboulis emporta plusieurs hommes. Profitant de la panique qui s'ensuivit, l'intendant jeta un coup d'œil circulaire : personne ne semblait plus se préoccuper de lui. C'était le moment ou jamais ! S'accrochant à ce qu'il trouvait, rocher ou moribond, il se hâta de rebrousser chemin lorsqu'un éclair déchira le ciel, illuminant un bref instant ce mirage apocalyptique.

— Regardez, l'intendant s'enfuit !

Trois hommes bondirent à sa poursuite dans l'obscurité. Boudiné dans sa robe, Kim-Ok paniqua et buta contre une souche. Aussitôt ceinturé par les détenus, le gros homme s'effondrera lourdement dans la gadoue en cherchant désespérément à rattraper sa perruque.

Aspiré par le vent, le toupet dégoulinant tournoya un instant au-dessus de sa tête comme une chauve-souris affolée.

Un rire nerveux fusa.

— Regardez, l'œuf pourri n'a pas plus de poils sur le crâne qu'une Tête de Tortue[1] !

— Tu vas nous le payer, espèce de gland d'âne.

— Ne me touchez pas, je suis votre intendant !

Le visage ravagé se détendit soudain en reconnaissant l'ovale carnassier de Purge Amère qui venait de surgir devant lui.

— Petit, explique à tes amis que c'est un malentendu. Dis-leur que je ne les abandonnais pas.

Devant son silence, Kim-Ok pleurnicha, trépigna, implorant son micheton de le sauver. Celui-ci écarta violemment le cercle menaçant qui se resserrait autour de la baudruche boursouflée.

— Laissez-le.

— Merci... Merci, ami. Tu seras gracié, je m'y emploierai..., bafouilla l'intendant.

Purge Amère lui sourit. Voilà enfin l'occasion qu'il attendait depuis si longtemps. Plus jamais il ne se ferait traiter de chouquette par ses compa-

---

1. Expression chinoise pour désigner le sexe masculin.

gnons, plus jamais il ne subirait les sévices de ce vicelard répugnant.

— A moi le privilège de faire bouffer sa langue à cette immonde charogne ! Cette langue qui aime tant fouailler les petits culs !

En un tournemain, il saisit la masse que tenait l'un de ses compagnons. L'outil se leva devant la face épouvantée de Kim-Ok.

— Abject sac de foutre, souviens-toi du galet rond et froid.

Les prisonniers s'étaient écartés. Légèrement en contrebas, Yi-Shou vit soudain avec horreur le crâne blême de l'intendant exploser sous le choc comme une coquille d'œuf.

Le vent ne mollissait pas. La pluie tombait toujours aussi dru.

Un petit groupe s'était rapidement formé autour de Yi-Shou. Ce Chinois dont la femme était si bonne ne pouvait être aussi cruel ni aussi inhumain que son prédécesseur.

Sa bravoure étonnait. Lui, le ronge-papier freluquet qui restait enfermé parmi ses livres de comptes, voilà qu'il se battait contre les éléments comme Wu-Di le dieu de la Guerre. Mais après tout, quoi de plus normal, n'était-il pas le chef !

De son côté, Yi-Shou se démenait, cramponné à sa seule obsession : sortir ses prisonniers de ce véritable marécage mouvant. Son honneur était en jeu. Que diraient les autorités de son pays si la production d'or chutait ?

Un peu en aval, un nouveau glissement avait catapulté Pied Zélé et Fouet Tapageur au fond de la cuvette où les flots bouillonnants les avaient engloutis comme des brindilles.

Recrachant l'eau qu'il ingurgitait en souf[...]
comme un gros hippopotame, le garde-chiour[...]
repéra, entre ses lourdes paupières plissées, le prisonnier qui s'était à grand-peine accroché à l'extrémité
d'un tronc piqué dans la vase comme une fourche
dans un ballot de riz.

Cette colique d'esclave ne méritait pas une telle
chance ! A grand renfort de moulinets désordonnés, il
chercha à nager dans sa direction. C'était sa seule
planche de salut. Arrivé à sa hauteur, il parvint de
justesse à attraper l'infirme par la taille et à se
pendre à ses basques comme une grosse andouillette.

Nom d'un Khitan à poil, ses prérogatives de garde
ne lui donnaient-elles pas toute priorité sur ce violeur
d'enfant !

— Laisse-moi ta place, crevure. Va rejoindre les
brochets dans la vase.

Sa main se plaqua sur la boule lisse comme une
grosse araignée. La tête immergée, Pied Zélé suffoquait. S'il lâchait prise, il serait emporté par le
courant comme une plume de sarcelle.

Pour chaque gorgée d'eau boueuse qu'il avalait, il
aurait bien voulu lui cracher son mépris en souvenir
de Bras d'Honneur qui gesticulait comme une
girouette dans sa mémoire, un soleil sanglant à la
place du visage. Mais à quoi bon ! Brusquement, il
capitula et décida de se laisser glisser au fil de l'eau.

Haletant, Fouet Tapageur avait embrassé le rondin
des deux bras. Ouf, Tan-Gun et la mère Ours le
protégeaient !

Il ne vit pas le tronc d'un pin centenaire foncer
dans sa direction à la vitesse d'un buffle en rut. A
peine eut-il le temps de se protéger du bras le visage :
l'énorme masse l'écrasa comme une boulette dans
une éclaboussure de papaye mal digérée.

Ballotté par le courant, Pied Zélé ne paniquait plus.

il savait pourtant qu'à un li de là, la rivière se transformait en une cascade vertigineuse. S'il n'était pas bientôt rejeté sur la rive, il n'en réchapperait pas, tout comme ces cadavres gonflés et mutilés qui l'entouraient et qui fuyaient déjà, loin devant.

Pouvait-on échapper à son destin ?

Pied Zélé attendait calmement le verdict. Si les dieux lui avaient pardonné Soo-Yoo, peut-être ne le sacrifieraient-ils pas aux Démons des Eaux !

Le typhon redoublait d'intensité. Pour éviter de glisser ou d'être soufflés par les rafales, les rescapés avaient formé une chaîne, seule solution pour eux de s'en sortir vivants.

Dégoulinant comme une méduse, Yi-Shou leva la tête. Une tache claire, vacillante comme une flamme, descendait à leur rencontre. Il serra plus fort la main de son voisin. Agrippée à Ébonite, Shu-Meï le cherchait du regard tout en criant son nom dans la tourmente.

— Ne reste pas là. Pense à notre fils, je t'en prie ! hurla-t-il à son tour à tue-tête.

L'écho du vent transporta sa supplique aux pieds de Shu-Meï.

— Le maître a raison. Il faut préserver le petit lièvre qui gambade dans la lune, conseilla Ébonite.

Shu-Meï fixa la longue chaîne d'esclaves, reptile mouvant aux anneaux déchiquetés, qui piétinait dans ce charnier à l'odeur écœurante de vase, de sueur et de sang.

Ployé sous la bourrasque, Yi-Shou s'était remis à lutter main dans la main avec les détenus. Capable du pire et du meilleur, comme il était bizarre !

Étrangement remuée, Shu-Meï rebroussa chemin.

A la place des baraquements, quelques carcasses fantomatiques s'étiolaient au milieu des débris qui voltigeaient comme de la cendre.

En arrivant en vue de la petite maison, Shu-Meï retint son souffle. Totalement éventré, le mur de bambou de la véranda laissait l'eau s'engouffrer dans les pièces.

Emportés par le courant, quelques ustensiles de cuisine gisaient éparpillés dans le jardin. Échoué près d'une rocaille, elle reconnut le coffret de bois de santal incrusté d'héliotropes d'argent que lui avait offert Talent Modeste pour ses huit ans. Une pantoufle de soie, une cruche, une jambière brodée traînaient, cadavres du quotidien étouffés dans la vase.

Était-ce un signe du ciel, ce déluge, ce cauchemar, ces hommes précipités dans le vide ? Épuisée, Shu-Meï s'adossa à la margelle du puits. A cet instant, le doigt tendu d'Ébonite désigna une masse indistincte, une touffe de poils qui se débattait faiblement dans la tourbe.

— Yang-Yang !

Ébonite avait déjà bondi à sa rescousse lorsqu'un crissement sinistre secoua le toit de la maison.

Avant qu'elle ait pu réagir, Shu-Meï vit l'arbre centenaire s'abattre en rugissant sur une partie de la toiture qui explosa, entraînant un éboulis de tuiles et de bois de charpente.

Elle vit aussi son serviteur rouler des yeux affolés et lâcher Yang-Yang au moment où une branche énorme se fracassait sur lui.

— Oh, non !

Ébonite s'était écroulé, terrassé, un filet de sang à la commissure gauche. La poitrine défoncée, il tendit son seul bras valide vers sa maîtresse, sa grande main noire désarticulée comme une large feuille d'automne.

— Pourquoi toi, pourquoi ?

Ébonite respirait à grand-peine. Son teint d'acajou chaud avait déjà pris une teinte cireuse. Dans un geste dérisoire, Shu-Meï tenta de bouger le tronc afin de l'en dégager.

— Allah est bon. Ne vous inquiétez pas pour moi. Il fait si froid... sur terre.

Claquant des dents, il s'agrippa au corsage de sa maîtresse.

— Je voulais vous dire... de pardonner au maître... c'est que parfois... il a peur de ne pas être digne de... vous.

— Ne parle pas, Ébonite... ne parle pas.

Tout en caressant le visage cerné d'ombres, Shu-Meï avait du mal à imaginer que son fidèle compagnon ne serait bientôt plus à ses côtés. Effondrée, assise dans la boue, elle souleva doucement la tête d'Ébonite et la cala sur ses genoux.

Soudain, les gros yeux blancs dilatés de frayeur chavirèrent comme à la vue d'un bataillon de Loka-palas[1] grimaçants.

Le cauchemar dissipé, il leva faiblement son regard vers la jeune femme.

— Je doute que le visage de... la Mort... soit aussi beau que le vôtre... maîtresse.

Shu-Meï posa ses lèvres sur celles du mourant afin de lui éviter de parler. Les forces d'Ébonite déclinaient. Une pluie bleue tinta brusquement dans sa tête comme les clochettes des campanules que Shu-Meï lui avait un jour cueillies au manoir.

A peine comprit-elle lorsqu'il lui murmura : « Merci » avant de s'endormir pour l'éternité.

Son tire-bouchon de queue entre les pattes, Yang-

---

1. Gardiens de l'univers contrôlant les quatre éléments, l'eau, la terre, l'air et le feu.

Yang, remis de ses émotions, s'était approché pour lécher en tremblant la main qui ne le caresserait plus.

La pluie avait cessé. Les arbres noircis étiraient à présent leurs doigts secs dans la pâleur de l'aube. Exténué, la cheville foulée, Yi-Shou remonta de la carrière aidé par deux détenus.

Lorsqu'il aperçut Shu-Meï assise dans la boue, prostrée, le corps d'Ébonite entre les bras, il comprit.

D'un geste il pria ses compagnons de s'éloigner et se laissa tomber aux côtés de sa femme.

Jusqu'où la fatalité allait-elle les mener? Tandis que des larmes de fatigue délayaient la terre coagulée sur son visage, une main chaude se glissa dans la sienne. De toutes ses forces, il la serra.

Était-il possible qu'ils se soient enfin retrouvés?

12

« En deux jours le vent s'est brutalement calmé. Le typhon s'est éloigné. La soie du ciel claque comme un étendard trop vif. Son indécence éblouit.

Presque la moitié des détenus sont morts dans la tourmente, noyés ou écrasés. Ébonite est enterré près de la maison, là où il est tombé, en bordure du petit bois, sous le seul pin qui n'ait pas été arraché. J'ai tenu à ce qu'il dorme à l'ombre de ce compagnon symbolique, porteur en Chine d'un message d'éternelle fidélité.

Autour de moi, on rebâtit les baraquements à la hâte. Yi-Shou a proclamé que les détenus ne dormiraient plus enchaînés et qu'il allait faire construire un grand toit pour les protéger des intempéries. Cette décision me fait chaud au cœur. Yi-Shou a repris confiance, ses yeux pleins de boue se sont enfin ouverts sur la réalité des choses.

Hélas, nombre de blessés s'entassent sous la grange retapée tant bien que mal et qui sert provisoirement d'infirmerie. Inutile de réclamer du secours dans les villages avoisinants. Nous sommes tous logés à la même enseigne.

Nous avons trouvé un volontaire pour nous aider à opérer les détenus : un vieux prisonnier politique à moitié aveugle, chargé naguère de la castration des

eunuques à la cour. Ses conseils nous sont p....
Qui, à Guilin, aurait imaginé Yi-Shou, l'étuai....
timoré, amputant les membres et recousant les ventres
avec autant de sang-froid ?

Malgré son refus et ma répulsion initiale, j'ai réussi
à le convaincre que je pouvais être utile à ses côtés.
J'ai appris à supporter le crissement des couteaux
qu'on aiguise, le raclement des os que l'on scie, le
craquement des cartilages broyés, le choc mou des
pieds et des bras tranchés tombant dans les bassines
de cuivre pleines de sang, la puanteur écœurante des
chairs pourries, disséquées, fouaillées, des viscères
tronqués, mais jamais je ne pourrai oublier les cris
des opérés, ces hurlements de bêtes sauvages, à peine
anesthésiés par de la vilaine gnôle versée à grands
flots sur les blessures à vif.

Pendant trois jours nous n'avons pas dormi. J'ai
secrètement admiré le courage de Yi-Shou, son abné-
gation. J'ai essayé de l'imiter. Quatre hommes sont
morts. Ma main sur leurs fronts tremblants, j'ai
cueilli leurs derniers soupirs comme des sanglots
muets.

Aucun ne semblait pourtant regretter les horreurs
d'ici-bas.

Hier, un des gardes-chiourme nous a amené un
malheureux dont la face congestionnée virait au rouge
sombre. Lorsqu'on lui a demandé s'il souffrait, le
pauvre homme n'a pu sortir un son. Sa langue gonflée
semblait s'être collée à son palais. J'ai tout de suite
pensé à la " maladie de la joie[1] *".*

Au manoir des Trois Quiétudes, lorsqu'un cas de
rougeole se déclarait, Li-Mai ordonnait à la valetaille

1. Variole ou rougeole appelée ainsi par les Chinois par
superstition. Le rouge étant la couleur de la joie, c'est une façon
comme une autre de ne pas mécontenter la déesse de la rougeole.

*le tailler rapidement des habits dans du tissu rouge.
Elle interdisait aussi, je m'en souviens, de rôtir ou de
faire frire les aliments.*

*J'ai immédiatement demandé à mes deux bernicles
de service de recueillir des larves de capricorne. Il me
faudrait descendre à Kum-San pour acheter des queues
de porc — tous ceux du camp ont péri. J'ai entendu
dire que ces deux aliments longuement bouillis
aidaient à la guérison. »*

Trois jours plus tard, la fièvre du malade n'avait
toujours pas baissé. En le nettoyant et en le chan-
geant, Shu-Meï aperçut des taches rosées comme des
crêtes de coq et des pustules jaunâtres et granu-
leuses sur son ventre et le haut de ses cuisses.

Le castrateur d'eunuques, préposé à l'infirmerie,
hocha la tête d'un air entendu. Il avait assisté à des
cas semblables une vingtaine d'années auparavant,
lorsqu'il était encore frétillant conseiller à la cour de
Silla. Il y avait tout lieu de craindre une épidémie de
typhus. Le typhon, les eaux polluées par les cadavres
en décomposition, la recrudescence soudaine des
rats après la tempête, la saleté des détenus entrete-
nue par leur douteuse promiscuité, toutes ces conditions n'étaient que trop propices, à son avis, à la
propagation de ce nouveau fléau. A voir les poux
blancs qui grouillaient sur les corps comme des
manteaux de vermine, il se pouvait fort bien qu'il ait
vu juste.

Anxieux, Yi-Shou fit promettre au vieil homme de
ne pas propager ce bruit alarmant. Il fallait éviter
toute panique. On décida de mettre le malade en
quarantaine dans l'une des cabanes en rondins que
Yi-Shou faisait construire à côté de la fosse d'aisance
et qui devait initialement contenir les outils.

Ce soir-là, l'ancien castrateur brûla de l'armoise

devant les ouvertures de l'infirmerie afin d'écarter les mauvais esprits.

Depuis plusieurs jours, Purge Amère essayait de convaincre Corne de Cerf que l'heure de la révolte avait sonné. Beaucoup d'hommes étaient morts. Le camp était complètement désorganisé. Depuis que cette raclure de Kim-Ok grignotait les persicaires par leurs racines, la vigilance des gardiens s'était ramollie. Le maître d'œuvre manquait.

L'inspecteur n'était qu'un faible au cœur larmoyant. Un vrai chef aurait fait exécuter les meurtriers de son intendant et se serait soucié de la réorganisation du travail, plutôt que de panser les blessés. C'est dire que cette âme de grisette était sous l'influence de sa femme !

S'ils ne brisaient pas leurs chaînes rapidement, ils ne pourraient jamais fuir du bagne, car tôt ou tard un nouvel intendant serait nommé.

Il fallait tuer l'Étranger.

Corne de Cerf l'écoutait sans répondre. Il n'aimait pas beaucoup la petite frappe qui battait des cils comme une fillette sous ses allures de prince consort déchu. Lui, Corne de Cerf, n'aurait jamais accepté de se faire coincer entre les cuisses la saucisse de ce chien galeux de Kim-Ok ! Il préférait encore la dignité usée de certains prisonniers politiques, même si ces aristocrates déchus n'avaient pas hésité en leur temps à exploiter des paysans comme lui.

Cette nuit-là, lorsque Pied Zélé se glissa sous le grand toit d'herbes où les détenus s'étaient allongés pêle-mêle, l'agitation était à son comble.

Un détenu avait surpris le castrateur d'eunuques en train de dessiner d'étranges boucliers, des remparts et des hallebardes[1] dans le sable encore mouillé. On l'avait vu ensuite balayer le sol à l'aide de branches de pêcher avant d'entrer dans l'une des cabanes. Sous l'instigation de Purge Amère, on avait alors rossé le vieux jusqu'à ce qu'il avoue la raison de ces gestes purificateurs.

— Je vous avais prévenus, leur annonça tranquillement le giton, vous n'avez pas voulu m'écouter. Si nous restons dans ce trou à rats, l'épidémie nous emportera tous comme des mouches plongées dans de la chaux.

Affolés, les prisonniers se dévisagèrent avec suspicion, cherchant le mal sur les visages exsangues de leurs compagnons.

— C'est la faute au Chinois, hurla soudain un personnage crapaudin aux commissures encore dégoulinantes des grumeaux du souper.

Cet ancien magistrat véreux, démis arbitrairement de ses fonctions par le roi Tae-Jo en personne parce que sa région d'origine subissait une mauvaise influence géomantique, avait éclusé sa frustration en étranglant une douzaine de veuves avant d'être arrêté.

Un groupe de prisonniers auprès duquel il jouissait d'un certain prestige s'empressa de renchérir.

— Il a raison. C'est depuis son arrivée que nous arrivent tous ces malheurs.

— Moi, je vous dis que sa femme est un esprit renard... Sinon pourquoi viendrait-elle visiter nos rêves !

— Parce qu'il te manque une femelle, face de navet !

Les détenus s'esclaffèrent.

1. Pratiques superstitieuses afin d'éloigner les mauvais esprits et les pestilences.

— Non, il n'a pas tort, insista un grand échalas. C'est bien connu, les démons [1] n'aiment que l'obscurité. Avez-vous remarqué comme elle fuit devant la couleur blanche ?

— Je ne pense pas qu'elle aurait fui si elle avait vu mon gros saucisson de cheval ! Ahahah !

Pied Zélé vit Purge Amère se pencher vers Corne de Cerf et lui chuchoter à l'oreille. Le géant acquiesça longuement. Puisque le malade était réellement atteint du typhus, le Coréen acceptait de lancer la révolte.

Soudain, le silence se fit. Cravache Lubrique, le gardien aux oreilles d'âne, s'était rapproché en égouttant grossièrement son « radis rose » qu'il venait de soulager au-dessus d'un massif d'azalées sauvages.

Contrairement à ses compagnons, ce dernier ne détestait pas être de garde depuis que cette couille blette d'inspecteur avait fait construire cet abri. C'est qu'à déambuler au milieu de ces viandes avachies ronflant tout leur soûl, il se prenait à imaginer ces corps emmêlés, vautrés dans la plus sombre débauche.

Ahahah ! des culs blancs comme la chair farineuse de ces grosses poires d'hiver, des triques glorieuses croisant le fer sous le cliquetis des bourses ballottantes qui s'entrechoquent comme des melons d'eau de printemps. Hélas, il y avait belle lurette que les siennes pendaient comme des grappes de noix séchées.

Une veille passa.

Cramponné à son misérable fantasme qui lui tenait les yeux ouverts, Cravache Lubrique ne prit pas garde au coassement éraillé d'une grenouille.

---

1. Les démons étaient censés être féminins. Association probable du Yin et de l'ombre.

Avant même qu'il ait pu réaliser ce qui lui arrivait, Purge Amère lui avait dévissé la nuque. Craaac ! les vertèbres cervicales avaient cédé et sa tête était retombée tristement sur son ventre comme un sac dégonflé.

Au même moment, les trois autres gardes qui somnolaient, emmitouflés dans leur manteau de paille, furent égorgés.

Sans bruit, les ombres se propulsèrent alors dans la nuit.

A moitié allongé sur le large *kang*[1] de briquettes qui avait échappé aux dégâts, Yi-Shou, soucieux, plongeait le nez dans son bol de fanes et de fougères bouillies.

Shu-Meï ne disait rien. Elle savait que l'état du malade avait empiré. Son corps et son haleine dégageaient une effroyable odeur de putréfaction. Il avait commencé à délirer dès le coucher du soleil. Mais ce n'était pas le pire. Louffe Puante, l'un des anciens serviteurs de Kim-Ok, présentait les mêmes symptômes depuis le matin même. Allaient-ils tous être décimés ?

Le cœur serré, ils s'endormirent sous la moustiquaire, sans même souffler leur bougie.

Une heure plus tard, quelques coups hâtifs tambourinèrent à la croisée.

Shu-Meï, qui rêvait qu'elle ramassait des grêlons gros comme des pêches pour les donner à Ébonite, se réveilla en nage. On frappait bien chez eux. Elle secoua Yi-Shou qui s'arracha mollement de son édredon douillet pour aller ouvrir la porte.

1. Estrade de briques que l'on chauffe par en dessous, l'hiver.

La voix rauque et essoufflée du visiteur l'alerta aussitôt. Faisant fi de la bienséance, Shu-Meï sauta du lit et apparut dans sa longue robe de nuit brodée de nénuphars.

Sur le pas de la porte, Pied Zélé gesticulait, en proie à la plus vive agitation.

Que se passait-il ?

Après l'avoir fait plusieurs fois répéter, Yi-Shou, qui commençait à maîtriser la langue, comprit qu'il venait supplier la dame au ventre rond et lui-même de déguerpir au plus vite. Yi-Shou voulut alors appeler les gardes. Le détenu l'en empêcha. D'un geste, il se passa le doigt sur le cou pour lui signifier qu'il était trop tard et que s'ils ne se dépêchaient pas, ils risquaient le pire.

Était-ce un piège ? Son soupçon s'évapora lorsqu'il vit, à sa grande stupéfaction, le boiteux se prosterner devant Shu-Meï.

— *Pali*, *pali*, madame[1].

Shu-Meï eut à peine le temps de jeter un châle de gaze sur ses épaules que déjà Pied Zélé l'arrachait du logis et l'entraînait fermement au-dehors.

— Et Yang-Yang ?

— Il nous attendra, répondit Yi-Shou en courant derrière eux. Son aboiement risquerait de nous perdre.

La natte ébouriffée sous sa calotte[2] en forme de cloche, il n'avait pas même pris le soin d'enfiler une robe. Dans son justaucorps de drap céladon qui accusait la maigreur de ses mollets de coq dépourvus de jambières, il ressemblait à une longue sauterelle verte. Mais l'heure n'était pas au rire. Où aller ? Tout

---

1. « Vite, vite, madame. »
2. Il n'était pas rare que les Chinois dorment avec leur couvre-chef.

autour d'eux, la forêt dévastée, moignons tordus, souches décapitées, ne risquait guère d'assurer leur fuite.

La clameur se rapprochait. Pris de panique, Yi-Shou s'apprêtait à s'élancer droit devant lui, lorsque Pied Zélé le tira avec véhémence par la manche et lui indiqua le tas de fumier.

Le visage décomposé, Yi-Shou regarda la pyramide fumante sans comprendre.

— Vous êtes fou. Nous ne tiendrons jamais là-dessous, ça sent trop mauvais. Ils vont nous cueillir comme des asticots dans un fromage de soja !

Pied Zélé supplia Shu-Meï du regard, implorant son appui.

— Il a raison, petit frère. Nous n'avons plus le temps de fuir, ils nous rattraperaient.

Retenant alors sa respiration, le couple se dissimula sous le fumier tandis que Pied Zélé les recouvrait copieusement de litière avant de déguerpir.

Plût à Guan-Yin que l'inspiration du boiteux fût la bonne ! En tout cas, il était temps. Déjà les flammes des torches valsaient dans la nuit en direction de la petite maison, projetant des ombres hagardes sur la lande.

Les détenus allaient-ils se douter que leur délicat inspecteur et sa jeune femme s'étaient glissés à deux pas d'eux sous un tas de merde ?

Après avoir dévalisé les outils de la grange, les bagnards, sous le commandement de Corne de Cerf, investirent les baraquements des gardiens.

Très vite, ce fut le carnage. Avec une joie féroce, les mutins se jetèrent sur les corps assoupis. Serpes et couperets jaillirent, sabrant les têtes qui roulaient sur les couches tandis que fourches et piques crevaient avec délectation les ventres repus.

On arrachait les langues, on se barbouillait de tripes gluantes, on gobait les yeux découpés à la pointe du couteau, on se lavait dans le sang des tortionnaires. Un gardien, cloué sur sa natte par un épieu, gigotait comme un hanneton tombé de sa feuille de mûrier. Le « crapaud » ventripotent tranchait les oreilles des morts et les enfilait au bout de son estoc en riant comme un damné. A côté de lui, un détenu pissait sur un molosse éventré qui tressautait de douleur en retenant à pleines mains son chapelet de boyaux.

— Tiens, bouffe ! hurla Corne de Cerf en plongeant une paire de testicules encore chauds dans la bouche de Gourdin Massif, après lui avoir au préalable brisé les membres à coups de masse.

Les pioches et les pics fracassaient les côtes, défonçaient les visages hagards, alors que des jets de sang éclaboussaient les murs de torchis en l'honneur de ce monstrueux sacrifice.

Pendant ce temps, sous les ordres du géant, Purge Amère et quelques détenus s'étaient rués vers la maison de l'inspecteur.

La porte vola en éclats. Silence. Seul Yang-Yang, arc-bouté sur ses pattes arrière, les accueillit en grondant. Un coup de pied le fit rouler sous un coffre.

— Où est le Chinois ? Fouillez toutes les pièces. Extirpez-moi cette crotte de nez de son terrier !

Mains sur la tête, les deux bernicles sortirent de la cuisine en claquant des dents. La chambre était vide. Les détenus s'enveloppèrent en gloussant dans les robes et les pantalons de soie de Shu-Meï.

— Frère, les lâches ont fui !

Ivre de rage, Purge Amère saisit alors Yang-Yang

par les oreilles et l'empala d'un coup sec sur le fuseau du rouet.

— Tiens, hurle, que les mignonnes esgourdes de ta maîtresse se délectent de ton chant... ça la fera peut-être réapparaître !

Sous le fumier, Shu-Meï frissonna. Le gémissement déchirant de Yang-Yang s'était mêlé aux cris d'horreur, aux piétinements et aux cavalcades qui faisaient trembler le sol autour de la maison.

Combien de temps pourraient-ils encore tenir sous l'effroyable puanteur ?

— Et l'or, où est l'or ?

La petite habitation mise à sac, les détenus s'impatientaient.

— Vous avez raison, répondit Purge Amère en retroussant les lèvres. Les deux coquardeaux n'iront pas bien loin. Allons chercher ce que nous avons gagné de droit à la sueur de notre sang !

Sans plus attendre, les prisonniers se précipitèrent vers la cabane qui abritait le bureau de Yi-Shou et fracassèrent les coffres d'ébène à coups de hache. Devant le métal jaune amoncelé en petits tas, les yeux flambèrent.

— Vous pouvez vous servir ! déclara Purge Amère après s'être emparé d'une pépite grosse comme un œuf de caille.

D'un revers de bras, il éparpilla l'or qui gicla des étagères en roulant sur le sol.

Une violente bousculade s'ensuivit. C'était à qui raflerait le plus de paillettes. Pied Zélé en profita pour réintégrer discrètement le groupe et en avaler au passage une grosse poignée. Son estomac n'en souffrirait pas. Il s'était déjà tapissé les intestins d'huile de sésame volée en cuisine.

Soudain le brouhaha s'interrompit. Comme tétanisés, les hommes lâchèrent leur butin. L'imposante

silhouette de Corne de Cerf venait de s'encadrer
la porte au milieu de ses paysans.

— Cupides chiures de moustiques, auriez-vous
déjà oublié vos amis ? Je vous avais prévenus qu'il
fallait attendre pour un partage loyal !

— Tes ordres, on s'en moque. Chacun pour soi,
ricana Purge Amère en passant sa langue sur ses
dents noires. La réussite sourira aux plus... Aaaah...

Il n'eut pas le temps de terminer sa phrase. Une
bille de bronze propulsée par un lance-pierres lui
avait crevé l'œil droit.

Purge Amère se courba sous la douleur. Deux
paysans en profitèrent alors pour le ceinturer pendant qu'un autre le ligotait comme un saucisson
d'âne.

— Quant à vous autres, crachez l'or si vous ne
voulez pas vous faire découper en salaison comme
cette queue de rat dégoulinante !

Penauds, les détenus déroulèrent leurs trousse-
couilles et rendirent à regret les pépites volées.

— Où se trouve le Chinois ?

— Disparu, Frère Aîné, répondit Pied Zélé en
zozotant.

La voix tonitruante de Corne de Cerf ébranla à
nouveau les fragiles cloisons.

— Eh bien, qu'attendez-vous ? Débusquez-le,
bande de roubignoles farcies. Il n'a pas pu filer bien
loin !

Munis de leurs torches, les mutins se dispersèrent
pour sonder les alentours.

Moins d'une veille plus tard, pressés de goûter à
leur nouvelle liberté, les détenus décidèrent d'abandonner les recherches et de se partager l'or équitable-
ment.

Lorsque le moment de se séparer fut arrivé, Corne

Le Cerf serra dans ses bras ses compagnons de détention et jeta symboliquement sa torche sur le toit de paille sous lequel gisait la petite frappe.

— Brûlons notre passé, mes frères !

— Et Purge Amère ? risqua Pied Zélé.

— Un peu de chaleur le rendra plus généreux. Pour une fois ce seront les flammes qui lui lécheront le trou du cul !

— Ahahah... *Mansei, mansei*[1] ! hurlèrent les bagnards en lançant à tour de rôle leurs torches sur les autres toits du campement qui s'embrasèrent d'un seul coup.

— A la revoyure dans une vie meilleure !

Shu-Meï et Yi-Shou n'osaient bouger. A travers la paille humide, ils virent les baraques flamber comme du bois mort, leur petite maison aux tuiles serrées crépiter sous les flammes claires comme une grosse cigale brune dans la nuit étoilée.

Un triangle de ciel apparut en même temps qu'une goulée d'air frais balayait leurs visages. La tête en pain de sucre de Pied Zélé se pencha au-dessus d'eux. Il leur fit signe qu'ils pouvaient sortir et les aida à s'extirper de leur cachette, tout dégoulinants de purin.

— N'ayez pas peur, ils sont partis. Je suis le seul à être resté, expliqua-t-il à Yi-Shou.

Il leur tendit de vieux vêtements qu'il avait discrètement récupérés chez les gardiens avant que leurs paillotes ne partent en fumée.

— Prenez-les. Vous passerez ainsi inaperçus... A condition, dit-il en se bouchant le nez, que vous vous laviez avant. Sinon, on vous repérera à dix lis à la ronde.

1. « Dix mille ans de bonheur. »

174

— Et Yang-Yang ? demanda Shu-Meï en hésitant. Peut-être gisait-il dans un coin, blessé ?

Le boiteux baissa ses yeux humides et regarda l'ongle jaune et racorni qui dépassait de sa sandale de chanvre trouée.

— Il n'a pas souffert. Je l'ai enterré sous le grand pin, près de votre serviteur.

Comme elle le craignait, Yang-Yang n'avait pas survécu à la folie collective. Mélancolique, Shu-Meï escalada les rochers derrière la maison et alla se frictionner avec Yi-Shou sous l'eau du torrent.

Malgré cela, une odeur nauséabonde leur collait toujours à la peau. Ils se frottèrent alors le corps avec de la menthe sauvage comme le leur avait conseillé Pied Zélé.

Lorsqu'ils redescendirent, le détenu les attendait, accroupi devant les roues de la carriole qu'il avait déjà attelée.

— Partez vite, maintenant.

Shu-Meï retroussa les *padji* trop longs qu'elle avait serrés à sa taille avec un morceau de corde à moitié calcinée. Devant elle, Yi-Shou semblait hésiter sans pouvoir détacher ses yeux de la mine saccagée. Que d'efforts, de larmes et d'espoirs anéantis en un instant !

Pied Zélé lui tendit les rênes et les obligea à monter. Au moment où les bœufs s'ébranlèrent, il jeta sur les genoux de Shu-Meï, enveloppées dans une feuille de châtaignier, les pépites qu'il avait soigneusement lavées après les avoir déféquées.

— Prenez-les, elles sont pour vous.

Le détenu avait pensé à tout. Ils lui devaient la vie et maintenant la survie. Mais pourquoi tant de dévouement ? se demanda Yi-Shou.

Il repoussa fermement son présent.

— Tu nous as sauvés, garde-les. Tu en auras plus besoin que nous.

Pied Zélé secoua sa grosse tête difforme et se gratta l'oreille en souriant.

— Ne vous inquiétez pas pour le boiteux. La liberté suffit aux âmes simples !

Puis il fixa longuement le gros ventre de Shu-Meï, en s'imprégnant une dernière fois de la vision de la douce fée qui lui avait appris à regarder le soleil en face.

— Plaise à la mère Ours de vous protéger tous les trois !

D'une pirouette, il se détourna brusquement et leva deux doigts en signe d'adieu.

— Et vous, qu'allez-vous faire ? s'écria Shu-Meï.

Ne pouvaient-ils au moins lui faire partager la carriole pendant quelques lis ?

Pied Zélé se retourna et sourit malicieusement en désignant les étoiles dans le ciel qui blanchissait.

— Mon ami m'appelle. Je ne peux quitter la mine sans aller lui dire au revoir.

Sur ces mots, il disparut en claudiquant dans la direction du bois où Shu-Meï les avait rencontrés tous deux pour la première fois.

Cachées près d'une pile de rondins, il le savait, d'autres pépites l'attendaient.

13

Yi-Shou avait décidé de gagner directement Kum-San. Il lui fallait contacter au plus vite les autorités chinoises pour recevoir de nouvelles instructions.

Bercée par le trot lent des bœufs, Shu-Meï s'était endormie, la tête lovée contre son épaule.

Sur le moment, l'intensité du danger et la précipitation de leur fuite lui avaient brouillé les sens. A présent, plus le soleil montait, éclaboussant le vert tendre des rizières encore inondées, plus l'horreur de la nuit explosait sous son crâne. Quoi qu'il arrive, sa bouche aurait longtemps encore le goût du sang et de la fumée âcre des corps calcinés.

Par Amitabhâ, qu'avait-il donc fait pour mériter un pareil retournement des étoiles ? Il avait pourtant essayé, dans la mesure de ses possibilités, d'adoucir le sort des détenus. Alors, pourquoi une telle cruauté ? N'était-il pas lui aussi prisonnier de la mine, lui aussi une victime ?

Un sac de glace glissa soudain entre ses deux omoplates : si les événements l'avaient bafoué, il venait par sa lâcheté d'humilier son pays. Et cela, il le savait, on ne le lui pardonnerait jamais. A son retour, il pouvait s'attendre qu'on le condamne aux fers ou à la déportation, selon la clémence des juges.

Une légère fièvre le fit frissonner. Il haussa les épaules et se mit à ricaner intérieurement : de toute façon, ça ne le changerait guère de la mine.

Lorsqu'ils atteignirent enfin les faubourgs de Kum-San, Yi-Shou eut du mal à reconnaître la bourgade animée qui les avait naguère accueillis. Les ruelles s'étaient vidées, les habitants semblaient s'être claquemurés dans leurs petites maisons basses, protégées derrière leurs haies de canne à sucre.

« Ici, leur avait expliqué Kim-Ok le jour de leur arrivée, les hommes vivent de la pêche aux crustacés et les femmes des racines de ginseng qu'elles vont cueillir dans la montagne... Vous savez, ces plantes médicinales dont vous, Chinois, êtes si friands ! Voilà pourquoi ces gaillards aux visages burinés par le sel sont si costauds », avait-il ajouté avec fierté.

Pourtant, jusqu'ici, ils n'avaient croisé que quelques vieillards tremblotants sous leur haut chapeau de crin noué sur leur col blanc.

Shu-Meï s'étonna la première devant un énorme quartier de bœuf sanguinolent, recouvert de mouches, qui était pendu à la porte d'une boutique aux persiennes closes. Se pouvait-il que cette bête soit morte de maladie ?

Son pressentiment fut rapidement confirmé. Lorsqu'ils pénétrèrent dans le cœur de la ville, un spectacle d'une rare désolation les attendait. Partout, au beau milieu des places ou à la croisée des chemins, des bûchers improvisés s'allumaient, alimentés par des charretées de cadavres purulents que l'on entassait à la hâte dans de grands chariots noirs.

Des morts, gonflés comme des outres, s'alignaient dans les caniveaux. Les brûler était encore le seul moyen d'empêcher l'épidémie de se propager trop rapidement.

Le typhus ne les avait pas non plus épargnés !

La seule façon d'échapper à ce nouvel enfer était de trouver une jonque en partance pour Liang-Tai ou Jia-Xing et de s'y embarquer au plus vite. Yi-Shou décida donc de se rendre directement au port.

Sur place, on leur annonça sèchement que tous les bateaux avaient été mis en quarantaine. Les rats qui pullulaient dans les cales n'étaient pas étrangers à la propagation du fléau.

Yi-Shou s'écroula sur une caisse à moitié éventrée et plongea sa tête entre ses mains. Qu'allaient devenir Shu-Meï et le bébé ? C'était lui qui les avait entraînés en Corée !

Shu-Meï contempla l'eau glauque, couleur de rouille, qui clapotait le long du quai en dégageant une forte odeur de vase. Le sourire énigmatique de Yikuai coiffé de son haut chapeau-cage s'évanouit dans l'air saturé d'embruns. Que toutes ces chimères lui semblaient lointaines !

Une petite main brune lui tapota gentiment l'épaule. Elle se retourna. Une fillette vêtue d'un caraco pourpre lui souriait, un panier de harengs gracieusement posé sur la tresse qu'elle portait enroulée sur le sommet de la tête.

Devant le ventre rond de Shu-Meï, son visage de pomme cuite s'épanouit.

— Il ne faut pas être triste... Si vous ne savez pas où aller, suivez Perle Trouée. Son maître vous hébergera en échange de quelques taels.

Yi-Shou et Shu-Meï se dévisagèrent, étonnés. La petite s'était adressée à eux en chinois. Était-ce la Providence qui venait à leur rencontre ?

Cafard Baveur, le maître de Perle Trouée, était en effet connu comme le « Chinois » de Kum-San. En éalité il n'était chinois que par sa mère, mais il avait grandi dans le faubourg coréen de Peng-Lai[1] où son père servait d'agent négociateur entre les Célestes et les armateurs coréens.

Par la suite, il était rentré à Koryo où il s'était enrichi dans la construction navale aux dépens de ses compatriotes. Aujourd'hui, il vivait paisiblement à Kum-San, entouré de ses épouses coréennes qu'il dirigeait à la baguette.

Ravi de rencontrer enfin des frères et surtout alléché par les pépites promises, il leur proposa sans rechigner de partager son toit. Non, il n'avait pas l'intention de quitter Kum-San. Les typhons, le typhus, la peste, il avait connu ça et il y avait survécu. De temps en temps, certes, une petite fièvre des marais — vieux souvenir de Shandong — le reprenait, mais il lui suffisait alors d'ingurgiter une boulette de mouches de chien roulée dans de la cire et accompagnée d'une bonne tasse d'alcool froid, ou de s'introduire une peau de serpent[2] dans les oreilles, et hop ! tout ça n'y paraissait plus.

— N'ayez crainte, ajouta-t-il en se curant l'oreille à l'aide d'une petite cuillère d'argent, les Chinois sont plus résistants. N'appartenons-nous pas à la race des Seigneurs ?

Il leur expliqua que les premiers cas de typhus s'étaient en fait déclarés à la prison.

— Imaginez ces miséreux entassés derrière leurs barreaux, réduits à ronger la paille pourrie sur laquelle ils chient et à dévorer par poignées la

1. Port de la côte orientale de la Chine. Le commerce entre la Chine et la Corée était à cette époque très actif. Les Coréens avaient dans les ports chinois leurs propres quartiers où ils jouissaient d'une semi-autonomie.
2. Médication chinoise employée à cette époque pour lutter contre le paludisme.

vermine qui les couvre. Quand on pense que leur sa...
et le pus de leurs blessures pourrissent leurs nattes,
en quoi tout cela est-il étonnant !

Bien qu'à moitié coréen, Cafard Baveur ne cachait
pas son mépris pour ces autochtones avec lesquels il
ne se sentait aucun lien de sang. Ces Coréens étaient
trop indépendants. Ils n'en faisaient qu'à leur tête,
n'ayant de cesse de camoufler les richesses de leur
pays pour ne pas attirer la concupiscence de leurs
voisins.

Ah, qu'il regrettait le temps où les Tang avaient
failli faire de cette terre une province chinoise ! Après
avoir essuyé quelques défaites par les armes, les
empereurs Han avaient bien essayé de profiter de
l'hostilité qui régnait à l'époque entre les trois
royaumes qui se partageaient la Corée [1]. Ils avaient
même astucieusement soutenu le plus puissant
contre les deux autres dans l'espoir de le manger tout
cru par la suite. Hélas, ces Coréens aux grosses têtes
carrées étaient bien plus malins qu'ils n'avaient pu
l'imaginer. Une fois son pouvoir établi sur toute la
péninsule grâce à l'aide du « grand frère » chinois, le
royaume de Silla s'était dégagé de l'emprise des
Célestes par un adroit retournement d'alliances.

Dorlotée par Perle Trouée, Shu-Meï accepta avec
joie de goûter aux gâteaux de farine de châtaigne
aromatisés à la fleur de cannelier qui lui rappelaient
son enfance. C'est vrai qu'un parfum de Chine baignait cette demeure patricienne aux murs tendus de
papier, même si l'on y vivait à la coréenne, assis par
terre sur des coussins, sans chaises ni divans de
fraîcheur, et même si l'on s'y déchaussait à l'entrée.

Obsédée par les propos de Bouille de Suif et par la

---

1. Au VIIe siècle la Corée était divisée en trois royaumes :
Koguryo au nord, Paekche au sud-ouest et Silla au sud.

haine dont ils avaient été victimes à la mine, elle demanda à Cafard Baveur son avis sur les raisons qui poussaient encore les autochtones à se méfier des Chinois.

— Ce n'est pas qu'ils se méfient. Votre Empire du Milieu est bien trop désorganisé pour rêver d'expansion. Mais les Coréens n'ont pas seulement la tête carrée, ils ont la tête dure ! Ils ne sont pas près d'oublier que certains membres de la famille royale ont été autrefois envoyés en captivité en Chine !

Les jours passèrent. L'épidémie faisait rage. Kum-San était maintenant coupée du reste de la province, et l'approvisionnement en nourriture se faisait rare.

Cela n'avait guère l'air d'importuner Cafard Baveur dont la pingrerie se trouvait ainsi justifiée. On se contentait à présent d'un peu de caillebotte de fèves et de plantain macéré dans de la saumure. Pour boisson, l'eau dans laquelle cuisait le riz faisait l'affaire.

— Cela apaise nos estomacs trop nourris, commentait Cafard Baveur. D'ailleurs, les Coréens mangent trop. Regardez donc dans les campagnes ces mères qui frappent le ventre de leurs petits avec le manche de leur cuillère pour s'assurer qu'il est assez tendu ! Quelle indécence ! Quand je pense que dans le but d'éviter quelques jacqueries, le roi Tae-Jo vient de supprimer les impôts des paysans, et cela pendant trois ans [1] ! Ces culs-terreux ne vont plus se sentir. Ils vont crever sous l'abondance... Heureusement qu'une bonne petite épidémie comme celle-ci va nous remettre un peu d'ordre dans toute cette pagaille !

1. Cette décision fut prise par Tae-Joe pour relancer la production agricole.

Shu-Meï déroula les deux fins matelas qui
servaient de couche. A l'exception d'une corbeille de
rangement pendue à une poutre, de deux oreillers en
bois dur et d'un bougeoir, la chambre était nue
comme une cellule de moine.

Iris Pleureur, l'épouse principale de Cafard Baveur,
lui avait expliqué que les maisons des Coréens simples avaient en général peu de meubles. A peine un
vilain coffre à habits où la jeune mariée empilait ses
deux jupes rituelles rouge et bleu.

L'*ondol* de papier huilé diffusait une agréable
chaleur qui eût été insupportable deux semaines plus
tôt. On venait d'entrer dans la huitième lune, période
dite de la Rosée Blanche. L'automne coréen était
frais.

Iris Pleureur lui avait aussi montré comment, ici,
les maisons se chauffaient par le sol en hiver. Légèrement surélevées, leurs constructions permettaient à
tout un réseau de tuyaux de diffuser agréablement
sous les chambres la chaleur du foyer de la cuisine.
C'était ingénieux, mais comment faisait-on l'été ? Il
fallait bien continuer à chauffer l'eau du riz !

— Eh bien, on couche tout simplement dehors !
s'était écriée Iris Pleureur en gloussant.

Les yeux collés au plafond, Yi-Shou soupira.
L'échec et l'attente lui étaient insupportables. Il avait
lâchement fui devant l'examen officiel et maintenant,
il venait d'abandonner la mine dont son pays lui
avait confié la charge et la responsabilité. Il ne valait
pas plus que le trou d'une sapèque.

— Lorsque le boiteux nous a prévenus, j'aurais dû
haranguer les détenus, les ramener à la raison au lieu
de me cacher comme un pleutre.

Shu-Meï laissa glisser à terre la couverture ouatinée qui ondula comme une grosse méduse.

— Cela n'aurait servi à rien. Aurais-tu préféré les

183

regarder violer et égorger ta femme, et subir ensuite le même sort ?

Bien sûr que non ! Yi-Shou, un sourire amer aux lèvres, ne répondit pas. L'inspecteur qu'il était n'aurait-il pas dû laver son honneur en se laissant tuer ?

Shu-Meï s'agenouilla et appuya sa main chaude sur sa joue.

— Tu ne pouvais être plus courageux que tu l'as été la nuit du typhon, petit frère. Le vent couche parfois le roseau jusqu'au sol, mais il finit toujours par se redresser.

La vie les mettait à rude épreuve. Le futur n'en serait que plus doux, selon les dires des sages taoïstes. Elle en acceptait l'augure. Ce n'était plus qu'une question de semaines. Ils seraient bientôt rentrés en Chine.

— Pas moi, je le pressens.

Yi-Shou fixa le petit trou qui étoilait le papier blanc de la fenêtre et son esprit sembla s'échapper loin, très loin de la pièce.

Accompagnée par Perle Trouée, Shu-Meï retourna chez le marchand de bonnets à oreilles afin de savoir si Bouille de Suif était de retour à Kum-San. Lui seul pouvait les aider à quitter la Corée.

Assis comme toujours à côté de la petite caisse qui contenait son encrier, ses pinceaux et son rouleau de comptes, le vieillard promit de la faire prévenir discrètement s'il revoyait le marchand dont il n'avait pour l'instant aucune nouvelle.

Habillé d'un grossier sac de chanvre, il avait délaissé son chapeau rigide en crin de cheval. Ses cheveux argentés étaient simplement retenus par un filet d'étoffe grise, et sa canne et sa longue pipe de bambou recouvertes de papier blanc. Le pauvre avait perdu, en moins d'une semaine, ses deux épouses, son fils et sa bru.

Vivrait-il assez longtemps pour lui communiquer le renseignement ? Shu-Meï commençait à en douter.

Dans les rues où continuaient à s'amonceler les cadavres en tas putrides, on bariolait de jaune les portes des sinistrés. Les cris déchirants des Mudang [1] couvraient le gémissement des litanies et des prières. Partout on élevait des sacrifices de viande, de pastèques et de riz cru au dieu de la Maladie. Adieu couleurs pimpantes, boléros roses, larges corolles vert pomme ou violet tendre. Les survivants endeuillés erraient, marée blafarde, vêtus de blanc ou de toile bise.

Au détour d'un *ying-bi* [2], une poignée de femmes éplorées sortirent d'une maison, le visage caché derrière un éventail ou un morceau de voile qu'elles tenaient fixé entre deux bâtonnets en bois de mûrier.

Un tombereau croulant de cadavres éclaboussa Shu-Meï. Enchevêtrement de nudités, de corps décharnés. Un pied pointait de la mêlée, obscène, tandis qu'une main aux doigts écartés agrippait le vide dans une terreur hallucinée.

Le cœur retourné, Shu-Meï s'empressa de regagner la demeure du « Chinois ».

Malgré les propos révoltants de l'ancien armateur, sa faculté étonnante à se coller des œillères pour ne pas réaliser l'ampleur du drame avait quelque chose de réconfortant.

A l'ombre de son jardin cerné de murettes pourpres, on en arrivait presque à oublier les chants

1. Sorcières chamanes.
2. Mur-écran placé devant une porte d'entrée de manière à cacher l'intérieur au regard des mauvais génies.

rauques des pleureuses, la fumée épaisse et nauséabonde des bûchers et les gongs des corbillards qui serpentaient sans discontinuer à travers la ville.

Lorsqu'elles arrivèrent devant la lourde porte cloutée, Perle Trouée poussa un petit cri et tira Shu-Meï par la manche.

Au-dessus d'une chouette clouée sur l'un des battants, un doigt trempé de sang avait inscrit en caractères maladroits : « A mort, le Chinois. »

Le lendemain, alors que Yi-Shou allumait un bâtonnet d'encens et priait le vieux Zhang-Xian [1] à la barbe blanche qu'il atteigne le Chien Céleste de sa flèche, afin de protéger sa femme et son fils, il fut pris de vertiges.

Dans la nuit, une fièvre de bœuf lui fit tremper sa couche. Sans pouvoir fermer l'œil, il resta prostré toute la journée suivante en se plaignant de douleurs le long de la colonne vertébrale.

Angoissée, Shu-Meï resta à son chevet à l'éventer doucement. A la tombée du soleil, voyant que son état ne s'améliorait pas, elle se glissa discrètement dans le jardin aux magnolias et sortit en ville par la porte de derrière.

Elle avait repéré l'enseigne d'un lapin blanc [2] dans la rue du Pont-aux-Jujubes-Amers. Peut-être accepterait-on de lui vendre quelque décoction associant du venin de crapaud et de la poudre de mille-pattes pour apaiser sa fièvre, ou bien des moxas au gingembre frais afin de réveiller ses défenses naturelles.

Le sourire affable du marchand d'herbes se trans-

---

1. Patron des femmes enceintes. Ce dernier est représenté muni d'un arc et d'une flèche afin de tirer sur le Chien Céleste pour que le destin de la famille ne tombe pas sous la constellation du Chien. Dans ce cas, l'épouse ne pourrait pas avoir d'enfants.
2. Boutique d'acupuncteur ou de plantes médicinales.

forma en grimace lorsqu'il comprit qu'il avait affaire à une Chinoise.

— Ma boutique a été dévalisée, marmonna-t-il en crachant par terre. Je n'ai rien à vous vendre si ce n'est cette amulette.

Il extirpa de sa caisse un noyau de pêche poussiéreux enfilé sur un cordon élimé et lui réclama sans complexe trente sapèques.

Écœurée, Shu-Meï sortit de son échoppe.

Lorsqu'elle revint, Cafard Baveur l'attendait, poings sur les hanches, posté devant la chambre du reclus.

— Petite garce, tu pensais peut-être tromper la crédulité du grand Pung ! Crois-tu que je n'avais pas repéré votre petit manège entre vos bouillons de poule et vos chuchotis fiévreux ?

— Je vous prie de m'excuser.

« Le Chinois » poussa d'un coup de pied la porte en papier.

— Regarde donc comme il est beau, ton mari !

Haletant, Yi-Shou se redressa sur sa couche, les yeux injectés de sang. En moins d'une veille, son visage avait pris la teinte cramoisie tellement redoutée.

— On vous offre l'hospitalité et vous en profitez pour mieux nous contaminer. Hors d'ici à présent ! hurla « le Chinois » au bord de l'apoplexie.

Chassés de leur nid comme des chauves-souris, Shu-Meï et Yi-Shou n'eurent aucun mal à trouver une maison abandonnée. Petit à petit, les demeures se vidaient de leurs habitants décimés par l'épidémie. Kum-San était moribonde.

Une odeur pestilentielle d'œuf pourri se dégageait des plinthes et de la literie souillée par les excréments. Shu-Meï suggéra de s'installer dans le petit établi qui devait naguère servir à l'élevage des vers à soie. Au moins, personne n'avait couché là et la pièce chauffée par le soleil semblait plus abritée.

Chaque matin, le grincement lancinant des charrettes, qui venaient ramasser les cadavres empilés dans le ruisseau comme de vulgaires ordures, les réveillait.

La langue gonflée, aussi noire qu'une caille rôtie, Yi-Shou avait de plus en plus de peine à respirer et à manger.

Le troisième jour, après avoir recraché la moitié du brouet de poireau que Shu-Meï lui tendait patiemment, ses nerfs craquèrent.

— Laisse-moi mourir en paix, petite sœur. Il est inutile que tu restes à mes côtés pour attraper mon mal.

La gorge serrée, Shu-Meï détourna la tête et crispa ses poings pour ne pas fondre en larmes.

— Je ne t'aimerais pas, dit-elle en maîtrisant le tremblement de sa voix, qu'il me faudrait satisfaire à mon devoir d'épouse. Laisse-moi te soigner sans te poser de questions.

Elle entendit alors un sanglot étouffé. Yi-Shou enfouit sous son bras son visage criblé de pustules rouges comme lorsqu'il avait eu la rougeole.

Ce moment de faiblesse ne dura pas. Il se reprit rapidement et sortit de sa manche une petite anémone dont les pétales fripés semblaient pleurer sur leur tige.

— Tu te souviens, je les cueillais pour toi près du pont aux Soupirs, à côté du pavillon du Lotus d'Or. Nous les appelions « vieilles dames à tête blanche » [1] à cause de leurs tiges recouvertes de poils blancs.

_____

1. Le terme chinois désignant l'anémone est *baitou-wong* : « vieillard à tête blanche ».

— Je m'en souviens.

— Je t'entends encore me susurrer dans le creux de l'oreille : « Petit frère, promets-moi de me laisser te soigner jusqu'à ce que tu sois aussi vieux que l'Empereur de Perle. »

Yi-Shou lui saisit la main et déposa la fleur au creux de sa paume.

— T'ai-je si mal aimée pour qu'aujourd'hui tu me parles de devoir ?

Shu-Meï chercha sans succès à le rassurer. La voix cassée d'un marchand de potirons troubla le silence de la ruelle.

— Je n'ai pas été digne de ta confiance, reprit-il avec difficulté, je le sais. Et pourtant... je t'aime tant !

Il esquissa un pauvre sourire et baissa les paupières, exténué.

— En tout cas, je sais maintenant que je ne serai jamais le patriarche à la longue barbe grise dont tu rêvais enfant.

Shu-Meï caressa le front moite jusqu'à ce que l'obscurité engloutisse les contours de la pièce, puis elle se leva.

En face, une petite vieille aux cheveux dénoués bouchait les ouvertures de sa maison avec des bottes de paille de riz. Lorsqu'elle eut barré sa porte, elle salua les esprits de sa demeure en s'agenouillant le front contre terre, et s'éloigna en vacillant sur sa canne.

Une maison abandonnée de plus, pensa Shu-Meï.

Perle Trouée venait les retrouver chaque jour.

Pour quelques sapèques, c'était elle qui discrètement apportait les vivres glanés dans l'office de son maître. Dans son désir de distraire Shu-Meï, elle lui apporta même des livres chinois, des pinceaux et du solide papier de soie qu'elle avait dérobés dans la bibliothèque.

— Tu m'apprends à écrire ?

Touchée, la jeune femme accepta. C'était, de plus, la seule façon d'occuper son esprit.

Un jour, Perle Trouée lui porta dans une écuelle en cuivre des œufs de caille et une épaisse soupe d'algues[1].

— C'est pour vous. Il faut tout manger si vous ne voulez pas perdre le bébé.

Elle jeta un coup d'œil furtif vers Yi-Shou et s'empressa de raviver les braises du petit brasero.

— Le malade n'en a plus pour longtemps. Pensez à vous maintenant.

Shu-Meï leva la tête et la regarda sans comprendre.

— Vous devriez prendre un peu l'air, chuchota la fillette en resserrant le cordon de sa jupe trop large sous sa poitrine maigrelette, vous ne sortez plus.

C'était vrai. De plus en plus refermée sur ses souvenirs d'enfance, torturée par sa part de responsabilité dans ce voyage en Corée, Shu-Meï dépérissait elle aussi. Des cernes gris lui rongeaient le visage.

L'état de Yi-Shou avait empiré. Absente, presque hébétée, elle ne semblait pas s'en apercevoir et veillait sur lui comme sur un enfant en chantonnant les vieilles berceuses hakka que lui avait apprises sa nourrice.

Malgré les applications répétées de « bile de dragon » et de bave de hérisson[2] sur les lésions du malade, son corps gonflé de pus n'était plus qu'une plaie écarlate.

---

1. Mets conseillés pendant une grossesse.
2. Poudre de racine séchée de gentiane. Médicament très usité.

Dans ses moments de lucidité, Yi-Shou ricanait amèrement sur lui-même en voyant sa peau qui partait en lambeaux.

— On pourrait découper sur moi plus de banderoles qu'il n'en faudrait pour le Jour de l'An !

Puis il redevenait grave et suppliait Shu-Meï de le pardonner pour sa vie corrompue à Guilin.

— A tes côtés, je me sentais comme un astre éteint. Toi, si vive, si prompte à tout apprendre. Et moi, si maladroit, si lourd... Plus j'avais le sentiment de te décevoir, plus je perdais pied. Il m'était tellement plus facile de briller auprès des grues. Fanfaronnant dans leurs bras, j'oubliais leurs visages et j'imaginais que c'était toi qui m'écoutais bouche bée... A la fraîcheur du petit matin, j'aurais cueilli pour toi toutes les étoiles et décapité mille citadelles... Mais ce n'était qu'un mirage. Devant la Maison Basse, Yi-Shou l'ivrogne, Yi-Shou le faible rasait les murs, tremblant de peur à l'idée de lire sa déchéance dans tes yeux froids.

Shu-Meï cherchait à l'apaiser. Le lot de chaque femme ne se réduisait-il pas à attendre son mari et à fermer docilement les yeux sur ses escapades nocturnes ?

— Pas toi ! hurlait Yi-Shou. Je ne te mérite pas. De toute façon, tu n'en as plus pour longtemps à me supporter.

Déchiré, il se retournait alors face au mur et se griffait jusqu'au sang dans sa rage envers lui-même et son impuissance à crier son amour.

— Vivement que mon corps ne soit plus que poussière. J'en ai assez d'être une charogne vivante !

Shu-Meï fermait les yeux et attendait qu'il se calme, assise à ses genoux.

Un matin, Yi-Shou lui demanda si c'était elle qui lui avait trouvé ce poste en Corée.

— Pourquoi ? rougit Shu-Meï.

— Pour rien... Je me suis toujours demandé quels mérites on pouvait attribuer à un couard qui ne s'était même pas présenté à ses examens.

Shu-Meï ne répondit pas. Était-ce par amour pour lui ou par égoïsme qu'elle avait intercédé auprès de Yikuai et détourné ainsi le cours de leur destin ? Si l'enfant gâtée qu'elle était s'était contentée d'accepter son sort, Yi-Shou n'en serait peut-être pas aujourd'hui à l'article de la mort !

Le cœur gros, elle fixait la lune chaque nuit, ressassant les mêmes idées noires.

La déesse Chang-E qui y siégeait, transformée en tortue de cristal, n'était-elle pas la seule à pouvoir les aider ? N'avait-elle pas jadis dérobé l'élixir de l'Immortalité ?

Inlassablement, Shu-Meï inscrivait ses prières sur des feuilles de mûrier séchées, ramassées sous les claies de bambou des vers à soie, et les brûlait à la flamme de sa chandelle en regardant rêveusement les débris calcinés s'envoler.

On ne sait jamais, un miracle pouvait se produire et ses muettes suppliques s'élever jusqu'à Chang-E !

Cette nuit-là, Yi-Shou sombra dans un délire profond. Il rêva qu'il était petit et qu'il frappait sur une jarre pour imiter le tonnerre, mais la jarre fendue avait laissé passer la foudre par les fissures. Il se mit à crier.

Couchée à ses côtés, Shu-Meï lui prit doucement la main sans comprendre les bribes incohérentes qui s'échappaient de son cauchemar.

Un violon à deux cordes émit un son aigu, repris aussitôt en écho par une viole plaintive. Le malade, le front brouillé d'une suée intense, ouvrit alors les yeux.

— Pour nous... écoute... ils chantent le chagrin d'amour du Faisan et de la Sarcelle... pour toujours.

— Pour toujours, répéta Shu-Meï, et elle éclata en sanglots.

A nouveau silencieux, il s'enveloppa longuement de la musique comme s'il se laissait porter par le roulis d'une vague. Puis, souriant péniblement entre ses cils collés, il caressa d'un doigt tremblant le ventre de sa femme.

— J'espère que notre fils te ressemblera.

Une dernière note claire déchira la nuit, happée par la rumeur du vent qui secouait le feuillage sombre des plaqueminiers.

— Si tu le veux bien, nous l'appellerons Yi-Shou, murmura tout bas Shu-Meï.

— Vraiment ?

Shu-Meï acquiesça. Ému, il serra les doigts fins entre les siens. Un gargouillis mouilla ses lèvres gercées. Il se revit enfant, ivre de vivre, tournoyant dans l'herbe coupée à l'odeur sucrée.

Il pouvait mourir heureux. Yi-Shou, son fils, soufflerait sur les nuages et sur les chatons plucheux des noisetiers, il respirerait pour lui le vent du soir et le parfum des fleurs mouillées.

Soudain, une lueur d'angoisse balaya ses certitudes. Il se hissa sur un coude et s'agita comme une poupée cassée. Il fallait qu'il sache avant de partir vers les Sources Jaunes.

— La Sarcelle a-t-elle vraiment aimé le Canard Boiteux ? demanda-t-il d'une voix hésitante.

— Oui, petit frère, souffla Shu-Meï.

— Vraiment ?

— Oui, vraiment... (elle l'embrassa sur le front, tendrement)... je t'ai aimé plus que tout au monde.

Elle se rendit compte alors qu'elle ne le lui avait jamais dit. Pauvre Yi-Shou, comme il avait dû souffrir !

Soulagé, celui-ci s'était rendormi, la tête pleine d'étoiles filantes. Cette nuit fut la plus calme qu'il eût connue depuis des jours.

Au petit matin, il ouvrit les yeux et chercha fiévreusement la main de Shu-Meï. Il voulut lui parler mais sa langue lui obturait la bouche comme une énorme éponge mouillée et aucun son n'en sortit.

Alors, il se cramponna au poignet de sa femme comme pour la supplier de ne jamais l'abandonner et s'éteignit en même temps que la flamme de la bougie.

14

Derrière les carreaux humides, Perle Trouée attendait en frissonnant que le jour laiteux se lève.

Lorsque Shu-Meï ouvrit la croisée, la petite lui tendit le premier kaki de la saison et la pria de la laisser s'occuper du mort.

De ses gestes lents et précis, étonnants pour une fillette de son âge, elle lava Yi-Shou, déplia les vêtements propres qu'elle avait apportés et l'habilla avec cérémonie.

— Quel dommage pour le Paksa [1]. Que va faire son âme à errer sans but et sans tombeau ?

Shu-Meï ne répondit pas. Il n'était même pas question de se demander si elle pouvait offrir à son mari une sépulture convenable et charger un maître du Vent et des Eaux, autrement dit un devin géomancien, de choisir l'endroit propice pour l'ensevelissement [2] : quelle que soit leur origine sociale, les victimes du typhus retrouvaient l'égalité dans la

1. Terme coréen pour désigner un lettré. Formule honorifique.
2. Le choix du lieu d'enterrement est primordial en Extrême-Orient. De ce choix dépendent le sort de la famille du défunt et sa postérité. Il semble néanmoins que, dès la fin du Xe siècle, l'incinération, moins coûteuse, se soit propagée en Chine chez les gens du peuple. Probablement sous l'influence du bouddhisme.

mort. Ils devaient tous être brûlés, sans exception.

Elle détacha du mort l'amulette de jade qui ne l'avait jamais quitté depuis l'enfance et s'imprégna de la tiédeur que la pierre dégageait encore. C'était le seul souvenir qu'il lui laissait. Elle devait l'emmener en Chine pour l'enterrer dans la tombe familiale des Tsao.

La main dans celle de Perle Trouée, Shu-Meï suivit la charrette qui emmenait Yi-Shou. Elle avait soudoyé le préposé au ramassage des morts afin qu'il vienne chercher le corps dans la chambre du défunt et qu'il le dépose au-dessus de la pile de cadavres.

L'homme avait d'abord rechigné. Il n'avait pas de temps à perdre. Pourtant, lorsqu'il vit l'amulette luire sur la poitrine de Shu-Meï, l'idéogramme « Longévité » délicatement ciselé dans la blancheur du jade, il s'inclina et refusa l'argent qu'on lui tendait. Il aimait les Chinois. Son fils dont il était si fier était parti au Jiang-Sou. Quoi qu'on en dise, la Chine avait toujours protégé le royaume d'Orient [1]. Ses institutions et sa civilisation étaient son unique modèle.

— Ne vous inquiétez pas, dit-il en fouettant avec une branche de saule la croupe maigre de sa rosse, je prendrai soin du mort comme d'un parent.

Devant une riche demeure aux tuiles faîtières décorées de fleurs de lotus, le lent cortège croisa une troupe de chamanes revêtues de peaux d'ours sur leurs costumes écarlates.

Encadrées de porte-bannière et de quatre joueurs de corne, ces dernières entamaient à grands cris une cérémonie de purification destinée à préparer le

1. Autre nom de la Corée.

voyage du défunt pour le royaume de Yama[1]. L'une des Mudang exécuta une danse d'exorcisme en balayant l'air de ses interminables manches tandis que ses compagnes accéléraient son entrée en contact avec l'esprit de la Maladie en tapant sur de gigantesques tambours.

La plus grande de toutes, le visage caché sous un masque de métal orné de quatre yeux, se mit à brandir sa lance et son bouclier en tournoyant sur elle-même et en psalmodiant d'une voix rauque.

Même les membres du clan Pak, la famille la plus riche de la ville qui se glorifiait de descendre du patriarche fondateur de Kum-San, n'avaient pas été épargnés par l'épidémie.

Les cris perçants d'une couple d'oies sauvages rayèrent lugubrement le ciel. Au loin, à la sortie de la ville, s'élevaient les fumées des bûchers dans une écœurante odeur de chair grillée.

On aurait pu croire à une citadelle assiégée, rougeoyante d'incendies mal maîtrisés.

Ils arrivèrent devant un tertre encore fumant que l'on alimentait à la hâte de fagots de sarments et de goémon séché.

Shu-Meï se laissa tomber à genoux.

Comme dans un brouillard, elle vit les corps se déverser au ralenti, les flammes lécher les premiers cadavres qui s'embrasèrent comme des torches, la robe-sac de Yi-Shou rouler sur le haut de la pile comme le lui avait promis l'homme au tombereau.

— Son esprit s'envolera ainsi plus vite, lui avait-il chuchoté.

Longtemps, elle resta devant le brasier où crépitaient tant de vies anéanties. Danse macabre des

1. Roi des enfers.

197

flammes, tronçons noirâtres et gémissants s'effondrant sur le bûcher, riches et pauvres entremêlés. Tant de rêves calcinés, de peines, de joies, d'instants volés brusquement volatilisés en une âcre fumée.

Le corps de Yi-Shou se détendit brusquement comme s'il voulait se relever. Ses bras se tordirent, sa nuque se cassa, puis il s'affaissa, raidi comme une bûche, dans une explosion d'étincelles.

Bientôt, les ombres déchiquetées s'évanouirent, happées par la flambée. L'enveloppe terrestre de Yi-Shou n'était plus qu'une torche incandescente.

Alors, il sembla à Shu-Meï que son visage souriant s'élevait au-dessus de la fournaise. Les bouddhistes ne disaient-ils pas que le corps se régénérait par le feu ?

Comme tout lui semblait irréel ! Elle ferma les yeux. Ce matin encore, la main confiante de Yi-Shou pressait la sienne.

Perle Trouée s'était hâtée de prévenir Shu-Meï. D'après le marchand de bonnets à oreilles, Bouille de Suif était de retour dans la région depuis quelques jours.

Afin d'éviter la contagion, il avait préféré se retirer au monastère du Bouddha Songeur à plusieurs lis de Kum-San, dans la montagne de l'Ouest.

Exténuée, Shu-Meï avait pris la route, encouragée par la petite servante qui portait son maigre baluchon sur l'épaule.

Malgré ses solides sandales de chanvre, ses pieds étaient en sang. Son ventre la faisait souffrir.

Bouille de Suif était son seul espoir.

Elles dépassèrent les bâtiments de briques vernissées d'un temple de Confucius, lieu des grands sacrifices des fêtes d'Automne et de Printemps où venaient régulièrement se réunir les lettrés de la bourgade.

L'endroit était désert. Il lui sembla entendre des cris d'enfants. Elle imagina Yi-Shou petit, ânonnant sous un gros sophora touffu dans une école semblable à celle-ci, alors qu'il rêvait encore de devenir un grand mandarin.

Sur les battants du lourd portail, se dessinait en rouge l'emblème du Yin et du Yang, symbole de l'harmonie des tensions opposées qui engendrent le devenir et l'unité.

Ainsi à la mort succédait la vie. Elle eut une pensée pour le petit Yi-Shou qui s'épanouissait dans son ventre et accéléra le pas.

Bouille de Suif la reçut dans l'enceinte dorée du monastère où s'activaient une multitude de bonzes en robes jaunes et grises. C'était le moment des ablutions. Bientôt le claquement sec des *mu-yu*[1] en forme de poisson appellerait les hommes à la prière pour la grande méditation du soir.

Dans la cour des communs, quelques moinillons occupés à tailler des socques et à repriser leurs vêtements jetèrent sur Shu-Meï un regard effronté.

En voilà une qui, avec son ventre plein, n'avait certes pas besoin des « services » de Bouddha. Malgré sa chima rapiécée, elle était d'ailleurs bien plus belle que ces dames de la noblesse qui venaient chaque jour implorer la Divinité de les guérir de leur stérilité.

Un petit séjour à la bonzerie et, hop ! elles étaient sûres de repartir fécondées. Certaines, même, revenaient vanter d'un œil humide la Sainte Grâce et les Bienfaits du Seigneur : car Bouddha n'était pas seulement *bon*, il était *long*. Au dire du maître

1. Grelots de bois que l'on tape avec un bâton et qui accompagnent la récitation des textes bouddhiques.

pitancier, il était même singulièrement rose et velu et dépassait largement la taille d'un épais rouleau de soutras.

Les jeunes bonzes gloussèrent en songeant au membre vigoureux que leur Vénérable n'hésitait pas à manier comme une matraque. On assurait dans la province que le prieur reconnaissait ses rejetons à un petit boléro de soie verte que devaient revêtir les fruits de ses miracles répétés.

Bouille de Suif entraîna Shu-Meï au-delà du pavillon principal dont les avant-toits, soutenus par des dragons et des chimères de couleurs vives, se retroussaient dans la brume. Surplombant les bâtiments regroupés autour du stupa sacré, un majestueux Bouddha de granit s'encastrait dans le rocher entre les escaliers et les niches taillés dans la montagne.

En contrebas, entre les toits de tuiles irisées, quelques frères jardiniers s'affairaient derrière les rangées de haricots grimpants de leur potager. Au loin, les collines escarpées s'illuminaient d'un beau brun-violet. Après la récolte du seigle qui avait marqué la période dite des « Céréales-ont-de-la-barbe [1] », ce serait bientôt celle du millet annonciateur des premières gelées.

Bouille de Suif se prosterna longuement à l'annonce de la mort de Yi-Shou.

Hélas, l'épidémie sévissait un peu partout sur la côte et, malgré le sacrifice de cent cervelles d'ânes et de deux cents hiboux, célébré en grande pompe par le roi, rien n'avait pu calmer l'appétit féroce de la Dame Rouge. Mais il ferait dès ce soir offrande de jujubes séchés, de viande de cerf et d'encens pour le repas du défunt.

Shu-Meï contempla le visage huileux comme un

1. Début du solstice d'été.

quitter Kum-e...

— Et les navires chinois qui pêchent le hareng et l'holothurie sur les côtes coréennes ?

— Ils ne doivent en aucun cas accoster ou s'aboucher en pleine mer avec les autochtones sous peine d'emprisonnement pour leur équipage.

— Vous savez très bien que la loi se contourne et que les contrebandiers ne sont jamais aussi actifs qu'en période d'affolement et de restriction. Dans l'immédiat, vous seul pouvez me trouver une solution ou alors... (Shu-Meï martela ses mots sans le quitter du regard)... vous êtes indigne de la mission que l'on vous a confiée et vous ne méritez pas l'argent que je vous ai déjà versé.

Le Coréen ricana en se nettoyant les gencives à l'aide de son mouchoir.

— Non, vraiment, je ne vois pas comment je pourrais vous aider.

Un roitelet à huppe orangée sautilla aux pieds de Shu-Meï. Puisque son honneur était aussi insensible qu'une planche pourrie, il fallait brusquer ce vieux cornichon mou. C'était sa seule chance.

D'un air dégagé, elle sortit de sa manche la bourse de toile dans laquelle elle serrait précieusement les dernières pépites de Pied Zélé. La face aplatie s'illumina d'un sourire gourmand qui

— Com...

— Tout dépend... Combien avez-vous ?

*El*le dénoua le cordon usé et fit glisser quelques paillettes d'or dans sa main. Bouille de Suif, qui se tenait jusque-là à distance de peur d'être contaminé, se rapprocha pour fourrer son gros nez épaté au-dessus de cette petite fortune.

— *C'e*st tout ce que vous possédez ?

Devant la réponse catégorique de Shu-Meï, il saisit une pépite entre le pouce et l'index et la contempla avec une moue faussement désabusée.

— Vous les avez volées à la mine, n'est-ce pas ?

— On me les a données.

— Je ne vous crois pas.

Un bonze les croisa, sa palanche oscillant sur ses épaules. Shu-Meï sentait l'énervement la gagner.

— Qu'est-ce que cela peut vous faire ? Je vous demande seulement combien coûtera mon voyage ?

Bouille de Suif la regarda méchamment.

— Je les veux toutes.

C'était un vol éhonté. De plus, comment ferait-elle pour survivre en arrivant en Chine ? Sans plus la regarder, il plia les jambes et remonta avec désinvolture son *padji* bouffant sous sa robe.

— A vous de choisir... Le climat coréen n'est pas si mauvais après tout !

Shu-Meï n'avait malheureusement pas d'alternative. Si cette vessie de mouton lui offrait la garantie

Pung était profiteur, qu'il ne payait jamais ses dettes et qu'il se moquait des Coréens.

Un frère pitancier entra dans leur cellule et débarrassa la table basse où nageaient dans trois bols une poignée d'herbes cuites dans de l'eau salée, quelques feuilles de sésame et un peu de gelée de glands. Le repas était terminé.

Perle Trouée déroula deux nattes qu'elle aligna côte à côte et demanda à Shu-Meï la permission de s'allonger à ses côtés.

— Je suis heureuse que vous puissiez regagner votre pays, mais je serai triste de ne plus vous voir. Je m'étais habituée, chuchota la fillette en soufflant la mèche de la bougie.

— Moi aussi, répondit Shu-Meï dans l'obscurité.

Le petit corps chaud se coula contre elle. L'étoffe râpeuse de sa camisole lui chatouillait les jambes.

— Je suis désolée, maître O'Gil m'a pris toutes mes économies. Je n'ai plus rien à te donner.

— Vous me gardez avec vous cette nuit... C'est déjà un bien gros cadeau.

Incrédule, Shu-Meï se contenta de caresser la chevelure épaisse qui sentait la fumée et le foin, et l'embrassa sur le front pour lui souhaiter bonne nuit.

Perle Trouée se blottit un peu plus contre elle.

— Merci, susurra-t-elle d'une petite voix. J'avais tellement envie qu'un jour une maman me prenne dans ses bras.

Émue, Shu-Meï la serra fort sur sa poitrine. N'avait-elle pas, elle aussi, rêvé de s'endormir dans les bras de sa mère ? Bientôt, elle n'entendit plus qu'une respiration régulière.

Qu'allait devenir Perle Trouée ?

Malgré la répulsion qu'il lui inspirait, elle demanderait à l'infect Bouille de Suif de la caser dans l'une de ces familles qui vivaient à l'entrée du monastère et qui étaient chargées du ravitaillement des bonzes.

L'émotion et la fatigue de la journée s'accumulant, elle sombra rapidement dans un sommeil agité.

Le lendemain matin, la natte était vide. Perle Trouée s'était envolée.

Personne ne l'avait aperçue à l'exception du frère portier qui lui avait laissé passage. Du haut de son échauguette, il avait vu la fillette s'enfoncer d'un pas décidé dans la forêt.

15

L'aube rosissait peu à peu les contours de l'île dont la végétation luxuriante émergeait dans un sombre halo.

Shu-Meï avait été transbordée sur la *Licorne des Mers* avec trois caisses de peaux mal équarries. L'esquif fantôme qui l'avait amenée s'était ensuite évanoui dans l'obscurité, pressé de regagner le rivage avant le lever du soleil. La loi était sévère pour les contrebandiers. Le trafic humain en temps d'épidémie était puni du supplice de la planche lorsqu'on ne sciait pas les membres des condamnés à l'aide de grosses cordes de crin.

Les clandestins avaient remis le prix de la traversée en or et en bijoux. Les cages à poulets s'entassèrent. Deux gorets montèrent même à bord pour compléter la somme que n'avait pu réunir une famille.

— Ôtez tous vos vêtements. Je vous veux nus comme des vers luisants.

Le capitaine, un énorme forban du Lia-Tong, caressa sa badine et passa en revue la file de passagers blêmes qui se pressaient sur le pont du bateau.

Avant d'appareiller, il tenait à s'assurer que les fuyards ne colportaient pas le mal sur eux. Il inspecta les corps blancs qui frissonnaient gauchement dans la fraîcheur du matin, tandis que des matelots accroupis entre les cordages ricanaient bruyamment. A la moindre rougeur, le concerné était débarqué sans ménagement.

Misérables dans leurs nudités, les clandestins n'osaient se regarder. Une femme, pétrifiée de honte, refusa de retirer son jupon jauni. Deux gaillards s'en occupèrent. Lorsqu'elle fut dévêtue, cachant misérablement de ses mains son bas-ventre flétri, un croc-en-jambe la fit s'étaler, jambes écartées, offrant aux yeux réjouis de l'équipage la vision de son sexe mité.

— T'inquiète, la vieille, ta figue ratatinée ne nous met pas l'eau à la bouche. On préfère encore les chèvres ! lança un des marins du haut de son mât.

Muni de sa cuillère de bois, Loup de Nez fit ensuite ouvrir les bouches et scruta d'un œil inquisiteur les langues baveuses et chargées qu'il palpait grossièrement, fouaillant entre les dentitions jusqu'à la luette, sans plus de déférence qu'un maquignon vérifiant l'âge d'un cheval.

Lorsqu'il arriva devant Shu-Meï, il contempla avec concupiscence le corps encore gracieux malgré la grossesse.

— Où est ton mari ? Il n'est pas mort du typhus au moins ?

— Non, mentit Shu-Meï sans rougir. Il est en Chine. Je vais le retrouver.

Cette Chinoise aux fines attaches et au teint de fleur de pêcher ne pouvait être qu'une courtisane ou une fille de famille engrossée. Lorsqu'il s'apprêta à explorer sa langue, Shu-Meï recula d'un pas.

— Je vous interdis de me toucher. Fourrez vos doigts de rat ailleurs.

Désarmé par son ton, l'homme baissa sa spatule et désigna la courbe de son ventre.

— Tu ne faisais pas tant la délicate quand tu te laissais enfourner comme une traînée, hein !

Il flatta moqueusement sa croupe et grommela entre ses dents :

— Tu as de la chance. Si tu n'étais pas grosse comme une vache, je me serais fait un plaisir de te donner à l'équipage pour qu'ils t'enfoncent leurs cuillères de chair dans le ventre.

D'un coup sec, il trancha le cordon usé sur lequel était enfilée l'amulette de jade et rafla le seul souvenir que Shu-Meï gardait de Yi-Shou.

— N'oublie pas. Ici, c'est moi qui commande ! Si tu te fais remarquer encore une fois, je te jette aux requins.

La visite terminée, les clandestins acceptés s'étaient rhabillés. On avait levé les deux ancres de pierre et mis rapidement les voiles.

Allongée à l'avant du pont carré, au milieu des autres passagers qui s'étaient entassés entre les ballots de toile, Shu-Meï se remémorait sa première traversée.

Depuis, Ébonite et Yi-Shou étaient morts. De la Corée, elle ne garderait que trois visages en mémoire : ceux de Bras d'Honneur, Pied Zélé et Perle Trouée.

Il lui faudrait vivre vite et fort si elle voulait délayer dans l'oubli ces images de tempête et de sang, et désincruster de sa peau les relents de la maladie.

Du moins, si le typhus lui en laissait le choix.

La jonque était minuscule par rapport au *Perce-Vent*. Point de cabines étanches à l'avant ni de rames maniées par six hommes chacune en cas de temps plat.

Shu-Meï sympathisa avec les deux concubines d'un marchand d'éventails, des jumelles aux visages grêlés par la petite vérole qui, en bonnes pipelettes, lui apprirent les origines variées des passagers. Parmi eux se trouvait la veuve éplorée d'un bien curieux personnage. Son mari, dont elle ramenait les cendres en Chine, était chargé de montrer à travers les provinces du royaume les membres découpés en dés des suppliciés de haut rang, afin d'effrayer le peuple et de décourager les conspirateurs.

Voyageant au nom du roi, le porteur de ces macabres trophées vivait aux crochets des pauvres gens terrorisés. C'était sans doute l'une des raisons pour lesquelles on délaissait la dame à l'urne sous son mât de misaine !

Au bout de deux jours, la femme au bas-ventre flétri montra les premiers signes de la contagion. L'inquiétude était à son comble. A vivre agglutinés dans cet espace restreint, la contamination allait être foudroyante.

Loup de Nez, le bas du visage recouvert par son mouchoir, ordonna à celle-ci de marcher jusqu'à la proue surélevée du navire. Puis il appela un à un tous les membres de sa famille et leur intima l'ordre de la rejoindre.

La femme s'était piteusement agenouillée à ses pieds en l'implorant bruyamment.

— De grâce, sacrifiez-moi, mais pas eux.

Il commanda alors à quatre membres de l'équipage de les balancer sans plus attendre par-dessus bord.

— Pas mon fils, il n'est pas malade... Il est trop jeune, je vous en prie...

Le cri déchirant d'un goéland couvrit sa voix.

Personne n'intercéda en leur faveur. Les corps basculèrent à l'eau comme d'inutiles ballots de son.

Les parents et la grand-mère coulèrent instantanément. Quant au jeune fils, Shu-Meï le vit nager dans leur direction pendant un long moment jusqu'à ce que, petit à petit, il ne soit plus qu'une chiure de mouette dans l'océan.

Pour la première fois de sa vie elle ne ressentait aucune émotion devant la mort. Elle se fit peur.

Les poux portaient le mal. On ne pouvait prendre le risque de les laisser se multiplier. Le capitaine décida de faire tondre les passagers et de leur frictionner le crâne au calomel pour prévenir toute épidémie.

Un vent de panique s'installa. Pour les Coréens, couper un seul de leurs cheveux ou toucher à un poil de leur barbe était un sacrilège. Ils avaient fermé les yeux devant les malheureux que l'on jetait à l'eau, cela répondait à une douloureuse logique. Mais cette fois-ci, on attentait à leur personne !

Une femme que cette mesure avait rendue hystérique dut être assommée. Un homme tomba à genoux en pleurant devant le paquet de mèches luisantes qui s'éparpillaient sur le lattis crasseux.

Devant la beauté des cheveux de Shu-Meï dont le reflet bleuté rappelait celui des ailes d'un corbeau, le matelot hésita.

Lorsque le sabre court froissa sa chevelure, Shu-Meï ne broncha pas. Elle avait perdu bien plus avant de monter sur le bateau. Alors, qu'importe si elle devait ressembler à une petite bonzesse !

Sans plus entendre les gémissements qui éraillaient l'air, elle alla s'accouder au-dessus de l'eau verte qui déroulait sa solitude à l'infini.

Le visage de Long-Jian émergea de la poussière, son bandeau de gaze rouge tranchant au-dessus des turbans de ses frères. Autour d'eux, la clameur s'amplifiait. Jamais elle n'oublierait son regard au milieu de cette folie meurtrière. Son père les avait débusqués. Le seigneur Tsao venait se venger du hors-la-loi qui lui avait arraché sa fille, son armée tout entière allait engloutir la poignée de rebelles qu'ils étaient.

— Va, lui avait-il dit tout bas, va rejoindre ton père avant qu'il ne soit trop tard.

— Non.

Shu-Meï avait déjà choisi son camp. Silencieusement, elle avait rapproché son cheval du sien. Les cavaliers déferlaient dans sa tête par vagues serrées. Sous ses tempes battaient encore les gongs de l'assaut, le sang giclait sur l'or des boucliers. Un à un les frères de Long-Jian étaient tombés. Pourchassés, les amants s'étaient laissé entraîner malgré eux vers le bord de la falaise. Jamais elle n'abandonnerait Long-Jian. Plutôt fuir avec lui dans la mort. Shu-Meï avait alors tranché sa natte et la lui avait tendue en guise d'adieu.

Le sol tremblait. Un instant, le temps s'était tu. L'herbe noire avait bu leurs deux ombres, et dans leurs yeux le soleil s'était figé.

Soudain, touchée au flanc, la jument de Shu-Meï s'était écroulée. Long-Jian avait voulu lui venir en aide, mais elle l'avait repoussé. Il avait peut-être encore une chance de s'en sortir. Il devait fuir. Le « Dragon » avait alors éperonné sa monture et, sans une hésitation, il s'était dirigé vers le précipice.

A quoi bon vivre sans Shu-Meï ! Dans une gerbe d'étincelles, il avait sauté au-dessus de la falaise en brandissant très haut le dernier souvenir qu'il garderait d'elle : une tresse de longs cheveux noirs.

Shu-Meï toucha son crâne rasé puis caressa pensivement son ventre rond. Elle se sentait seulement un peu plus nue, un peu plus seule. C'était tout.

Elle frissonna.

Trois jours plus tard, une voile noire trembla à l'horizon. La tache mouvante gonfla rapidement, gros scarabée luisant sur la mer étale.

Dégringolant du haut de son mât, un matelot, affolé, confirma qu'il avait bien vu un cercle rouge en décorer la coque. Il n'y avait plus de doute, on était en présence de pirates.

Vent en poupe, l'embarcation plus légère filait droit sur eux. Il n'était plus possible de lui échapper. Loup de Nez ordonna que l'on remonte les armes de la cale et qu'on les distribue à chaque homme valide, pestant intérieurement de ne pas commander une de ces grosses jonques de commerce défendues par des arbalétriers que l'on ravitaillait en vouges et en boljons à chaque escale.

Il fit ensuite parquer femmes et enfants dans le carré arrière et attendit, rage au ventre, que l'assaut soit donné.

Habitué aux savantes manœuvres, le bateau des pirates parvint à se faufiler dans le sillage de la jonque. Une fois bord à bord, grappins et anicroches furent lancés pour mieux l'immobiliser. A cet instant, une nuée de petits hommes basanés, souples comme des lianes, sauta à l'abordage et se coula sur le pont comme une pluie de serpents tombant d'un bananier.

Avec leurs yeux trop bridés et leurs cheveux hirsutes, ces écumeurs des mers, ces marins de nulle part, étaient sans doute originaires des îles des Hommes Nains [1]. C'étaient les plus féroces d'entre tous.

Le combat fut court mais la résistance acharnée. Munis de perchots et de pertuisanes ou encore de planches à clous, passagers et équipage se défen-

1. Japon.

daient comme des diables. Seul, le marchand d'éventails embusqué derrière des ballots de chanvre attendait son sort en claquant des dents.

Une masse hérissée de pointes arracha un nez comme un tubercule de patate douce tandis qu'une hache pourfendait un crâne comme un cœur de palmiste. Au-dessus de la mêlée, un pirate suspendu à un filin prit tellement d'élan qu'il passa par-dessus bord.

Devant la tête de son mari qui roulait sur le pont, une femme courut s'empaler sur un sabre qui ne lui demandait rien. Une autre s'empressa d'avaler bijoux et pierres précieuses qu'elle avait soigneusement cousus dans l'ourlet de sa robe. Lorsqu'elle se retourna, une lance lui creva le ventre comme un jaune d'œuf tandis que deux bras puissants la pendaient au mât par les pieds pour qu'elle recrache son trésor.

Les forces étaient inégales, mais Loup de Nez avait de la bravoure à revendre. Maniant sa palache rouillée tel un *Yaksa*[1], il tournoyait sur lui-même, fauchant allégrement tout assaillant qui passait à sa portée.

Alors qu'il terrassait l'un de ces gueux d'un coup de plantard en plein cœur, Shu-Meï vit un coupe-coupe lui trancher le poignet. Il considéra son bras qui pissait le sang avec stupeur tandis qu'un deuxième pirate profitait de sa surprise pour le harponner dans le dos.

Loup de Nez bascula en avant, bras tendus comme un mahométan en prière. Le navire venait de perdre son capitaine.

Lorsque les quelques marins et la poignée de passagers encore en vie le virent s'écrouler, ils firent

1. Démon.

signe qu'ils se rendaient. Les Hommes Nains baissèrent leurs armes en souriant de toutes leurs dents. Malheureux ceux qui s'y fièrent. Dans un hurlement de victoire, ils se jetèrent alors sur les survivants mâles et les achevèrent jusqu'au dernier.

Après le chaos, le silence se fit. Un étrange silence juste troublé par le crissement des mâts et le gémissement des femmes.

Les pirates s'affairaient à remonter des cales leur juteux butin : principalement du ginseng frais, des sacs de riz jaune et de l'épais papier coréen passé en contrebande.

— Ils vont nous tuer, n'est-ce pas ?

Shu-Meï apaisa d'un geste la veuve à l'urne allongée à côté d'elle depuis que les forbans les avaient sommées de s'étendre face contre terre.

La lumière aveuglante éclairait membres coupés et têtes sanglantes comme les vulgaires reliefs d'un bon repas. A côté d'une gerbe de tripes vomies par un ventre tailladé, elle reconnut le marchand d'éventails, aussi pansu qu'un vase Ma-Tchang, empalé, bouche ouverte. Elle préféra fermer les yeux et se laissa bercer par le clapotis irréel.

Combien de temps ce calme trompeur était-il resté suspendu au-dessus de son visage comme le cri d'une mouette ?

Le fruit de leur rapine transbordé, les pirates arrachèrent aux femmes leurs colifichets, n'hésitant pas à couper oreilles et doigts gourds pour aller plus vite. L'un d'eux, une brute aux mains dégoulinantes de sang, défourailla de sa tunique un gros membre velu donnant ainsi le signal des réjouissances. Ses compagnons se précipitèrent aussitôt sur leurs victimes en poussant des hurlements de joie. Ils pouvaient se donner un peu de bon temps. Ils l'avaient bien mérité !

En un instant, les malheureuses furent troussées et sauvagement écartelées. Vieilles et enfants ne furent pas épargnées. Les Hommes Nains se démenaient, sabres d'abordage en main, crevant les sexes comme des fruits tuméfiés, défonçant les virginités avec la même furie que s'ils tuaient.

Deux d'entre eux s'amusèrent à extirper des poissons d'un seau et à les tremper dans un bol de piment avant de les enfoncer brutalement dans l'habitacle renfrogné d'une petite grand-mère paralysée par la peur.

Devant la résistance d'une fillette qui se débattait comme un petit tigre et qui l'avait mordu aux parties, un forban, ivre de rage, déchira la minuscule fente de son poignard et y enfonça son poing jusqu'à la garde.

Un bébé hurla.

Reconnaissable à l'œil qu'il portait tatoué sur le front, le chef écarta d'un glapissement les trois hommes qui s'arrachaient Shu-Meï et la fit se relever. Il tira un peu plus sur la camisole déchirée et lui découvrit entièrement l'épaule et les seins.

— Malgré ton crâne de bonzesse et ton gros ventre, tu restes la plus belle. Je te garde pour moi.

Un collier de dents de requin luisait sur son poitrail nu. Avec un sourire satisfait, il glissa une main salace entre les deux cuisses chaudes et attira brusquement Shu-Meï contre lui. A travers le pagne long enroulé autour de ses reins, elle sentit son sexe se durcir.

Autour d'elle, l'une des jumelles embrochée vagissait comme si un tisonnier brûlant lui défonçait les entrailles. Un pirate avait saisi la vieille à l'urne par la nuque et la forçait à gober son pilon suppurant de sa bouche sans dents. Une femme s'était évanouie. Sa matrice avait explosé sous les coups de boutoir effrénés. Sa jupe relevée laissait entrevoir une déchirure sanguinolente et boursouflée comme une papaye éclatée.

— Eh bien, tu te laisses faire sans rien dire ?

Shu-Meï ne lui répondit pas.

A côté de ces harpies vociférantes aux gros seins tremblotants de trouille, de ces crevasses puantes, béances pétrifiées tout juste bonnes à violer, cette femelle au regard coupant comme l'arête d'un silex l'intimidait.

— Pourquoi ne cries-tu pas ?

Shu-Meï lui cracha au visage. La garce avait du cran ! Il la gifla et lui souleva les jambes en l'épinglant contre le mât pour mieux la pénétrer.

Les yeux brillants de haine, elle n'en était que plus belle. Il ramènerait cette beauté de glace avec lui, il la materait, il en ferait le plus riche fleuron de son repaire.

— Qu'est-ce que tu attends ? siffla-t-elle entre ses dents.

Elle l'attira alors tout contre elle et lui mordit avec une rage contenue les lèvres jusqu'au sang.

— Viens, colle ton corps contre le mien... Prends-moi vite que je te donne mon mal... Je veux que tu sois couvert de pustules, que ta langue gonfle comme une vessie d'âne, qu'elle ne soit plus qu'une grosse loche toute noire... que tu crèves dans la douleur comme une bête malfaisante.

Le corsaire voulut se dégager, mais elle le retint en s'agrippant à lui de toutes ses forces.

— Petite cervelle de macaque, n'as-tu pas remarqué que si nous étions rasées, c'est parce que nous avions toutes le typhus... Le typhus, tu entends (elle criait maintenant) !... Et vous allez tous l'attraper, toi et les tiens... Allez, viens.

Le chef vociféra quelques ordres cinglants puis

projeta Shu-Meï à terre, lui bourrant le ventre de coups sans pouvoir assouvir sa haine.

— Tiens, bouffe ta langue, pourriture... Dégueule par les narines ton avorton de nouveau-né.

D'un geste vif, il dégaina son coutelas et dessina un œil au-dessous de son nombril.

— De la part d'Amou, le Roi des Mers... Comme ça, je saurai te retrouver en enfer.

Il ricana. Autour de lui, les Hommes Nains s'étaient reculottés à la hâte, foulant les corps dans leur précipitation à quitter le bateau maudit.

— Coulez-moi ce navire, bande de salades mouillées. Je veux que les requins attrapent eux aussi le typhus. Ahahah !

Leur forfait exécuté, les pirates sautèrent sans bruit dans leur embarcation. Les ailes noires tremblèrent, déployant leur ombre sur la blancheur de la mer, et le silence s'abattit sur le pont déserté.

Shu-Meï s'était évanouie sous la douleur. Autour d'elle, plus personne ne bougeait. Une jeune fille, vidée de son sang comme un lapin, agonisait doucement en appelant sa mère. La veuve à l'urne n'avait pu supporter l'humiliation. Elle s'était pendue sans bruit au toit de l'unique cabine, à l'aide d'un cordon de soie.

— Réveillez-vous... réveillez-vous !

Lorsque Shu-Meï entrouvrit les yeux, les jumelles, penchées au-dessus d'elle, la secouaient, terrorisées.

— La jonque coule... L'eau entre par les cales.

La proue du navire s'enfonçait.

Paniquées, les femmes valides s'étaient déjà

jetées à la mer en serrant leurs enfants dans leurs bras.

Aidée des jeunes filles, Shu-Meï se leva. Une douleur fulgurante au bas-ventre la fit tituber.

— Nous ne nous en sortirons jamais, se lamentèrent les concubines. Nous allons toutes périr noyées.

Les pirates avaient pris soin de détacher la barque d'approvisionnement d'eau et de bois. Il n'y avait plus d'issue.

— Le toit de la cabine, murmura Shu-Meï courbée en deux, détachons-le. En nous y accrochant, nous tiendrons plus longtemps.

Le radeau de fortune était bien trop étroit pour qu'on pût y grimper à trois. Chacune d'elles devrait s'y reposer à tour de rôle.

Vu la faiblesse de Shu-Meï, les jumelles l'invitèrent à s'y hisser en premier. Reconnaissante, elle accepta.

Le soleil incendiait à présent la mer comme un champ d'herbes rousses. Elles avaient vu le bateau sombrer puis la voile noire des pillards disparaître à l'horizon. Autour d'elles, leurs compagnes s'étaient depuis longtemps laissé engloutir par l'océan dévoreur d'enfants.

Combien de temps allaient-elles dériver ?

Dans une demi-conscience, Shu-Meï crut apercevoir une minuscule voile sombre se profiler à l'horizon, puis deux, puis trois.

La réverbération lui brûlait les paupières. Avant qu'elle ait pu réaliser qu'il s'agissait d'ailerons de requins en promenade dans les parages, elle avait perdu connaissance.

Lorsqu'elle se réveilla, la mer noire, tentaculaire, scintillait sous la lune.

Les jumelles avaient disparu, happées par les

profondeurs marines ou peut-être dévorées par les squales. Prête à se persuader du contraire, Shu-Meï les héla chacune par leur prénom. Mais personne ne lui répondit.

Miraculeusement rescapée, elle se retrouvait seule au milieu de l'océan. Son ventre la brûlait, la vrillait, l'élançait continuellement. Elle y posa ses mains glacées. Cela ne lui procura aucun apaisement.

Malgré la douleur, elle n'avait plus la force de pleurer, incapable même de ressentir l'angoisse de sa solitude face à l'immensité. Une lassitude molle, poisseuse, un bien-être neutre, presque accablant, la submergea comme une vague.

Pas un instant, pourtant, elle ne pensa à la mort. Était-ce le petit Yi-Shou qui bougeait en elle comme un forcené qui lui donnait cette volonté de vivre ?

Subitement, elle revit Yikuai sur la colline des Ames Errantes lui annonçant son voyage tout en écrasant négligemment une tubéreuse avec le talon de sa botte en toile. Elle serra les poings. Un jour, elle lui prouverait qu'elle avait pu vaincre l'adversité par sa seule volonté.

Elle l'espéra, du moins, et s'accrocha à la blancheur de la lune.

Cham saisit un petit poisson dans son panier, le regarda un instant frétiller entre ses deux doigts, puis le croqua tout cru avec délices. Mmmmh, rien de tel au petit déjeuner !

Au-dessus de lui, la voile cousue de nattes rapiécées se gonflait doucement. Son petit oncle frappa avec insistance sur la coque de la barque à l'aide de sa longue perche. C'était le meilleur moyen pour effrayer les poissons et les faire se précipiter dans les filets qui traînaient à l'arrière de l'embarcation.

Demain, Cham aurait quinze ans. Une cérémonie spéciale célébrerait son passage à l'âge adulte. De grandes réjouissances étaient prévues. Sa mère et ses sœurs avaient taillé et brodé ses nouveaux vêtements et son bonnet nubile. On mangerait des galettes d'algues frites et on boirait de l'alcool de serpent jusqu'à l'aube.

Cham gonfla le torse et s'étira comme un gros lézard. Soudain, un point clair, tanguant entre deux vagues, attira son attention.

— Frère aîné, regarde !

Chop écarquilla ses petits yeux myopes plissés par la réverbération.

— Peuh... une sirène sans doute. Ne lui réponds surtout pas... Ces créatures vous ensorcellent pour mieux vous attirer au fond de la mer.

Shu-Meï avait aperçu l'esquif depuis déjà un long moment. Suspendue à la tache mouvante, elle agita les bras frénétiquement, priant le Roi-Dragon de toutes les mers d'inspirer les pêcheurs pour qu'ils regardent dans sa direction.

Peine perdue. Après avoir hésité un instant, la petite barque continua son chemin et se fondit à l'horizon.

Alors, l'espoir l'abandonna tout comme ses dernières forces. Grillée par le sel, tordue par la faim et la soif, elle s'évanouit à nouveau.

16

Il fait si sombre. Pourquoi Li-Maï n'a-t-elle pas laissé le quinquet d'huile de fève allumé ?

Les lourds rideaux de la courtine enveloppent un instant Shu-Meï dans ses songes. Dans la cour de la Verte Pudeur, les sabots des chevaux piaffent sur les pavés glissants. Soudain elle se souvient : c'est aujourd'hui qu'a lieu la « cérémonie du bain » du fils de sa nouvelle belle-mère.

Elle imagine son père, imposant dans son tabar couleur framboise écrasée jeté sur son pourpoint de lampas brodé de faisans dorés, et son épouse à l'ample robe fleurie ouverte sur sa tunique de soie bleu vif, se penchant tous deux au-dessus du bac d'argent empli d'eau parfumée dans lequel une servante vient de plonger le nouveau-né.

Gargouillant comme un bébé, Dame Yu agite l'eau chaude avec ses épingles de tête en or. Les sourcils en pointe de glaive de son père se froncent sous son bonnet en forme de lanterne. Mais que fait sa gouvernante ? Pourquoi ne l'a-t-on pas réveillée ? Shu-Meï devrait être à leurs côtés pour attraper et manger les jujubes jetés dans le bain rituel, sinon jamais elle ne donnera naissance à un petit mâle !

Une odeur pestilentielle de poisson lui titilla les

narines. Shu-Meï entrouvrit une paupière et la referma aussitôt. Des rires giclèrent de l'ombre. Se moquait-on d'elle ? Le plafond de torchis entrecroisé de branchages était si bas qu'il semblait vouloir l'étouffer.

Où était-elle ?

Affolée, elle ouvrit à nouveau les yeux. Des visages souriants dansaient au-dessus d'elle. Elle voulut se relever. Telle une volée de becs jaunes, une gerbe d'étincelles explosa alors dans sa tête, la clouant sur la natte de feuilles. Son ventre cognait comme un oiseau fou. Une main apaisante lui tendit un morceau de bois qu'elle serra entre ses dents pour ne pas hurler.

Brusquement, elle se rappela : la mer, le vent, la nuit interminable, l'humidité qui rongeait ses membres engourdis, et puis le point minuscule, la barque noire des pêcheurs engloutie par la nappe orangée qui éclaboussait l'eau.

Elle était donc en vie ! Malgré la douleur atroce qui la taraudait, elle sourit à ses nouvelles compagnes qui se pressaient autour d'elle en la désignant du doigt et en se chuchotant des secrets à l'oreille. Leur langue lui était inconnue.

Jamais elles n'avaient vu une peau pareille, aussi blanche qu'un poulpe et aussi douce que la chair d'un pétoncle !

L'une d'elles, moins farouche, ses anneaux de cuivre tintant au bout de ses lobes étirés, s'approcha et toucha furtivement le crâne rasé de l'étrangère. Elle émit un ronflement ravi en exhibant ses dents aux gencives rougies par l'eau salée.

Cela ne brûlait pas ! Enhardie, elle caressa à nouveau la tête de Shu-Meï, aussitôt imitée par ses camarades qui gloussaient en se cachant le bas du visage.

Que c'était bizarre, on aurait dit le sexe d'une petite fille !

— Qui vous a permis d'entrer ici, bande de coquilles creuses ? gronda une voix de l'extérieur.

Misère ! Tambour Frappeur, la Grand-Mère au Cochon, allait encore les gourmander. Effarouchées, les jeunettes s'éparpillèrent au soleil en pépiant comme des poussins.

Appuyée sur ses deux cannes, l'aïeule du village pénétra dans la cahute d'une démarche hésitante. Lorsqu'elle se pencha sur Shu-Meï, celle-ci n'aperçut que la large raie tannée qui séparait ses cheveux gris roulés sur la nuque en un petit chignon.

Une fois assise, la vieille se mit à chanter tout bas en massant la panse renflée. Ses gestes n'étaient pas sans rappeler ceux de la Tanka de Guang-Zhou. Au bout d'un moment, Tambour Frappeur se racla la gorge bruyamment tout en couvrant le visage de la malade de feuilles de rhubarbe pour apaiser sa fièvre.

— L'Étrangère revient de loin. Elle a versé beaucoup de larmes, affirma-t-elle en mélangeant à son dialecte quelques bribes de chinois et de coréen.

Shu-Meï gémit. Les coups redoublaient dans son ventre tel un pilon martelant une peau de buffle tendue. Comme envoûtée par ces trépidations souterraines, la sorcière baissa ses paupières de vieille tortue et accéléra le rythme de sa mélopée.

— Ta vie sera sauve, ma fille... Mais ton enfant lutte contre la mort. Tu ne l'as pas désiré et il le sait... Pour cette raison, il risque de partir avant la date, comme un fruit vert arraché.

Les oreilles de Shu-Meï bourdonnaient. Petit Yi-Shou l'avait accompagnée jusqu'ici. C'est en tenant intérieurement sa petite main dans la sienne qu'elle avait eu la force de lutter. Il fallait qu'il survive. Mais elle n'y croyait plus vraiment.

Effondrée, elle se retourna face au mur et sanglota sans plus s'occuper de la présence de l'aïeule.

Le lendemain, malgré les poudres de lentilles et les bouillons de crêtes de coq de la Grand-Mère au Cochon, elle perdit le bébé dans d'atroces souffrances. Deux femmes l'avaient veillée, disposant au pied de sa natte des plats remplis de paille de riz et recouverts de châtaignes d'eau, de corolles de fleurs et de rubans multicolores.

Tambour Frappeur le leur avait demandé : au cas où l'enfant naîtrait avant terme, il fallait l'accueillir par ces présents pour ne pas l'affoler. Hélas, Petit Yi-Shou n'avait pas même profité des friandises amassées. Il était mort-né.

Shu-Meï avait voulu le voir. On l'en avait empêchée. La sorcière lui expliqua que c'était mieux ainsi. Il était écrit qu'il devait disparaître de sa vie.

« *Une page de ma vie s'est envolée. Le tambour à la clepsydre a encore frappé ! Je reprends des forces. Bientôt je pourrai me lever. Cela me fait tout étrange de toucher mon ventre plat. Pourtant je me sens amputée. J'avais fini par m'habituer à la fleur métamorphosée en petit homme qui s'épanouissait dans mon jardin secret. Depuis la mort de Yi-Shou, lui seul guidait mes pas et me protégeait.*

Le village de pêcheurs qui m'a recueillie se trouve sur un îlot perdu entre la Chine et la Corée. D'après la végétation plutôt luxuriante qui m'entoure, il doit se situer au sud de la route que suivait notre jonque. Les femmes tressent leurs cheveux et se barriolent le front avec du jus fermenté de baies rouges afin d'éloigner les insectes et les mauvais esprits.

Je ne les comprends guère, à l'exception de l'aïeule qui me soigne et qui semble avoir la mainmise sur le village grâce à ses pouvoirs surnaturels. Du reste, elle paraît se glorifier de sa différence et traiter son peuple de " bigorneaux incultes ". Comment a-t-elle appris ma langue ? Je tremble à la pensée qu'elle a peut-être elle aussi échoué sur ces rochers. Cela me promet de belles années !

Une chose est certaine. Cette île a reçu la visite de Chinois, comme l'atteste le caractère du " Bonheur " inscrit sur la marmite suspendue au-dessus du foyer de pierres. L'autre jour encore, on m'a apporté ma soupe d'holothurie dans un bol en grossière porcelaine comme on en trouve sur les marchés de Guang-Zhou ou de Guilin.

Lorsque j'ai interrogé la Grand-Mère au Cochon à ce sujet, elle n'a pas voulu me répondre. Mon espoir s'est évaporé. S'agit-il seulement d'objets grappillés sur une épave ? »

Un matin, alors que Shu-Meï achevait tout doucement sa convalescence, une étrange agitation enfiévra l'air. On la fit se lever, encore vacillante, puis on la transporta devant une large cuvette en argile afin de la laver à grande eau.

Excitées par sa différence, les jeunes filles présentes en profitèrent pour la tripoter en riant et palper les parties les plus intimes de son corps. Ensuite, elles la poncèrent très soigneusement avec de la poudre de coquillage et entreprirent de lui décorer les tétons, le nombril et l'intérieur des cuisses à l'aide de leur fameuse teinture écarlate.

A quel style de réjouissances la préparait-on ? L'avait-on gavée et bichonnée pour l'offrir en sacrifice à quelque déesse des vents de la mer ? Encore heureux qu'elle fût arrivée le ventre en « proue » ! Shu-Meï pensa avec effroi à ces vierges que l'on jetait, en Corée, dans le bronze en fusion destiné à la fonte des cloches. D'après l'horrible Cafard Baveur, leur son en acquérait alors une incroyable pureté!

Une fois habillée et parée comme une offrande, on la poussa énergiquement à l'extérieur. Jambes flageolantes, elle cligna des yeux sous la lumière aveuglante. C'était la première fois qu'elle sortait de son trou à rats.

Tout autour d'elle s'élevaient des paillotes aux toits couverts de varech et aux murs entrelacés de tiges de bambou aplati. Un petit sentier de cailloux transparents et de coquilles brisées descendait jusqu'à la mer bordée d'un interminable cordon de sable blanc.

Ici et là, des hommes aux yeux très bridés, leurs cheveux juste retenus par des bandeaux de toile roulée, recousaient leurs filets qui séchaient au soleil. Shu-Meï fut frappée par leur discrète pilosité. Seuls les magnifiques tatouages qui leur ornaient le corps semblaient les distinguer de leurs femmes, d'ailleurs beaucoup plus nombreuses.

A quelques pas de là, au milieu d'un chemin qui s'écartait des habitations pour conduire à de minuscules champs de riz cultivés en terrasses, une hachette gisait à côté d'un étrange caillou brun tout bourdonnant de mouches. Shu-Meï réalisa avec horreur qu'il s'agissait d'une tête humaine en partie défigurée. Un œil louchait atrocement au milieu d'un mâchouillis de chairs ensanglantées. Entre les lèvres ouvertes, craquelées par la soif, une langue verdâtre pendait, grouillante de vers et de caillots séchés.

— C'est la deuxième femme de Lok, grommela Tambour Frappeur d'une voix indifférente. Elle a saigné son mari comme un poulet il y a deux jours en lui tranchant les testicules sous prétexte qu'il lui préférait sa sœur cadette.

La vieille renâcla et glaviota bruyamment.

— C'est ainsi qu'on punit les épouses rebelles. On les enterre vivantes jusqu'aux épaules, en plein soleil. Tout habitant peut venger la victime en lui assenant un coup sur le crâne... Si le cœur vous en dit !

Shu-Meï déclina l'offre et se laissa entraîner devant une habitation toute en longueur qui dominait les autres par sa structure élaborée.

Entouré de trois jeunes gens, un gaillard épais, aussi large d'épaules qu'une huche à millet et revêtu pour la circonstance d'un habit multicolore retenu par une ceinture de coraux noirs enfilés sur un boyau de baleine, l'accueillit solennellement devant les piliers sculptés qui soutenaient la toiture de l'édifice.

— C'est Œil de Baleine, le chef de notre village, lui susurra l'aïeule. Dès l'âge nubile, toutes les jeunes filles passent par sa couche. Tâchez d'être digne de celui qui vous accepte comme épouse.

Les femmes qui accompagnaient Shu-Meï se prosternèrent longuement en jetant quelques poignées de riz aux pieds de leur maître puis s'éparpillèrent en jacassant tandis qu'Œil de Baleine contemplait l'étrangère avec gourmandise.

Il ouvrit toute grande une bouche où se battaient en duel deux chicots noirâtres et fit signe à Shu-Meï de le précéder sous le portique au-dessus duquel pendaient des touffes de racines magiques destinées à interdire l'entrée du logis aux esprits pernicieux.

Une trompe mugit dans le lointain.

Les musiciens surgirent de la forêt en frappant en cadence sur de lourds tambours décorés, adroitement fixés sur le dos de leurs compagnons.

Cham redressa le torse et épousseta fièrement sa tunique neuve. Aujourd'hui, il avait été choisi par

Tambour Frappeur pour s'asseoir aux côtés d'Œil de Baleine : c'est à lui qu'on devait d'avoir trouvé cette Perle Rare. Il se rengorgea. Du coin de l'œil il pourrait tout à son aise contempler l'Étrangère qu'il avait hissée sur son esquif malgré les protestations de ce crabe mou de Chop.

Elle était encore plus belle sans son gros ventre. Son regard effleura ses seins que dissimulait à grand-peine le léger caraco d'un jaune éclatant. Il frémit en pensant aux deux collines parfumées qu'il avait caressées furtivement lorsque son oncle pêchait. Il n'avait pu s'en empêcher. Rien à voir avec les femmes de son village. Lorsqu'elles plongeaient la poitrine nue, leurs boîtes à lait pendaient comme des coloquintes et leurs tétons bruns ressemblaient à des noyaux de litchis.

Installée aux côtés d'Œil de Baleine, Shu-Meï assistait d'un œil morne aux danses qui se déroulaient en l'honneur de la nouvelle épouse. L'odeur qui imprégnait l'air était insoutenable.

Entre les huîtres géantes qu'on avait laissées pourrir avant de les déposer en offrande et l'huile de requin dont les hommes s'étaient coquettement enduits le corps pour la circonstance, il y avait de quoi tourner de l'œil.

Barbouillée, Shu-Meï suivait distraitement le martèlement des pieds dans la poussière, l'éclat des bracelets de cuivre aux chevilles. Deux fois son regard avait croisé les yeux de braise du jeune garçon accroupi non loin d'elle.

Lorsque tout le village fut rassemblé, on descella solennellement les bouchons de feuilles de lotus colmatés d'argile des grandes jarres attachées aux piliers de la paillote.

« Pour ne pas être renversées par les buveurs », pensa Shu-Meï. Elle ne croyait pas si bien dire. Ce fut brusquement la ruée. On tendit à la nouvelle épouse un long tube en bambou avec lequel elle eut le droit d'aspirer le liquide fermenté et poisseux où s'agitaient en suspension une myriade de moucherons.

Elle s'exécuta en réprimant son dégoût.

Le temps s'étirait comme la plainte d'une conque. Cette fête était interminable.

A la tombée de la nuit, on s'était vautré dans la nourriture. Principalement des tranches de thon cru et de délicats ormeaux cuits à la braise. En sa qualité de jeune mariée, Shu-Meï avait dû accepter de partager avec son maître l'insigne honneur de gober les yeux de cent dorades qui nageaient à la surface d'un bouillon verdâtre. Un délice dont elle se serait passée !

Devant elle, plusieurs poulets gisaient, égorgés. Ici, elle ne risquait pas d'en manger, on les élevait uniquement pour les offrir en sacrifice. Il en était de même en Corée : on ne touchait ni aux chèvres ni aux moutons, destinés au sacrifice à Confucius et au culte des Ancêtres Royaux.

Petit à petit, les pêcheurs étaient tombés comme des mouches, avachis entre les entrailles de poisson et les rigoles de sang artificiel.

A moitié ivre, Œil de Baleine se leva en rotant et ordonna à Shu-Meï de le suivre. « De même que le sel s'extrait de la mer mais fond au contact de l'eau, l'homme, bien qu'issu de la femme, devrait se garder de ne pas trop s'y frotter », disait-on au village. Par la queue du Grand Timonier ! il était impatient de découvrir s'il allait, lui aussi, fondre au contact de son petit nid d'algue gluant.

Le cœur chaviré, Cham descendit vers la plage. Il avait bu, mais pas autant que ses compagnons. Il avait voulu profiter de l'Étrangère jusqu'au dernier moment.

Maintenant qu'elle était entrée dans la paillote d'Œil de Baleine, il imaginait fort bien celui-ci ôtant un à un les atours de sa nouvelle épouse. C'était injuste. Il avait découvert la femme. C'était à lui qu'elle appartenait.

Il se laissa tomber sur le sable mouillé et saisit un coquillage qu'il appliqua à son oreille. Seuls les battements de son cœur résonnaient à ses tympans. Il jeta la conque au loin et se laissa bercer par le bruit familier du ressac qui cognait contre le rocher du Pendu.

Devant lui, sculpté d'ombres, le corps de l'Étrangère semblait luire sous la lune, ses coudes repliés comme des sexes d'enfants. Lentement, il découvrit son nombril puis se mit à lécher le suc rouge rituel qui décorait son bas-ventre d'une interminable volute. Un chien hurla. Cham sursauta. C'était la bouche sans dents d'Œil de Baleine qui embrassait à sa place le corps blanc !

Gonflé de rage, il détacha de sa ceinture son petit poignard à manche de nacre et creva le ventre mou du poulpe qui venait de s'échouer à ses côtés.

Dans la longue pièce, lourde de remugles de poisson, d'énormes cafards immobiles se chauffaient au-dessus des braises du foyer. Leurs carapaces chatoyantes formaient comme une étrange tapisserie mouvante.

Entouré de ses épouses au grand complet qui chantaient en s'épouillant, Œil de Baleine fit basculer Shu-Meï sur l'immense natte. Elle n'eut pas même le temps de se demander s'il cachait sous son pagne un bremas aussi effilé que les défenses de narval qui décoraient sa couche. Sans le moindre préambule, l'homme se coucha sur elle et défonça la pulpe nacrée de son petit coquillage.

Sa façon de gigoter lui faisait penser à ces Hakka qui s'escrimaient à produire du feu en frottant un bâton de figuier dans le trou d'un disque d'acacia.

Ici on « pilait le jade sans en dérober le parfum ». Point de positions subtiles du style « le Phénix voltige au-dessus de la Caverne de Cinabre » ou « la Chenille du bombyx trépigne à cloche-pied ». L'Art de la Chambre à Coucher était des plus rudimentaires.

Le Poisson Glissant de son nouveau maître ne frétilla pas longtemps en elle. Dans un grognement sourd, la vilaine Tortue d'Œil de Baleine cracha entre ses cuisses, puis le pêcheur s'effondra sur sa nouvelle épouse comme sur une litière de fougères et ne tarda pas à ronfler pesamment sous les gloussements satisfaits de ses concubines.

Songeuse, Shu-Meï chercha à effacer les arabesques indélébiles qui dansaient sur son ventre curieusement plat.

Les jours se succédèrent, monotones, moutons ternes d'une mer sans éclat.

Sur cette île, les femmes travaillaient durement. Les plus jeunes partaient dès l'aube pour plonger des récifs et ramener des huîtres perlières et des coraux noirs et rouges. Des courges vidées leur servaient de flotteurs. Certaines, les tympans crevés, ne remontaient jamais. Parfois, la mer, en mourant sur le sable, déposait leurs corps à moitié dévorés par les requins.

Les hommes pêchaient en suivant la direction que les esprits leur avaient indiquée dans la nuit. Les gamins, leur couette retenue par un piquant de porc-épic ou par une grosse arête sur le sommet du crâne, s'amusaient à enduire leurs flèches d'un poison brun et poisseux. Régulièrement, ils rapportaient au camp des oiseaux et des souris des champs, fort appréciés de ce peuple de pêcheurs qui se nourrissait surtout de fruits et de produits de la mer.

Ne sachant pas plonger, Shu-Meï fut assignée à travailler avec les vieilles du village. Elle fut chargée d'ouvrir huîtres et oursins à la chair orangée. Une partie serait consommée vivante, l'autre serait confite ou séchée. Cela permettait de respecter les cycles de reproduction tout en variant les plaisirs de la bouche.

Non loin d'elle, les plus costaudes aplatissaient les seiches à l'aide de gros rouleaux de bambou avant de les accrocher à de longues perches pour les faire sécher au soleil. Le spectacle de ces rideaux de calamars éclatants de blancheur, alignés comme une forêt de bannières, était des plus insolites.

Lorsque les hommes revenaient de la pêche, Shu-Meï vidait le poisson et le salait. Ses mains brassant sans relâche les entrailles nauséabondes, elle s'aperçut qu'on s'habituait à tout, même à l'odeur.

Son corps devait dégager à présent un parfum aussi entêtant que celui de ses compagnons.

A force de voir les femmes plonger ou se baigner nues le plus naturellement du monde, Shu-Meï se fit aussi à cette coutume qui l'avait tout d'abord choquée. Elle se demanda si, loin de tout, on pouvait perdre peu à peu le sens de ses repères et de ses valeurs.

A Man-Li-Fu, les mœurs étaient des plus libres. Il n'était pas rare que les hommes prêtassent leur épouse à un voisin en remerciement d'un service. Cela se faisait dans la bonne humeur, sans aucune arrière-pensée. Même les veuves qui ne s'étaient pas remariées avec le frère cadet de leur époux avaient le droit de copuler avec les amis du défunt [1].

Les femmes n'étaient pas jalouses de Shu-Meï. Au contraire, certaines cherchaient désespérément à lui ressembler en se ponçant le visage pour s'éclaircir le teint. L'une d'entre elles fut même surprise en train de voler le lait d'ânesse de la communauté dans lequel elle se trempait la nuit en se pénétrant de la blancheur de la lune !

Pour Shu-Meï, le temps se mesurait à la repousse de ses cheveux.

Un jour, Œil de Baleine décida, magnanime, de la donner en présent à son beau-frère.

Hélas, ce geste royal n'allait pas être sans conséquences.

Puisque Shu-Meï n'appartenait plus au chef, pourquoi les autres mâles ne pouvaient-ils également en profiter ? Eux aussi lorgnaient sur l'Étrangère depuis plusieurs marées ! Dès lors, les envies et les jalousies s'aiguisèrent. Les hommes se firent coquets. Les joutes, prétexte à dévoiler adresse et musculature, se multiplièrent.

Par l'Auguste Moule racornie de l'ancêtre des chamanes, on n'avait jamais vu une montée de sève aussi brutale en plein hiver !

Pour Tambour Frappeur, il devenait urgent de consulter les dieux afin que le village retrouve sa sérénité.

L'oracle, lu dans un embryon d'œuf de tortue, trancha : il fut décidé que les mâles d'âge adulte se partageraient l'Étrangère chacun à tour de rôle pendant un quart de lune.

1. Très ancienne coutume d'origine coréenne.

Shu-Meï se prosterna devant l'aïeule.

Pourquoi la traitait-on moins bien qu'une esclave ? Ne travaillait-elle pas comme les autres ? Serait-elle encore longtemps redevable envers la communauté ?

Insensible à ses protestations, Tambour Frappeur continua de secouer son tamis. Si l'Étrangère n'était pas contente, elle n'avait qu'à songer au sort de l'épouse Lok qui avait osé enfreindre les lois. Aimerait-elle, elle aussi, se faire enterrer jusqu'au cou ? A son humble avis, mieux valait goûter aux « aspics en gelée » qui jouaient en son honneur du tam-tam sous les pagnes !

Un éclair gourmand éclaira ses paupières d'alligator fatigué.

— En fermant les yeux on s'y fait. Pensez au grand destin que vous ont réservé les dieux. Je l'ai lu plusieurs fois en consultant la spirale du Nautile Sacré.

Shu-Meï haussa les épaules et sortit. Pour l'instant elle n'en voyait guère la trace.

Assis sur une marche, Cham se détendit comme un ressort et lui brandit triomphalement la jonque miniature qu'il venait de confectionner dans le bois usé d'une socque.

Perdue dans ses pensées, Shu-Meï saisit le présent sans prêter plus d'attention au jeune homme. A partir de ce soir, Tambour Frappeur l'avait décidé, ce serait au tour d'Escargot Boiteux de la prendre pour femme. C'était bien sa chance, ce bossu à la tête effilée comme une arête et aux petits yeux clignotants de murène était de loin le plus laid des pêcheurs.

Par un fait curieux, depuis l'arrivée de Shu-Meï à Man-Li-Fu, la récolte des perles n'avait jamais été aussi abondante. Les plongeuses ramenaient régulièrement de magnifiques spécimens comme on n'en avait plus vus depuis dix typhons. On en vint à attribuer à l'Étrangère une influence magique sur les huîtres. N'avait-elle pas débarqué dans leurs vies avec une perle vivante dans le ventre ? Si les dieux des Océans lui avaient dérobé son enfant, c'était sûrement pour que la petite île puisse bénéficier de son extraordinaire pouvoir de fécondité.

Le phénomène s'accrut lorsque les hommes se passèrent Shu-Meï d'une paillote à l'autre. Les pêches devenaient quasi miraculeuses. A croire que c'était elle qui soufflait dans leurs songes pour leur indiquer où aller !

Du coup, les pêcheurs l'honoraient frénétiquement, buvant à sa Fontaine Sacrée comme des assoiffés.

Un soir, après s'être réunis autour d'Œil de Baleine en conseil extraordinaire, ils décidèrent, par souci d'équité, que chacun d'eux ne saurait profiter de l'Étrangère plus de deux nuits de suite. Les roulements plus fréquents assureraient ainsi à chaque famille une pêche encore meilleure.

Mieux, pour que son inspiration et son fluide ne tarissent jamais, la Reine de la Nacre ne devait plus travailler. Par la corne poilue du Seigneur des Buccins, faisait-on besogner une déesse ?

Maussades, les femmes se retirèrent pour manger dans leur coin. L'une d'elles se piqua le doigt avec le crochet d'un harpon et laissa silencieusement le sang goutter dans le gruau épais qu'elle venait de préparer pour son mari.

Embusqué derrière un buisson de genêts, Cham ne pouvait quitter du regard la tache fuchsia qui s'éloignait le long de la plage.

Chaque matin, l'Étrangère courait pieds nus jusqu'au rivage. Après s'être assurée que personne ne rôdait dans les parages, elle courbait la nuque d'un geste gracieux puis dénouait rapidement le tissu qui lui entourait les seins. Le temps qu'elle le déroule, la gaze flottait sur le bleu de la mer comme la queue étincelante d'un cerf-volant.

Débarrassée de ses atours, la silhouette plongeait alors dans les vagues et Cham restait suspendu dans les airs.

Malgré la fraîcheur de l'air, ce bain matinal représentait pour Shu-Meï l'unique délice de la journée. Elle en venait à regretter de ne plus décapiter ni éventrer les harengs, de ne plus triturer les entrailles, les bras dans la saumure. Au moins avant, l'ennui se diluait dans la routine des gestes, dans le choc régulier de la machette sur le billot. Éclat des écailles, branchies sanguinolentes... Depuis des nuits, elle ne rêvait plus que de sectionner des sexes, ces loches de vase dégoulinante qui la perforaient inlassablement. Elle prenait même un malin plaisir à débiter en rondelles ces anguilles boursouflées qui se servaient d'elle comme d'un refuge, une caverne aux cinq parfums et aux mille trésors !

Peut-être l'enterrée vivante du chemin avait-elle obéi à une répulsion identique en sabrant les coquilles molles de son pêcheur ?

Shu-Meï se remémorait avec douleur la Chine et les lambris vernissés du manoir des Trois Quiétudes. Reverrait-elle jamais ce père haï et adoré qui avait préféré l'oublier ? Allait-elle vieillir sur cette île entourée de requins jusqu'à ce que ses yeux ne puissent plus discerner la ligne pâle de l'horizon ?

Parfois, lorsque le vent soufflait dans sa tête et effaçait toute trace d'espoir, elle repensait aux moments intenses qu'elle avait partagés avec Long-Jian. Même si son destin devait l'abandonner sur Man-Li-Fu, elle ne regrettait rien. Elle avait vécu ce qu'il y avait de plus beau. Alors, à l'aide d'une branche, elle traçait sur le sable les caractères les plus fous afin de ne jamais oublier l'écriture de ses ancêtres.

Shu-Meï avait fini par prendre en horreur ce peuple si gentil qui la gavait d'oursins, la couvrait de fleurs et poussait même la vénération jusqu'à lui confectionner de petits lingams[1] de bois que les hommes lui glissaient sous sa couche.

Promue au rang de déesse, elle se sentait de plus en plus isolée.

Le soir, serrant les poings et se mordant les lèvres sous les coups de boutoir acharnés, elle tremblait de retomber enceinte. La punissait-on aujourd'hui de ses réticences injustifiées vis-à-vis des fringales de Yi-Shou ?

Un jour, non sans insolence, elle demanda à Tambour Frappeur si son « fabuleux destin » consistait à se faire « trousser » sous prétexte qu'elle était devenue une vivante déité !

Le nez dans son chaudron d'écorces bouillies, la vieille lui répondit en termes plutôt sibyllins que son destin était ailleurs, qu'elle n'aurait bientôt plus à supporter les habitants de Man-Li-Fu.

Signe encourageant ou sinistre présage ?

En tout cas, cette nuit, quoi qu'il advienne, elle se refuserait aux caresses de Sardine Vidée. Non seulement sa tête de goule lui donnait des cauchemars, mais le contact de sa peau huileuse lui avait déclenché une crise d'urticaire.

1. Petit phallus dont le culte symbolique est lié à l'idée de création.

Le climat s'était radouci. Le court hiver se terminait.

Depuis quelque temps pourtant, l'ambiance au village s'était tendue. Plus les hommes adulaient Shu-Meï, plus les femmes en tiraient rancœur.

Même Mouette Agile et Porcelaine Brisée, avec lesquelles elle salait auparavant le poisson, ne lui adressaient plus la parole. Régulièrement, des mains perfides glissaient dans ses vêtements de petits crabes ou des oreilles de mer bien baveuses. Un matin, elle retrouva, sauvagement piétinés, les œufs mouchetés du goéland qu'elle avait apprivoisé. Elle constata amèrement que l'on accueillait à présent ses gentillesses avec dédain et qu'on lui tournait ostensiblement le dos.

Lorsque Œil de Baleine décréta que désormais seuls les hommes dormiraient dans la grande paillote autour de leur déesse dont on aurait élevé la couche sur une estrade, le ressentiment des épouses délaissées fut à son comble.

En proie à la plus vive agitation, un groupe de villageoises demanda audience à Tambour Frappeur.

L'épouse de Langouste sans Queue prit la parole en premier.

— Grand-Mère au Cochon, tu dois nous écouter. Cela ne peut plus durer. Nos hommes nous délaissent totalement depuis que tu leur as donné la Fleur Pâle à se partager.

A côté d'elle, la voix de Porcelaine Brisée s'enroua de dépit.

— Ils ne veulent même plus de nous la nuit dans la grande paillote. Intercède auprès des dieux pour qu'ils comprennent notre situation.

— Regarde ce qu'elle a fait de ma Sardine Vidée !

gémit Anémone de Mer en épouillant sa chevelure. Ses sens sont tout chamboulés. Au lieu d'aller pêcher, ce benêt tourne en rond autour de sa barque en attendant de pouvoir tremper son Hareng Déplumé dans le puits de cette grue.

— A force de ne plus être arrosées, nos ravines vont se dessécher ! reprirent les femmes en tapant du pied.

— Nous étions bien bonnes de l'accepter. A présent que cette traînée ne lève même plus le petit doigt, pourquoi devrions-nous garder cette bouche inutile qu'il faut nourrir comme la Reine des Sirènes ?

— Qui nous dit qu'elle a vraiment un pouvoir ? Elle serait morte sans nos soins, s'égosilla Arapède Musclée dont les seins pendaient comme des testicules.

Tambour Frappeur grogna. La situation se gâtait. Cela faisait un moment qu'elle voyait cette bande de palourdes rapiécées comploter derrière elle. Il lui fallait apaiser les passions, le temps de trouver une solution.

— Taisez-vous donc, bande de morues hurlantes !

Menaçante, l'aïeule brandit sa grosse cuillère plate, ce qui eut pour effet de calmer les commères.

Sa crédibilité dansait sur un fil. Elle traça un cercle autour du poulet qu'elle avait sacrifié le matin même dans l'espoir de le manger en douce dès la tombée de la nuit.

— Qui vous a permis d'émettre une opinion ? Au lieu de vous soucier de vos vanités personnelles et de pleurer sur le sort de vos béances avariées, vous devriez remercier les dieux de vous l'avoir envoyée !

— Mais...

— Sortez d'ici. Ils décideront pour vous en temps utile !

Armée du poulet sanguinolent, la vieille sorcière se leva et chassa les épouses comme une nuée de moucherons.

Tambour Frappeur remua les viscères fumants qui grouillaient sous son nez. L'Étrangère devenait encombrante. Sa popularité auprès des mâles commençait à prendre des proportions grotesques et la jalousie de leurs harpies risquait de provoquer le pire. Ce n'était pas tout : on délaissait maintenant les divinités de la mer et les esprits des paillotes au profit de cette coquille de cauris prête à se briser au moindre coup de vent.

La bêtise humaine était sans limites. Comme si cette vivante imposture pouvait provoquer une recrudescence de perles et de poissons ! Il y avait de quoi rire... Malheureusement, les hommes se laissaient toujours gouverner par leur « serpent de mer », à croire que leur cervelle se nichait dans leurs bourses. C'était bien là tout le problème.

L'aïeule se gratta rageusement le dos à l'aide de la longue baguette qui lui servait à tripatouiller les entrailles divinatoires. C'était elle qui avait eu l'idée de se servir de l'intruse pour renforcer son pouvoir personnel et neutraliser les ambitions d'Œil de Baleine, ce mollusque avachi qui n'était bon qu'à se compter les poils des oreilles.

A présent, son petit jeu risquait fort de se retourner contre elle : les femmes se révoltaient et c'était à la Fleur Pâle que les pêcheurs attribuaient tous les miracles !

Perché sur son rocher, Cham contemplait les nageoires multicolores qui virevoltaient entre les longues algues brunes. Au loin, les vagues se fracassaient contre le récif du Pendu, tout comme sous son crâne.

Il fronça son petit nez aplati et banda son arc. La flèche se planta avec précision dans le dos d'un poisson-ange tout bariolé de feu.

Ce n'était pas vrai, on ne le considérait pas comme un homme. Les adultes étaient tous des menteurs. Tambour Frappeur ne voulait toujours pas qu'il prenne la Perle pour femme. Quant à Œil de Baleine, cette vieille galette soufflée lui avait refusé l'entrée de la grande paillote comme aux femmes et aux enfants, l'empêchant ainsi de dormir aux pieds de celle qu'il aimait.

Tous des lâches, des vantards ! Il les détestait. Iis n'aimaient pas la Fleur Pâle, c'était faux. Ils abusaient de sa déesse dans l'unique espoir de multiplier leurs prises.

Ce soir, il irait planter un pieu dans la citrouille accrochée à la clôture de Tête de Thon. Son cousin se prenait pour le Dieu-Poisson en personne depuis qu'il avait possédé l'Étrangère. Si cela pouvait lui porter malheur !

A moins que... Il rejeta sa proie dans l'eau. A force d'espérer ardemment que la mer se vide de tous ses poissons, Cham venait subitement d'avoir une idée. Il allait montrer à tous ces détritus de plancton, à ces gros concombres de mer suffisants, qu'il ne fallait pas sous-estimer le Petit Goujon.

— Grand-mère, grand-mère, venez vite !

Une jeunette au visage desquamé par plusieurs ponçages successifs déboula tout essoufflée dans la hutte de Tambour Frappeur.

— Des poissons morts ont été rejetés par la mer. Plein de jolis poissons.

De toute sa graisse flageolante, Tambour Frappeur se hâta de rejoindre les curieuses qui s'étaient regroupées sur la plage.

Nom d'un canard boiteux, que se passait-il encore ? Qu'avait-on inventé pour oser la déranger de si bonne heure ?

Anémone de Mer la héla de loin en lui désignant une flaque argentée.

— Venez voir, les dieux ne sont pas contents !

La vieille s'approcha en se dandinant et plissa ses petites châsses vitreuses.

Vomi par les vagues, un banc de poissons échoués gisait sur le rivage, leurs ventres blancs retournés.

— Qu'est-ce qu'on vous disait... Eux non plus ne veulent plus de l'Étrangère, hurlèrent les femmes en chœur.

Pendant plusieurs nuits de suite, Cham continua ses pêches nocturnes.

Ayant repéré un coin particulièrement poissonneux à quelques lis du rivage, il se mettait à battre l'eau comme un forcené à l'aide d'un faisceau de lianes teintées du jus qu'il utilisait pour empoisonner ses flèches. Il lui suffisait alors d'attendre que le poisson vienne se prendre dans ses filets, et hop ! il n'avait plus qu'à rejeter ses victimes ahuries sur le sable avant de retourner se coucher.

Il pensait ainsi se venger doublement : en provoquant la crainte de ses compagnons et en obtenant qu'ils laissent enfin tranquille l'objet de ses désirs.

Hélas, il n'avait pas prévu que son forfait entraînerait d'aussi sinistres conséquences !

A la vue de tous ces poissons qui venaient chaque matin s'échouer sur la grève, les femmes en profitèrent pour harceler Tambour Frappeur avec une véhémence accrue.

— Il faut offrir l'Étrangère au Roi-Dragon pour calmer son courroux ! hurlait l'épouse de Tête de Thon.

— Immolons-la en sacrifice, Grand-Mère au Cochon, si nous ne voulons pas que Man-Li-Fu soit englouti !

De leur côté, les pêcheurs n'approuvaient pas cette solution. Pour eux, le Joyau n'avait pas été assez adulé. Si les dieux renouvelaient quotidiennement leur avertissement, c'était pour les inciter à honorer son Huis encore davantage. Peut-être même fallait-il lui construire un temple !

Que faire ? Si Tambour Frappeur écoutait cette poignée de femelles en chaleur qui portaient leurs ovaires en couronne au-dessus de leur tête, c'était condamner le village à feu et à sang. Si au contraire, elle acceptait les propositions des hommes, c'était se déconsidérer et admettre la suprématie de l'Étrangère.

Elle s'enferma dans sa cabane pour méditer.

Au quatrième jour, elle sortit en vacillant de sa retraite et rameuta les villageois à coups de gong.

— Amis, proclama-t-elle d'une voix rauque, voici ce que nous avons à vous dire.

Un frisson parcourut l'assemblée. A en croire ses yeux révulsés, la Grand-Mère au Cochon venait de rentrer en contact avec les Esprits.

— La Perle a trop longtemps été éloignée des siens. Les dieux vous l'ont fait savoir. Il faut la leur rendre. La mer accueillera sa fille à la prochaine lune. Telle est la date propice souhaitée par le Roi-Dragon qui vous ordonne désormais de ne plus vénérer son corps qu'à travers des offrandes symboliques. En attendant...

Tambour Frappeur désigna la crête blanche de l'île en partie cachée par les nuages.

— Nous allons la transporter tout en haut de Man-Li-Fu et nous l'offrirons aux éléments afin qu'elle se ressource et qu'elle continue à faire pleuvoir perles et poissons sur notre village.

17

Les yeux brûlés par le soleil, Shu-Meï tira sur les liens qui la retenaient solidement attachée au tronc le plus élevé de l'île.

Depuis combien de jours attendait-elle la mort en haut de son perchoir battu par les vents ? Sans pouvoir bouger, elle passait ses journées à suivre la course du soleil au rythme des couleurs de la mer ou à somnoler, la peau desséchée par le sel et les rafales.

Elle avait abandonné tout espoir de s'en sortir. A quoi bon chercher à se libérer de ses entraves ? Quoi qu'elle fasse, elle était prisonnière de l'immensité bleue, couleur vertige, qui l'avait arrachée à sa Chine.

Soudain, elle se hissa sur la pointe des pieds. Elle n'en croyait pas ses yeux. Non, ce n'était pas un mouton, un mirage d'écume qu'elle avait jusque-là cent fois métamorphosé en voile. Cette fois-ci c'était bien une jonque, une vraie, qui croisait tranquillement au large de Man-Li-Fu.

A l'espoir le plus fou succéda l'angoisse, puis l'abattement le plus total. Que venait faire un navire ici ? Et si jamais il accostait, comment pourrait-elle manifester sa présence ?

Elle baissa les yeux. Autour d'elle, les entrailles et les têtes des poissons rejetés par la mer gisaient, leurs yeux vitreux bourdonnant de mouches vertes. On avait pris soin de les lui déposer en offrande.

La déesse immolée n'avait plus qu'à attendre ses noces avec le Roi-Dragon. La nouvelle lune serait célébrée dans trois jours.

L'Étranger plongea sa main dans le seau de perles et les examina une à une en connaisseur. Cette année, elles étaient de toute beauté. Elles pouvaient faire concurrence à leurs sœurs des mers du Sud.

Combien de fois était-il venu sur cette île troquer porcelaines, récipients en bronze et rouleaux d'étoffe en échange de ces pures merveilles ? En tout cas, il n'était pas prêt d'en dévoiler l'endroit ! La notoriété qu'il avait acquise jusqu'à la cour de Kaifeng, grâce à la qualité de ses perles et de sa nacre, était à ses yeux plus précieuse que l'énorme profit qu'il en tirait.

Tambour Frappeur regardait le marchand du coin de l'œil en s'éventant avec une large feuille de bananier. « Par les Coquilles Gélatineuses du monstre des Océans », avec qui donc sa mère avait-elle pu copuler pour qu'il hérite d'un appendice nasal aussi long et plus pointu qu'un couteau des mers ?

L'arrivée de l'Étranger tombait à point. Elle avait bien fait d'isoler la Fleur Pâle et de reculer la date de son sacrifice à la nouvelle lune. A quelques jours près, le juteux marché qu'elle avait naguère échafaudé en la voyant débarquer dans leur vie aurait lamentablement échoué, et ce par la bêtise de ces bernicles pelées.

D'après sa langue, la fille ne pouvait venir que de la grande contrée de l'Ouest. Or, elle était prête à parier que le marchand au trop long nez qui débarquait chaque année de l'Empire Céleste ne pouvait qu'être séduit par sa beauté.

Si l'Étrangère n'avait pas trop dépéri au milieu de

ses poissons crevés, elle pourrait encore en tirer un bon prix. Il resterait alors à convaincre cet abruti d'Œil de Baleine et sa bande d'ormeaux empâtés de la laisser filer. Mais cela était une autre affaire.

Elle plissa son front épais en direction du promontoire où Shu-Meï attendait son sort et soupira. Petite fille, elle y grimpait souvent en compagnie de son père, accrochée à sa longue robe bleu aigrette. Que cela semblait loin !

Le dignitaire coréen destitué de ses droits et chassé de la cour du Sud avait été naguère déporté dans l'île de Che-Ju-Do[1]. Elle ne se lassait pas de l'entendre raconter comme il s'était enfui du bagne et avait un beau matin d'hiver débarqué sur cette île perdue.

Tambour Frappeur était née de son union avec une femme de Man-Li-Fu. Hélas, le lettré coréen qui haranguait les poissons dans la langue de maître Kong[2] n'avait pas supporté longtemps sa solitude. Un jour, il avait nagé plus loin qu'à l'habitude et on ne l'avait jamais revu.

Mais qui pouvait s'en souvenir à part elle, la doyenne de l'île, la reine mère de cette poignée de sauvages !

Épuisé par cette grimpette harassante, Babouche Sacrée bougonna. Pourquoi diable l'amenait-on en grande pompe jusqu'au sommet de l'île ?

Au fur et à mesure qu'il progressait au milieu des épineux et des genêts, le vieillard se demanda pourtant si le soleil ne lui avait pas tapé sur la tête : Voilà que dans les arbres, les fruits se transformaient en sexe ! Non, il ne divaguait pas. Liés par des cordons de couleur, des dizaines de phallus en bois peint, de

---

1. Grande île à l'extrême sud de la Corée.
2. Confucius.

toutes formes et de toutes dimensions, pendaient par grappes aux branches comme de drôles de champignons. Certains penchaient, lumignons en berne, d'autres louchaient en hochant comiquement du chef. Mais ce n'était encore rien à côté de la vision qui s'offrit à lui au détour du chemin. Bouche bée, l'homme en resta cramponné aux pans de sa robe flottante qu'il avait relevée jusqu'à mi-mollet.

Ligotée à un tronc noueux, surgi de la terre rouge comme un olisbos géant, une créature à moitié nue trônait sur son tas de varech, entourée de sa muraille de maquereaux décapités, telle une reine au milieu de ses nains.

Quelle était donc cette prisonnière aux cheveux saccagés dont la beauté aurait fait pâlir à elle seule toutes les favorites de l'Empereur réunies ? A n'en pas douter, elle avait du sang chinois.

Intrigué, il demanda à Œil de Baleine la permission de se prosterner devant l'éblouissante divinité.

Shu-Meï dévisagea le petit vieillard frêle, aux yeux arrondis de daurade et au nez proéminent, étrangement busqué.

En entendant les éclats de voix se rapprocher au son des conques, un vertige des plus fous l'avait envahie. Le village montait à elle. Ce ne pouvait être qu'en l'honneur des visiteurs. Tout pouvait encore changer.

Son espoir s'était assombri en découvrant l'Étranger. Il ne venait pas de son pays. Malgré sa robe chinoise en velours almandin, décorée de gracieux martins-pêcheurs, ses cheveux frisés et son teint légèrement olivâtre lui faisaient vaguement penser à ces mahométans entrevus à Guang-Zhou.

— Comment êtes-vous arrivée ici ?

Elle sursauta. L'homme s'était adressé à elle dans un parfait cantonnais.

En quelques mots, elle lui résuma son incroyable aventure. L'homme l'écoutait, éberlué.

Légèrement en retrait, bras croisés, Œil de Baleine ne semblait pas apprécier la connivence qui s'était installée entre les deux étrangers. La Grand-Mère au Cochon le lui paierait. Il n'aimait pas la façon dont le marchand lorgnait sur son joyau.

— Emmenez-moi avec vous. Je vous en prie... Ils m'ont prise pour un génie des Eaux, une déesse de la fécondité, insista Shu-Meï. Si vous ne m'aidez pas, je serai sacrifiée dans deux jours.

Œil de Baleine manifesta son impatience. Babouche Sacrée se releva à regret, tout en caressant pensivement sa longue barbe neigeuse.

— Je vais voir ce que je peux faire.

Angoissée, Shu-Meï le regarda disparaître au détour du chemin.

Si elle avait tenu jusqu'à présent, c'était grâce à Cham. Chaque nuit, lorsque le camp s'était endormi, le jeune garçon montait lui apporter un peu de nourriture et une gourde de lait de chèvre pour la désaltérer. Ensuite il la détachait, s'asseyait face à elle et la dévorait des yeux sans rien dire jusqu'au petit matin.

Lorsque le jour pointait, il la réveillait doucement et la rattachait avant de détaler.

Shu-Meï s'était vite habituée à sa présence, la seule compagnie de son silence. Brusquement, elle s'était souvenue des petits présents qu'il lui avait offerts et auxquels elle n'avait jamais prêté attention. Sa fidélité la touchait.

Elle en vint pourtant à se demander s'il n'y avait pas un lien entre Cham et le retournement de situation dont elle était victime. Comme par hasard, depuis qu'on l'avait isolée du reste des hommes, aucun autre poisson crevé ne lui avait été monté en offrande.

Une nuit, alors que le jeune garçon chantonnait tout bas, la tête entre ses coudes, Shu-Meï lui demanda si c'était lui qui avait rejeté les poissons morts sur la plage.

Les yeux de Cham s'agrandirent comme ceux d'un chat. Comment avait-elle pu deviner que c'était lui le coupable ?

Il se mordit la langue de honte et fixa ses pieds nus : oui, c'était bien lui. C'était par sa faute que la Perle en était arrivée là.

— Pourquoi ? insista gentiment Shu-Meï.

Rouge comme une écrevisse, le jeune homme leva orgueilleusement la tête.

— Je ne supportais pas de te partager dans ma tête avec les autres.

Il se tut et se renferma dans sa coquille. Bercée par le ressac, Shu-Meï finit par s'assoupir, une petite pomme de pin dans la main.

Curieusement, elle ne lui en voulait pas. Il l'avait libérée de sa sinistre condition, elle n'avait plus à supporter la gigue de ces sexes qu'elle rêvait d'enfiler en collier et de jeter aux requins. Grâce à lui, son destin sordide serait bientôt écourté.

Lorsqu'elle se réveilla, il faisait encore nuit. Cham n'avait pas bougé. Un vent aigre soufflait dans les branchages.

Elle l'appela doucement et lui demanda de s'approcher. Sans trop y croire, le jeune homme laissa choir sa baguette de genévrier. Lui avait-elle pardonné ?

Lorsque Shu-Meï sentit son souffle au-dessus d'elle, elle ferma les yeux et l'attira lentement contre elle. Après tout ce qu'elle avait enduré, elle pouvait bien lui faire don d'un peu de sa tendresse. Dans quelques jours, ce seraient les poissons dont elle subirait les caresses.

Bouleversé, Cham enfouit la tête dans ses cheveux et respira leur parfum de terre mouillée. Allait-il enfin posséder cette femme irréelle ? Dans le noir, Shu-Meï lui sourit. Alors, maladroites, ses mains s'efforcèrent de réchauffer le corps glacé.

Au-dessus des dunes, les nuages semblaient avoir mangé la lune.

Cham connut enfin sa première nuit d'amour.

Lorsque Shu-Meï fut endormie, il recouvrit délicatement son corps de larges feuilles encore trempées de rosée comme s'il avait peur qu'elle prenne froid et attendit patiemment que le soleil se lève.

— Lorsqu'ils te rendront à la mer, chuchota-t-il au-dessus du visage assoupi, je partirai avec toi. Personne ne m'en empêchera.

Le soleil s'enfonçait dans l'eau pâle comme une énorme arbouse écrasée lorsque Tête de Thon et Escargot Boiteux vinrent détacher la prisonnière pour la redescendre au village.

D'un pas décidé, ils l'escortèrent jusqu'au rivage où une barque les attendait. Debout devant leurs paillotes, les hommes évitaient son regard. Quant aux femmes, elles avaient préféré se terrer derrière leurs palissades de bambous.

Shu-Meï ne vit pas son sauveur. Il était resté à terre à l'occasion de la grande fête que l'on donnait en l'honneur de son départ. Une fois la transaction réglée, il avait tenu à ce que sa nouvelle « acquisition » puisse se reposer sur la jonque. Il était inutile qu'elle passe une nuit de plus à moisir sur son rocher.

La discussion avait été âpre entre Œil de Baleine et Tambour Frappeur. Qu'allaient dire les dieux ? On ne pouvait faillir à la promesse de leur rendre leur fille.

La Grand-Mère au Cochon avait alors raconté l'étrange rêve qu'elle avait fait : une mouette géante était venue reprendre l'Étrangère. Lorsque cette dernière avait grimpé sur les ailes de l'oiseau et que le couple s'était élevé au-dessus de l'eau, une grêle d'or et de perles s'était abattue sur l'île.

Il n'y avait pas de plus heureux présage ! Les sacs de riz supplémentaires et les rouleaux de tissus aux couleurs chatoyantes que le marchand fit débarquer pour acheter Shu-Meï finirent par persuader Œil de Baleine de la laisser partir.

Lorsque cette dernière se laissa tomber dans la tille, elle aperçut la silhouette de Cham accroupie sur le sable mouillé. D'où avait-il surgi ? Le jeune garçon lui lança un regard désespéré puis s'enfuit, le visage fermé, son cormoran gris sur l'épaule.

Pauvre Cham, que pouvait-elle pour lui ? Elle comprenait sa tristesse, mais pour le moment rien ne pouvait entamer sa joie et son soulagement à l'idée de s'échapper de Man-Li-Fu.

Excitée, Shu-Meï ne parvenait pas à s'endormir. Les boiseries de sa spacieuse cabine craquaient, lui rappelant le crépitement des cafards qui se mouvaient au-dessus du foyer d'Œil de Baleine. Tout s'était passé si vite !

Comme on disait au Guang-Xi, « le portrait de la promise était trop beau pour que la mariée n'ait pas de défauts ».

A sa montée sur le bateau, un équipage aux petits soins s'était précipité pour l'accueillir. Visiblement, le marchand avait donné ses directives. Un eunuque aux cheveux tirés et au gros corps flasque s'était prosterné devant elle et l'avait priée d'accepter ses services.

— Chameau Fatigué pour vous servir, maîtresse...

Elle avait enfin pu se laver dans une baignoire en cuivre et dans une eau chauffée à l'aide de briques chaudes. Elle qui croyait ne plus jamais revoir un pot à savon de sa vie !

Le nez dans les volutes d'un petit encensoir en forme de léopard, elle remercia Yi-Shou de ne pas l'avoir abandonnée. Le cœur serré, elle pensa toutefois qu'elle ne rapportait pas même un souvenir de lui sur sa terre natale.

Déshabituée au luxe et au confort, l'atmosphère ouatinée de la cabine ne tarda pas à l'oppresser. Elle avait trop chaud. Elle se glissa silencieusement sur le pont qui tanguait dans un concert de tinterelles. Rabattues par la brise, les clabauderies de la fête parvenaient par bouffées jusqu'à elle.

Au loin, au milieu des rires étouffés, une torche s'enflamma brusquement sur le sommet de l'île, illuminant les alentours d'une gerbe orangée.

Elle regagna sa chambre sur la pointe des pieds et repensa à la nuit sans lune où elle s'était unie pour la première fois au petit pêcheur qui l'avait sauvée.

Le lendemain matin, Babouche Sacrée fit ses adieux au village. Des barques chargées de fleurs l'escortèrent au son des conques et des nacaires et attendirent que la jonque appareille pour rejeter à l'eau une centaine de tortues qui, disait-on, assureraient une bonne traversée aux voyageurs.

Étrangement remuée, Shu-Meï regarda Man-Li-Fu s'éloigner jusqu'à ce que sa couronne de végétation s'estompe et se fonde comme un nid d'algues dans l'océan.

Son séjour au Royaume des Perles se désagrégerait bientôt dans un halo. Seules subsisteraient la blancheur aveuglante de sa grève et les taches sanglantes de ses coraux affleurant dans la transparence de l'eau.

Assis sous une large ombrelle violette, coiffé d'une calotte de velours nouée de glands d'ambre en forme de nèfles, le marchand la fit appeler et lui souhaita bienvenue sur le *Heurte-Bise*.

— C'est un honneur d'y accueillir la plus belle Perle de Man-Li-Fu! ajouta-t-il en souriant finement.

Shu-Meï le remercia et lui demanda à tout hasard s'il connaissait l'origine des flammes qui avaient embrasé l'île la nuit dernière.

Babouche Sacrée lui répondit qu'un tout jeune homme s'était immolé par le feu à l'endroit même où elle avait été ligotée pendant des jours.

— Voyez-vous, certains n'ont pas supporté de laisser leur déesse s'envoler.

Cham! Shu-Meï baissa les yeux. Son sourire éclatant apparut comme au premier jour entre deux rangées de poulpes au blanc virginal qui se balançaient dans l'air moite. Elle l'imagina au-dessus de l'empreinte encore tiède de leurs corps enlacés, se recouvrant le buste de goémon séché avant d'en approcher la flamme de sa torche.

Son regard intense et mélancolique resterait longtemps gravé dans sa mémoire.

Confortablement installé à l'ombre de sa cabine lambrissée, le vieil homme passait des heures à converser avec Shu-Meï pendant que Chameau Fatigué les éventait.

Il aimait la Chine. Cela faisait quarante ans qu'il s'y était installé. Éblouie, Shu-Meï ne se lassait pas de l'entendre raconter son histoire.

Babouche Sacrée était un Juif d'Ispahan. Un jour, alors qu'il était tout jeune homme, son maître l'avait chargé de convoyer des destriers persans jusqu'à

Ormuz afin de les remettre en main propre à un marchand qui devait les acheminer en Inde par bateau. Mais Dieu en avait décidé autrement.

Il avait été attaqué en chemin. Les magnifiques montures n'étaient jamais arrivées sur la felouque aux voiles cousues de fil d'écorce de cocotier, et les caisses d'épices, de draps d'or et d'améthystes du royaume de Mazulipatam[1] qu'il devait ramener en échange étaient restées à quai.

Ne pouvant rembourser la précieuse cargaison qui lui avait échappé, il avait fui jusqu'au royaume de Kirman[2] où il s'était lancé dans le négoce de turquoises et de vin de dattes, puis dans le commerce de selles et de harnais.

Shu-Meï rêvait. Avec Babouche Sacrée, elle traversait les fleuves charriant l'onyx et la cornaline, elle chassait les aigles blancs aux ventres remplis de diamants, les montagnes regorgeaient de rubis et de saphirs, les vallées obscures grouillaient de brigands et de serpents.

Au hasard de ses pérégrinations, le Persan avait fini par rencontrer une poignée de marchands nestoriens qui l'avaient entraîné sur la Route de la Soie. Samarkand, Kâshgar, Khotan, Tchertchen... l'évocation de ces noms chargés de légendes, de ces oasis surgies du silence au milieu de la poussière du désert, soufflait dans la tête de Shu-Meï comme un vent de sable. Pistes du Pamir et de la Bactriane, horizons infinis, interminables caravanes, longues files d'esclaves se laissant guider par les chameaux qui seuls flairent les sources souterraines et pressentent les tempêtes. Les yeux brûlés par l'immensité, Shu-Meï assistait aux échanges de marchandises des caravaniers et se

1. Inde.
2. Perse.

mêlait à la foule hétéroclite des caravansérails flanqués de leurs minarets.

— Vous n'avez pas idée de tous les gens que j'ai pu rencontrer sur ma route, médecins, pèlerins bouddhistes, missionnaires nestoriens, ambassadeurs de Boukhara, d'Antioche ou de Chang-An...

Au bout de plusieurs années d'errance et de trafics divers, Babouche Sacrée était arrivé en Chine par les monts Kouen-Louen et par la porte de Jade à Dun-Huang.

Tandis que Shu-Meï se gavait de rouleaux de pignons à la graisse d'oie et d'azeroles confites, le vieillard poursuivait, ses yeux couleur topaze noyés dans ses souvenirs.

Il avait parcouru l'Empire, désormais désagrégé en poussière de royaumes aux mains de potentats locaux, offrant ses services au gré des rencontres et multipliant ses commerces d'une cour à l'autre.

Ainsi avait-il ouvert le marché du thé du royaume de Chu[1] aux barbares Khitan qui lui exportaient en échange feutres et chevaux des steppes.

— Mais comment avez-vous découvert Man-Li-Fu ? lui demanda Shu-Meï.

— Par hasard. Négociateur du roi de Wu-Yue[2] auprès de la cour de Silla, j'acheminais régulièrement ses soieries et ses célèbres porcelaines jusqu'en Corée. Une année, des vents violents m'ont déporté sur le chemin du retour, et je suis tombé sur cet îlot perdu... Peut-être était-il écrit que nous devions nous rencontrer ! plaisanta Babouche Sacrée en la contemplant avec attendrissement.

Par la suite, ses accointances avec les chefs khitan lui avaient permis des ouvertures à la cour de

1. Province du Hunan au centre de la Chine du Sud.
2. Province du Zhe-Jiang sur la côte orientale.

Kaifeng où il s'était établi voilà plusieurs automnes, s'estimant trop âgé pour continuer à voyager.

Néanmoins, son seul plaisir consistait à prendre chaque année le *Heurte-Bise* pour rapporter les plus belles perles de ce coin d'océan.

Les premières nuits, Shu-Meï avait attendu la visite du vieux marchand avec angoisse. L'homme l'avait achetée. Inutile de rêver, il ne tarderait pas à manifester ses exigences.

Pourtant, Babouche Sacrée ne vint jamais la rejoindre dans sa chambre, pas plus ces nuits-là que les soirs suivants. Habituée à la veulerie et à la grossièreté de tous ces porcs en rut, son respect et sa délicatesse la touchèrent.

Un jour que la conversation s'y prêtait, enhardie par la complicité qui s'était peu à peu tissée entre eux, Shu-Meï lui en fit timidement la remarque.

— Je vous appartiens, mais vous n'avez jamais cherché à me posséder !

Le vieil homme se mit à rire comme un enfant.

— Force-t-on la porte d'une femme bien éduquée si elle ne vous en a pas donné la clé ? Je vous regarde vivre comme une fleur au milieu du désert. Cela me suffit.

Shu-Meï rougit et plongea le nez au-dessus de sa dorade au gingembre pochée aux oignons de printemps. En face d'elle, Babouche Sacrée dégustait à petites bouchées ses beignets de hareng soufflés, découpés en lamelles.

Elle avait remarqué qu'il ne mangeait jamais d'ailerons de requin ni d'aliments fermentés. Pourquoi donc ?

— Ma religion me l'interdit, lui expliqua-t-il. Je ne peux toucher qu'aux seuls poissons pourvus d'écailles et de nageoires et à la chair des ruminants aux pieds fendus. Vous ne me verrez jamais saliver devant la croustille fondante d'un porc caramélisé.

Il soupira en arquant comiquement les sourcils.

— Les petits cochons noirs de Chine ont pourtant la réputation d'être délicieux !

Il lui raconta que pendant son long périple à travers la Bactriane, les caravaniers se nourrissaient souvent de viande de chameau abattu. Un jour qu'il en avait ingurgité par ignorance [1], Dieu l'avait puni en déclenchant une effroyable tempête de sable dont il s'était miraculeusement sorti.

Jamais plus il n'avait fait d'écart de ce genre. On ne le trompait plus désormais en lui servant des saucisses de chien jaune ou du lièvre en gelée coupé en dés.

L'homme s'exprimait d'une voix basse et reposante. Shu-Meï lui demanda soudain pourquoi il ne parlait que d'un seul dieu et ne lui donnait jamais de nom. En Chine, existaient mille et une divinités. La nature tout entière en regorgeait, des montagnes aux rivières, de la pluie au tonnerre. Chaque village avait son culte local. Chaque maison honorait son dieu du Foyer et chacun avait son sobriquet.

Babouche Sacrée appuya pensivement son menton sur ses mains jointes. C'est vrai, les Chinois avaient tendance à tout transformer en divinités personnelles. Leur mythologie populaire foisonnait de dieux du Sol, des Céréales ou des Remparts, d'esprits goguenards, de Saints bouddhistes parfois confondus à d'autres Immortels taoïstes ou encore d'Empereurs Célestes aux titres ronflants dont la hiérarchie était bien trop compliquée pour lui.

— Mon Dieu à moi est unique, avoua-t-il simple-

1. Le chameau n'a pas les sabots fendus.

ment. Je ne peux ni écrire ni prononcer son nom. Pourtant, il existe. Il est ici et partout.

Il brassa l'air de sa manche et désigna d'un geste vague la mer qui ondulait au soleil comme une peau de serpent. Des goélands aux ailes cendrées planaient au-dessus de la jonque.

Cela revient au même, pensa Shu-Meï. Réflexion faite, n'était-il pas plus astucieux de vénérer tous les dieux en un seul ? Elle se demanda toutefois si un cerveau unique pouvait penser à tout et exaucer autant de prières sans en oublier la moitié.

On arriva enfin en vue des côtes du Jiang-Su.

Au contact de Babouche Sacrée, Shu-Meï avait repris goût à la vie. A chaque conversation, elle découvrait avec émerveillement une facette supplémentaire de son immense raffinement.

Pourtant, dans la famille Tsao, on avait toujours eu peu d'estime pour ces « jarres à huile » incultes qui savaient si bien s'enrichir sur le dos de leurs concitoyens. Mais Babouche Sacrée n'était pas un marchand comme les autres. Outre sa richesse, il n'était ni pansu comme une outre ni imbu de sa personne, et sa culture aurait fait pâlir plus d'un lettré.

La peinture de Zhou-Fang, les poèmes de Li-Po ou de Po-Kiu-Yi [1] n'avaient pas de secret pour lui. Shu-Meï parvenait à en oublier qu'il était persan. A ses yeux même, il était bien plus chinois que beaucoup de Han !

La traversée s'achevait. Lorsque l'équipage commença à s'agiter, Shu-Meï lui demanda ce qu'il comptait faire d'elle à terre.

Sous la brise, le turban vert pâle du marchand semblait se gonfler comme un gros melon d'eau.

1. Poètes de la dynastie Tang.

Babouche Sacrée porta une main à son collier d'or rouge dont les breloques de gemmes scintillaient sur son gilet de soie.

— En effet, je vous ai achetée et vous m'appartenez. J'ai donc le droit de disposer de votre personne comme bon me semble.

Il la dévisagea en souriant malicieusement.

— Il m'est cependant plus agréable de vous rendre à votre liberté. Si vous désirez me suivre à Kaifeng, mon cœur en sera comblé et j'aurai grand plaisir à vous présenter à la cour. Mais dès que nous débarquerons, vous aurez le choix de suivre votre destin où vous le désirez.

« *Nous avons jeté l'ancre dans le petit port de Lian-Du en amont des bancs de sable de l'embouchure de la rivière Yi, au nord du riche royaume de Wu.*

J'ai touché du front le sol sacré de mes ancêtres sans y croire. Je crois bien que Babouche Sacrée a vu couler mes larmes de joie.

Après m'avoir remerciée pour mon agréable compagnie, il m'a annoncé qu'il devait régler quelque affaire avant de repartir pour Kaifeng dans deux jours.

J'étais libre. Si je voulais me joindre à lui, il m'attendrait le matin de son départ à côté du pont aux Anes Endormis. Il m'a ensuite tendu une bourse de brocart gonflée de taels d'argent en me fixant de ses yeux clairs.

" Je veux que vous ne manquiez de rien. J'y ai glissé le nécessaire afin que vous puissiez sans encombre retourner à Guilin si tel est votre désir. " Il m'a ensuite souri tristement et sa silhouette fragile et un peu voûtée s'est fondue dans la foule des porteurs.

J'en aurais baisé l'ourlet de sa robe de reconnaissance. »

Shu-Meï avait trouvé à se loger dans une petite auberge du quartier sud où fleurissaient les maisons de thé.

Une fois dans sa chambre, elle découvrit avec plaisir que le lieu était propre et qu'il y avait même un lit à coffrage de bambou. De la rue montait une rumeur familière, un chant ininterrompu de cris, de couleurs acides et d'odeurs moites.

Un éternel vendeur d'eau s'égosilla dans une venelle tandis qu'un fumet de raviolis à la viande et d'abattis de porc cuits dans la cendre lui titillait les narines.

Elle était bien de retour en Chine.

Lian-Du était devenu un centre de commerce important grâce au canal qui le reliait à la rivière Huai et à son atelier de céramiques situé au-delà des remparts nord de la ville, près de l'autel des Sacrifices du Ciel.

Le trafic des barques et des radeaux chargés de bois et du riz de la plaine était incessant. C'était aussi à Lian-Du que l'on venait s'approvisionner en sel dans les entrepôts établis près de l'écluse de l'Équité Vigilante.

Shu-Meï hésitait. Devait-elle rentrer aux Trois Quiétudes ? Après tant d'horreurs et de solitude, sa famille lui manquait. Allait-elle s'acquitter de son deuil dans la quiétude et le recueillement et endosser une vie sans éclat, loin de tout remous, suivant les rites confucéens ?

Elle eut soudain envie de s'asseoir au pied du bosquet de bambous du pavillon du Lotus d'Or et de se laisser envelopper par le vent tiède qui bruissait entre les colonnades vermillon, détachant par poignées les pétales des massifs d'amarantes.

Elle décida de se renseigner auprès de l'aubergiste. Peut-être avait-il entendu parler d'un groupe de marchands ou d'un équipage en partance pour le sud.

Dans la courette, deux voyageurs jouaient aux échecs sur un damier de papier. L'un d'eux, vêtu d'un hoqueton de toile et chaussé de bottes en peau de buffle, l'interpella.

Si cela pouvait l'intéresser, il connaissait un négociant en bois qui partait pour Guang-Zhou le lendemain. Évidemment, le voyage serait long car la caravane s'arrêterait d'abord à Hang-Zhou puis au Fujian, mais le jeu en valait peut-être la chandelle.

— Où puis-je le trouver ? demanda Shu-Meï.

— Près du marché aux fleurs et aux olives. Il loge au-dessus des abattoirs. Je vous y accompagnerai en fin de journée si vous le désirez.

Le marchand fit asseoir Shu-Meï sur un coussin crasseux et lui offrit du thé vert. Des centaines de blattes couraient dans tous les sens sur le plancher vermoulu.

— Où allez-vous précisément ?

— A Guilin.

A travers la fenêtre coulissante ouverte sur la rue, Shu-Meï pouvait entendre les couinements stridents des cochons qu'on égorgeait à deux pas de là. Et ce n'était probablement rien à côté du vacarme qui devait sévir la nuit. La moitié des abattoirs de cette ville n'ouvraient qu'à la troisième veille[1] !

Le commerçant souleva son turban souple en linomple noir et se gratta furieusement le crâne avec le manche de son tue-mouches.

— Êtes-vous récemment passé dans cette ville ? s'enquit timidement Shu-Meï en se tortillant sur son pouf.

1. A partir de vingt-trois heures.

— Et comment, j'en reviens !

L'homme but une gorgée de thé et fit claquer sa langue entre ses lèvres.

— Il se passe de drôles de choses à Guilin depuis que le roi a été retrouvé assassiné dans son palais constellé d'or et de joyaux. Je peux même vous assurer qu'on y a frôlé l'insurrection.

— Liu-Yin est mort ?

Shu-Meï ne parvenait pas à y croire.

— Vous ne le saviez pas ? Hé-hé, c'est que nous, les marchands, nous sommes au courant de tout. Si nous ne colportions pas sur notre passage les nouvelles de tout l'Empire, vous autres resteriez aussi ignorants que la bosse d'un dromadaire qui ne voit que le trou du cul de son maître... Hahaha...

Le négociant écrasa une blatte d'un coup de savate.

— Certains disent qu'on l'a empoisonné. D'autres insinuent que des sbires du duc de Hue l'auraient poignardé dans sa baignoire lors d'une de ses débauches de mignons.

— Mais qui lui a succédé ?

Shu-Meï le pressa de poursuivre.

— Le duc, pardi. Tout au moins temporairement... A ce que l'on dit, ce serait sa femme qui tirerait les cordons de la courtine !

Le visage pommadé et la bouche gourmande de la duchesse lorsque celle-ci lui avait proposé de quémander l'aide de Yikuai lui revinrent en mémoire.

Bien sûr, ces yeux trop brillants devaient rêver de gouverner depuis des lunes ! Qui disait d'ailleurs qu'elle n'avait pas été l'instigatrice de toute l'affaire, avantageusement épaulée par son amant de cœur, le fieffé Yikuai !

Shu-Meï fixa les feuilles de thé qui nageaient dans le gobelet ébréché. Ainsi, le dignitaire en mission devait déjà penser à la façon la plus radicale d'exterminer le Tyran Borgne lorsqu'il l'avait prise dans ses bras.

— Cela devait arriver, grommela le marchand. Liu-Yin était trop avide. Certains ne voyaient pas d'un bon œil ses dépenses et ses expéditions en Annam. En tout cas, le royaume de Nan-Yué est maintenant indépendant. Son commerce de peaux de singe, de cornaline et d'écailles de tortue a repris avec tout l'Empire, ce qui n'est pas pour nous déplaire.

La position de Kaifeng et la tâche de Yikuai dans cette guerre devenaient tout à fait claires : laisser le roitelet s'embourber en lui promettant des renforts de troupes inexistantes et affaiblir l'Annam afin qu'il accepte avec soulagement le sauveur du Nord qui lui ferait don de la tête de son oppresseur.

Le duc de Hue n'était qu'une marionnette à la solde de Kaifeng !

Shu-Meï n'en revenait pas. Il s'était passé tant de choses depuis son départ. L'exil avait fait d'elle une étrangère.

— Nous nous sommes repliés sur nos anciennes frontières, poursuivit l'homme en grignotant une poignée d'amandes grillées. Un certain Tsao, accompagné de deux mille hommes, aurait été chargé en tant que commissaire à la pacification d'assurer la protection de cette zone délicate. On ne sait jamais, confortés par l'assassinat du tyran, les Annamites pourraient bien avoir l'idée de venir à leur tour nous chatouiller les moustaches !

Un certain Tsao ! Il ne pouvait s'agir que de son père. Shu-Meï imagina le manoir vidé de ses hommes, paralysé par la poigne de fer de sa belle-mère. Avait-elle encore envie d'en franchir les licornes de pierre ?

— Ma foi, si le cœur vous en dit, c'est avec plaisir

que j'escorterai une aussi jolie plante jusqu'à cette destination !

Shu-Meï remercia le négociant en bois et prit congé. Elle allait réfléchir.

Deux jours plus tard, sans trop y croire, Babouche Sacrée attendit Shu-Meï près du pont aux Anes Endormis.

L'humidité ravivait ses rhumatismes. Il fixa les nuages qui filaient dans le ciel gris comme de grosses carpes argentées. Ainsi allaient les années ! Les senteurs fortes des souks d'Ispahan remontèrent par bouffées sourdes dans sa mémoire. Là-bas, il n'était qu'un petit Juif à babouches, le fils d'Ismaël le savetier !

Un froissement d'étoffe le fit sursauter. Debout devant lui, comme un reflet tremblant dans l'eau, vêtue d'une jaquette de damas jonquille, brodée de perroquets verts, Shu-Meï lui souriait.

Elle s'inclina.

— Votre troisième épouse a décidé de vous suivre. Si vous voulez toujours d'elle, la voilà prête à prendre la route avec vous pour Kaifeng.

18

Lancé sur la route de Kaifeng, l'équipage filait bon train. Excitée, Shu-Meï contemplait les verts tièdes et les ocres tendres de la grande plaine du fleuve Jaune, le berceau sacré qui avait vu naître sa Chine.

Ici, les champs de blé et de millet remplaçaient avantageusement les rizières détrempées des provinces du Sud. Le marchand lui expliqua que cette terre d'alluvions riche en sable et en lœss ne devait son étonnante fertilité qu'aux efforts d'irrigation toujours répétés. La pluie était rare au Henan en dehors de la septième et de la huitième lune. D'autre part, le vent desséchant des steppes, celui-là même qui soufflait le précieux limon jaune que le Hoang-He charriait dans ses eaux topaze, transformait tout en poussière.

Il fallait aussi tenir compte des caprices des esprits du Fleuve et de la fragilité des digues qui se rompaient de temps à autre à force de pratiquer des brèches pour inonder les territoires occupés par les nomades.

Ainsi, aux sécheresses succédaient les inondations.

Ravi de pouvoir satisfaire la curiosité de la jeune femme, Babouche Sacrée se révélait intarissable. Dans le feu de ses explications, ses longues mains baguées trituraient les glands de jade du coussinet qui lui protégeait les genoux.

— Savez-vous que Kaifeng n'avait pas eu droit à son statut de capitale depuis les Wei[1] ?

A moitié assoupie par la monotonie du paysage, Shu-Meï sursauta.

C'était vrai. Les empereurs avaient naguère élu résidence à Chang-An puis à Luo-Yang. Un poème de Wang-Wei, barde de la sanguinaire Wu[2], lui revint en mémoire. Il célébrait la beauté des palais de l'ancienne capitale.

« Rires aigus des filles dans les kiosques peints. Murs de bannières qui flottent jusqu'au Fleuve telles des fleurs de mandariniers épanouies... »

Luo-Yang, la belle, devait se terrer à présent à l'ombre de ses enceintes endormies. Elle demanda pourquoi le nouveau Fils du Ciel avait tenu à faire déménager la cour.

— Comment aurait-il pu agir autrement ? reprit le marchand malicieusement. L'Empereur a dû faire appel aux Khitan pour monter sur son trône. Leur Khan, Ye-Liu-Tö-Kouang, est alors descendu de ses brumes glacées avec cinquante mille cavaliers aux casaques de peaux de loutre harnachées de zibeline, le Loup Bleu[3] étincelant sur leurs rondaches de cuir bouilli. C'est lui qui a aidé Shi-Jin-Tang à renverser son prédécesseur et qui l'a ensuite installé à Kaifeng pour fonder sa nouvelle dynastie[4].

— Comment notre Empereur a-t-il pu quémander

1. La cour ne s'était pas installée à Kaifeng depuis sept siècles.
2. Wu-Ze-Tian (684-705). Impératrice célèbre dont Jian-Qing, l'épouse de Mao, se faisait volontiers l'émule. Après Chang-An, les Tang avaient installé leur capitale à Luo-Yang qui le fut jusqu'en 936.
3. Animal symbolique chez les Mongols.
4. En 936.

268

le secours de ses ennemis, s'indigna Shu-Meï, ces hordes de Barbares qui déferlent sur nos frontières et qui saignent mon pays ?

— Que ne ferait-on pas pour prendre le pouvoir !... Imaginez la joie des Khitan, ajouta le Juif en toussotant. Pour prix de son intervention, le Khan s'est bien entendu empressé de se faire céder l'extrême nord du Hopei et du Chansi. Voilà pourquoi ils occupent maintenant en conquérants notre cité de Yen-Tchou [1].

— Ne s'insurge-t-on pas à la capitale contre cette insultante trahison qui entraîne la mainmise de ces étrangers dans nos affaires ?

— C'est bien là le problème. (Babouche Sacrée soupira en calant sa nuque contre le repose-tête de cuir laqué)... Les choses vont mal à Kaifeng, vous vous en rendrez compte par vous-même. La cour s'est farouchement scindée en deux camps. D'un côté les conservateurs qui approuvent l'Empereur et qui demeurent partisans de la paix achetée aux Khitan à coups de tributs. Comment pourrait-on faire autrement d'ailleurs ! Et de l'autre, les opposants regroupés autour du ministre Zhao-Lin qui refusent à tout prix l'alliance avec les nomades et rêvent d'intervenir contre les Barbares... Hélas, lorsque les tigres se battent, ce sont les chiens galeux qui en profitent !

— Et vous, pour qui prenez-vous parti ?

La jeune femme l'interrogea du regard.

Le vent qui s'engouffrait à travers les rideaux de la portière faisait onduler la barbe de Babouche Sacrée comme un long écheveau blanc. Il se mit à rire, un rire de miel qui soulevait de petites vagues dans ses yeux clairs.

— Auriez-vous oublié que je ne suis pas chinois ? Voyez-vous... (Le vieil homme se moucha élégam-

1. Pékin.

ment dans le carré de serge prune qu'il venait de sortir de sa manche.) Je m'efforce de m'entendre aussi bien avec les uns qu'avec les autres. Évidemment, cela peut paraître saugrenu pour une jeune femme aussi passionnée que vous l'êtes, mais vous apprendrez que les affaires des hommes sont parfois plus complexes qu'elles n'y paraissent. Les soirs d'orage, la mer n'est ni bleue ni verte. Elle est souvent d'un gris indéfini.

Le regard de Shu-Meï accrocha une silhouette courbée dans un champ d'herbes folles. Non loin, une jument paissait, un panier attaché sous la queue pour recueillir le précieux crottin qui servirait d'engrais. Elle hésita.

— Avez-vous déjà entendu parler d'un dénommé Yikuai ?

Babouche Sacrée la dévisagea avec étonnement. Shu-Meï se sentit rougir jusqu'à la pointe des cils.

— Voulez-vous parler de notre nouveau Censeur au département de la chancellerie impériale ? Bien sûr, il n'y a pas personnage plus influent à la cour. La surveillance permanente qu'exerce son tribunal sur l'ensemble de l'administration impériale fait trembler bon nombre de consciences... Malgré la mort de son protecteur, le précieux conseiller Feng, il a su s'imposer avec force auprès de l'Empereur... L'auriez-vous déjà rencontré ?

Shu-Meï ne répondit pas. Ainsi, pendant qu'elle croupissait dans l'enfer choisi par ses soins, le dignitaire gravissait tranquillement son chemin. Perdue dans ses songes, elle regarda défiler les peupliers et les bornes qui jalonnaient la route impériale tous les deux lis.

Bientôt on arriverait à une barrière gardée et il faudrait redécliner son identité.

Yikuai apprendrait-il ainsi son arrivée à Kaifeng ?

Stupéfaite, Shu-Meï contemplait la gigantesque tour de guet qui surmontait l'arche arrondie de la porte des Effluves du Sud. Le ciel, balayé par la soie safran des étendards, éclatait d'un bleu dur. Autour d'eux, un fourmillement de gardes en tunique de drap jaune sur leurs broignes à lamines serrées déambulait sous les remparts de la citadelle extérieure.

La deuxième porte franchie, la grande voie impériale apparut dans toute sa splendeur. Entièrement pavée de briques, elle traversait Kaifeng jusqu'à la Cité Interdite au nord-ouest de la ville.

Était-ce un hasard si l'Empereur, à l'abri dans ses appartements pourpres, siégeait et dormait dos à la menace barbare ?

Une double barrière d'un rouge rutilant délimitait un passage central couvert de menu gravier blanc.

— Cette allée est interdite aux hommes et aux chevaux, lui chuchota Babouche Sacrée. Seul l'Empereur l'emprunte lorsqu'il traverse la ville pour célébrer les grands sacrifices dans le quartier sud.

Fascinée par la file de chameaux harnachés de pompons qui venait de les croiser, Shu-Meï ne l'écoutait déjà plus. Un petit canal longeait de part et d'autre les larges galeries couvertes où s'entassaient en rangs serrés, comme les fils d'un tapis, une multitude de marchands derrière leurs pilastres vernissés.

Pruniers, poiriers et abricotiers épanchaient déjà leurs senteurs poudrées. Shu-Meï s'étonna : Man-Li-Fu avait-elle à ce point dévoré sa notion du temps ?

— Ma demeure se trouve dans la vieille ville, de l'autre côté du bazar de la Gourde Étripée, près de

271

l'ancienne porte de l'Écluse Orientale. J'espère de tout mon cœur que vous vous y plairez.

Shu-Meï demanda timidement au marchand s'il pensait que ses épouses l'accueilleraient avec joie.

— Alouette Empâtée et Bécasse Frivole ne sont plus si jeunes. Connaissez-vous une seule femme qui verrait s'installer d'un œil doux une rivale dont la beauté renverserait royaumes et cités ?

— Mais vous ne m'avez jamais touchée !

L'homme sourit.

— Le vieux sage ne touche pas à l'or de peur de se brûler. J'ai déjà, pour ma part, le privilège de vous caresser des yeux. Donnez-moi ce plaisir le plus longtemps possible et nous serons quittes, voulez-vous ?

A la différence des villes du Sud dont la vie s'épanchait généreusement sur les trottoirs, Kaifeng abritait derrière ses interminables murs aveugles au crépi rosé, temples officiels, jardins ou palais avec la même pudeur.

En franchissant l'enceinte austère qui masquait la demeure de son hôte, Shu-Meï eut du mal à retenir sa surprise. Un ensemble de gracieux pavillons savamment surélevés en fonction du paysage s'égaillaient dans une verdure odorante entrecoupée de vergers.

Nuques courbées, les deux épouses chinoises de Babouche Sacrée attendaient leur maître en haut des marches de pierre du principal édifice.

Alouette Empâtée, la plus âgée, tortillait bêtassement son mouchoir contre sa large jaquette bleu canard tandis que la seconde jouait des salières sous sa tunique à larges ramages.

« La théière et le cure-dent », se dit Shu-Meï.

Bécasse Frivole souleva sa jupe de gaze réséda et s'apprêtait à faire sa révérence lorsqu'elle aperçut l'intruse à moitié cachée par Babouche Sacrée. Tiens, tiens... A qui destinait-on cette nouvelle servante ?

— Mesdames, je vous présente ma Troisième Épouse que vous saurez traiter, j'en suis convaincu, avec la délicatesse de sœurs aînées.

Pffft, c'était donc ça ! Bécasse Frivole jeta avec dédain son éventail au-dessus de son épaule. Comment ce mari indigne pouvait-il les abandonner aussi longtemps et leur ramener en sus une étrangère qui n'était encore qu'un légume vert ?

Elle salua sèchement les voyageurs et invita Alouette Empâtée à la suivre avant de disparaître à l'intérieur de la maison en faisant tressauter son chignon tourmenté. Gênée, la grosse toupie obéit à sa cadette en soupirant bruyamment.

L'accueil promettait.

Rompant le silence, Chameau Fatigué se tourna alors vers Shu-Meï et lui chuchota à l'oreille :

— Laissez, les vieilles aiment mordre lorsqu'elles n'ont plus de dents !

Les épouses indignées ne restèrent pas longtemps enfermées dans leurs appartements. Dans la soirée, le marchand leur ordonna d'emballer leurs affaires personnelles et d'emménager dans le pavillon du fond.

A Shu-Meï qui lui demandait la raison de tous ces changements, il répondit allusivement.

— Ce n'est pas parce que le tigre fut le troisième animal à se présenter devant le Seigneur Bouddha qu'on ne le considère pas par ailleurs comme supérieur au buffle et au rat [1] !

Qui donc aurait pu trouver à y redire, si ce n'est les

1. Allusion à la légende des douze animaux du cycle astral chinois.

concernées ! Babouche Sacrée tenait à ce que, dès son arrivée, sa nouvelle concubine profite de la plus belle partie de sa demeure.

« *Ma vie à Kaifeng a la douceur de ses crépuscules.*

Grâce à la présence de Babouche Sacrée, les jours glissent dans l'eau des bassins et le soleil et la lune alternent à la vitesse des navettes qui courent sur les métiers à tisser.

Sa délicatesse me ramène sans cesse au souvenir de Talent Modeste. Veille-t-il lui aussi aux couleurs de mon destin ? Destin étrange en vérité puisque je dois à ses caprices de ne plus avoir à me plier aux Trois Obéissances et aux Quatre Vertus qui définissent la triste condition de mon sexe[1]. *Mon père est loin, mon mari n'est plus et mon fils aîné n'a pas survécu.*

Le Persan m'a achetée. Pourtant, pour la première fois de ma vie, malgré les apparences et le haut mur d'enceinte qui délimite mon ciel, je me sens libre.

Troisième Épouse, concubine ou amie de Babouche Sacrée, peu importe, l'homme est exceptionnel. Cela ne tient en rien à la conception qu'il a des femmes. Il faut voir le traitement plein de hauteur qu'il inflige quotidiennement à ses deux autres épouses. Lorsque sa voix s'élève, les grosses lèvres d'Alouette Empâtée tremblent derrière son éventail en bois de pin de Corée. Quant à Bécasse Frivole, son visage est constamment enduit d'un épais onguent à base de plantes que l'on nomme ici " parure de Bouddha " et qui rend, paraît-il, sa peau granuleuse plus lisse que le jade.

" Aya, aya, geint-elle sans cesse comme une porte mal

---

1. Les trois obéissances que doit la jeune fille à son père, l'épouse à son mari et la veuve à son fils aîné. Les quatre vertus sont les devoirs envers les beaux-parents, le respect au mari, les relations avec belles-sœurs et voisinage.

huilée, quel malheur d'avoir été mariée à ce marchand étranger qui vaut bien le pire des maris chinois ! "

Avec moi, plaise à Guan-Yin et Wen-Shu réunis, il n'en est rien. J'échappe avec lui au sort de l'épouse confinée dans sa chambre fleurie. Quant au devoir conjugal, il m'est totalement épargné. Mieux, Babouche Sacrée n'hésite pas à me présenter ouvertement à la haute société, soucieux de me divertir et heureux de me montrer. J'ai appris ainsi que cet amoureux des arts est un mécène réputé et qu'il est fort apprécié des artistes de la cour.

" Demain, m'a-t-il annoncé au souper, j'aimerais vous faire rencontrer deux de mes plus chers amis. Acceptez d'honorer de votre douce présence le salon de la Courtoise Bienséance. "

Une seule ombre se profile au-dessus des corniches ciselées et des figurines de terre cuite qui dansent sur les arêtes des tuiles : celle de Yikuai. Qu'il me semble étrange de respirer sous le même ciel, dans cette capitale dont il me célébrait naguère l'ocre chaud et le bleu lavande des toits.

Peu importe, je ne veux plus le revoir. »

— Avez-vous entendu parler de la révolte des artisans du brocart au Si-Chuan ? Il paraît qu'ils se sentent menacés par la production de vos fabriques de Kaifeng.

— Ils devraient plutôt s'estimer heureux. Leur région n'a pas souffert des incursions nomades qui nous tarabustent depuis la fin des Tang. Qu'il ferait bon dormir sous les fleurs des abricotiers sans redouter de voir s'élever au-dessus des remparts les fumées blanches de l'alerte.

Shu-Meï contemplait les deux hommes installés à la turque face à leur hôte, sur le grand tapis de lampas rose fané. Le premier était sogdien[1] et de religion nestorienne. C'était un homme grand et sec, aux yeux pers fendus en amande et au nez presque aussi long que celui de Babouche Sacrée. Il parlait peu et s'exprimait dans un chinois presque parfait.

Le personnage avait beau être un grand érudit, quelque chose en lui la gênait. Peut-être son regard trop perçant ! D'après Babouche Sacrée, il avait été l'un des piliers de la Maison de la Sagesse de Bagdad où il traduisait en arabe et en persan les plus célèbres ouvrages sanscrits et chinois.

Le second personnage était, lui, bien chinois. C'était le peintre Li-Cheng, un délicat lettré confucéen dont les magnifiques compositions de paysages sur soie ornaient la chambre de son protecteur.

— Le Khan Ye-Liu-Tö-Kiang est un homme adroit et avisé, répliqua le nestorien au poète. Je doute fort qu'il s'amuse à lancer si vite ses troupes sur Kaifeng.

— Détrompez-vous, depuis qu'il a fondé l'État khitan[2] et qu'il s'est proclamé empereur sur le modèle chinois, ses campagnes militaires lui ont assuré un Empire qui s'étend maintenant de la Mongolie à l'ouest jusqu'à la Mandchourie et la Corée ! Et l'appétit vient en mangeant, comme vous le savez, plaisanta Li-Cheng en coupant court à la gourmandise du nestorien qui venait d'engloutir une demi-douzaine de darioles poudrées à la cannelle en buvant son thé.

— On ne peut gouverner à cheval, répondit tranquillement le voyageur. Pour consolider son pouvoir, un suzerain, même nomade, doit se préoccuper avant tout de ses administrés.

— Sans compter qu'une partie de ses sujets se

1. La Sogdiane correspond à l'Ouzbékistan. Sa ville principale était Maracanda, aujourd'hui Samarkand.
2. En 937, Ye-Liu-Tö-Kiang donne à sa dynastie le nom de Liao d'après celui d'une rivière de Mandchourie.

trouvent être d'origine chinoise, observa à son tour Babouche Sacrée, surtout depuis la récente annexion du nord de ce pays.

Indigné le peintre se leva, sa tasse de porcelaine à la main.

— C'est bien là notre drame. Vous rendez-vous compte que ces Barbares, qui n'ont jamais cessé de déferler jusqu'aux portes de l'Empire, se sont maintenant installés à l'intérieur de notre Grande Muraille. Imaginez ces familles entières lancées sur le chemin de l'exil, paysans délaissant leurs récoltes pillées, aristocrates abandonnant dans leur fuite leur or et leurs bijoux à ces vandales juste capables de chauffer leurs yourtes tendues de cordes de poils avec de la crotte de chameau.

Soucieux de ne pas laisser la conversation s'envenimer, Babouche Sacrée se hâta de faire diversion.

— Vous rappelez-vous cet engouement frénétique pour l'exotisme et les religions étrangères ? Ce tourbillon cosmopolite qui sévissait sous les Tang où l'on poussait la fantaisie jusqu'à s'habiller à la turque et à jouer au polo tout en se prélassant sous des tentes de feutre à la mode nomade ?

— Ahhh... ces rues de Chang-An toutes vibrantes des mélopées du Grand Ouest et ces danseuses de Bactriane qui tortillaient du derrière devant une cour esbaudie par leurs grands yeux verts ! gouailla Li-Cheng qui s'était calmé.

— Eh bien, je me suis toujours demandé si depuis la rébellion de ce perfide An-Lu-Shan[1], le favori tartare de l'empereur Xuan-Zong et de la belle Yang-

1. Fidèle général, An-Lu-Shan faisait partie de ces semi-nomades ralliés à l'Empire qui utilisaient leurs troupes de choc pour se défendre des incursions des Barbares non encore sinisés. Il fut le grand favori de l'empereur jusqu'au jour où en 755 il essaya de renverser ce dernier pour prendre sa place sur le trône.

Gui-Fei, les Chinois n'avaient pas été dégoûtés de leur confiance en l'« étranger ».

— Mais il y a de quoi, renchérit le peintre. Sans vouloir vexer notre ami Abu Malik qui partage les mêmes origines, la Chine des Tang ne s'est jamais remise de cette guerre civile provoquée par les ambitions de ce Sogdien de mère turque, ajouta-t-il en lançant une œillade en direction du nestorien.

— Vous avez raison, soupira ce dernier. Non seulement sa trahison a sonné le glas de l'Empire, mais elle a depuis coloré l'air d'une certaine xénophobie. Ma religion n'a-t-elle pas du coup été bannie des Portes Célestes un peu moins d'un siècle plus tard en même temps que le bouddhisme, le zoroastrisme et le manichéisme[1] ?

— Notre Empereur n'est-il pas lui-même d'origine turque ? risqua soudain Shu-Meï d'une petite voix.

Dans un ensemble parfait, les deux hommes tournèrent un visage ébahi vers la jeune femme qui les écoutait, sagement assise en retrait.

Bécasse Frivole, qui venait de déposer sur la table basse un panier de serviettes chaudes et un nouveau plat de baraquilles de pigeonneau au sucre, haussa les épaules avant de disparaître dans un frou-frou d'oiseau indigné.

Un maître de maison qui privilégiait de manière aussi éhontée sa dernière concubine et qui, de surcroît, la laissait s'exprimer en compagnie des hommes ne pouvait qu'attirer le désordre sous son toit. Elle saurait bien un jour rabattre le caquet de

---

1. En 845, c'est le bouddhisme qui fut surtout attaqué pour les richesses insolentes de ses monastères. Cela n'empêcha pas de continuer à le pratiquer.

cette provinciale à la grande bouche « huileuse » !

Babouche Sacrée sourit devant l'à-propos de sa protégée.

— Assurément, tout comme son prédécesseur, notre Empereur est un Turc shatuo [1], mais sa famille, quoique originaire du Gobi, s'est depuis longtemps sinisée.

— Pas tant que ça ! s'indigna l'artiste en époussetant les nuages de son plastron vert d'eau. N'a-t-il pas pris pour seconde épouse la maîtresse de son père décédé ? Voilà qui est du plus choquant pour le pur Chinois que je suis. Ce sont là habitudes provocantes et incestueuses que l'on ne rencontre que chez les Barbares... Enfin, dit-il en s'essuyant délicatement la bouche, à force de quémander l'aide d'autrui, un jour ou l'autre, nous aurons un empereur khitan à Kaifeng.

Le nestorien cracha élégamment dans le bol en forme de crapaud prévu à cet effet, puis s'adressa à Babouche Sacrée dans un dialecte bizarre. Les deux hommes conversèrent un instant en jouant des manches et des phalanges de la façon la plus comique.

— Ils parlent sogdien, murmura Li-Cheng en se rapprochant de Shu-Meï. Ce dialecte persan est depuis longtemps la langue de communication de toute l'Asie centrale.

Shu-Meï le remercia pour cette précision. Elle appréciait la fougue de ce personnage original qui ne mâchait jamais ses mots.

— Pardonnez au passionné que je suis son flot de paroles mal endiguées, continua ce dernier en riant... Mais j'aime mon pays. Il m'arrive de taquiner Abu

---

1. Horde turque alliée à laquelle les Tang avaient fait appel pour mater la rébellion de Houang-Tchao qui dura de 874 à 883.

Malik. Les propos de notre ami ne sont pas toujours insensés mais je doute qu'il comprenne un jour ma douleur.

Piqué au vif, le nestorien se tourna vers son compagnon.

— Détrompez-vous, mon cœur d'exilé bat aussi pour sa patrie perdue. Néanmoins, mon expérience de par le monde me permet de nuancer mon jugement en ce qui concerne le chef des Khitan.

— Notre ami a vécu longtemps à sa cour, souffla Babouche Sacrée à l'oreille de la jeune fille.

— Le Khan est un homme fort curieux de nature et très tolérant, reprit le nestorien. Il s'est toujours montré avide de savoir comment les peuples étrangers gouvernaient leurs royaumes. C'est sa soif de connaissances qui le pousse à s'entourer de marchands syriens mahométans, d'astrologues ou de chrétiens nestoriens comme moi. Il aurait certainement beaucoup de plaisir à converser avec une femme aussi jolie et aussi pertinente que vous.

Abu Malik accompagna ses propos d'une galante courbette à l'adresse de Shu-Meï.

— J'y consentirais volontiers s'il quittait les provinces qu'il nous a arrachées, répondit vivement cette dernière.

Li-Cheng lorgna Shu-Meï avec intérêt. Sa fougue valait de loin celle de tous ses amis opposants réunis.

— Ma protégée tiendrait-elle en secret le même raisonnement à notre égard ? insinua doucement Babouche Sacrée. Ne sommes-nous pas aussi des étrangers ?

— Mais vous n'essayez pas de nous conquérir !

— Peut-être parce que nous sommes moins nombreux.

— En tout cas, conclut le lettré chinois, il devient

urgent de défendre notre pays et notre culture si nous ne voulons pas être transformés en mottes de ce beurre rance qu'affectionnent particulièrement ces rejetons d'éleveurs des steppes.

Tout en fixant le bec d'oiseau de l'aiguière de laque noire qui lui rappelait le profil du nestorien, Shu-Meï se demanda brusquement si Yikuai œuvrait lui aussi pour les Khitan.

Lorsque Shu-Meï retrouva Babouche Sacrée pour lui présenter ses vœux de quiétude vespérale, ce dernier l'accueillit dans le salon particulier attenant à sa chambre. Cette pièce était entièrement tapissée d'un tissu précieux si léger qu'il semblait couler sur les panneaux de bois cendré.

— Cette mousseline vient du royaume de Moussoul, lui expliqua-t-il. J'aime rêver devant les lions, les éléphants blancs et les gélinottes au bec vermeil qui dansent sur ses reflets fluides. Ils soulèvent le sable de mes souvenirs.

Shu-Meï respectait cette pièce-sanctuaire où Babouche Sacrée avait rassemblé tous les objets auxquels il tenait, fidèles compagnons de ses voyages.

— Je n'en ai gardé que peu..., aimait-il à répéter. La sagesse recommandait au voyageur solitaire de ne pas s'encombrer de bagages sur les routes. Imaginez le nombre de chameaux ou d'esclaves qu'il m'aurait fallu pour acheminer jusqu'ici toutes les merveilles qui s'échangeaient sur la Route de la Soie, tapis brodés de Syrie, miroirs, argenterie de Perse, bijoux et verreries de Sogdiane, vases en or, statuettes, manuscrits indiens... Sans cette route qui doit son origine au précieux commerce de chevaux que les Chinois échangeaient contre leurs soieries, vous n'auriez jamais goûté au raisin, aux noix et aux grenades [1] dont vous vous délectez devant moi avec autant de gourmandise.

Ce soir, Babouche Sacrée était fatigué. La visite s'était prolongée tard. Il l'invita néanmoins à s'asseoir et lui demanda ce qu'elle pensait de ses amis.

Shu-Meï hésita.

— J'aurais plaisir à revoir le peintre Li-Cheng. Sa fantaisie et ses idées me plaisent. En revanche, j'apprécie moins l'opinion laxiste de votre compagnon nestorien.

En son for intérieur, elle se demandait même si ce dernier n'était pas à Kaifeng afin d'espionner la cour pour le compte de l'envahisseur.

— C'est pourtant l'un de mes plus vieux amis, insista le Persan. Vous ai-je dit que nous avions ensemble parcouru une bonne partie de la Route de la Soie ? Je l'ai rencontré à Kâshgar d'où vient ce luth en bois de santal.

Babouche Sacrée désigna l'objet posé sur une étagère à côté d'une bouteille en agate et d'un verre en cristal de roche.

— Abu Malik a fui l'Islam comme beaucoup de nestoriens. Vous apprendrez à le connaître et à apprécier sa fidélité, j'en suis certain.

Shu-Meï caressa évasivement l'œuf d'autruche que le marchand avait naguère rapporté de Balkh.

Elle ne demandait qu'à en être convaincue.

« Ce matin, Babouche Sacrée est rentré fort soucieux du palais. Je n'ai pu m'empêcher de le questionner sur ce qui le chagrinait. Tout en tordant les boucles de sa barbe, il m'a avoué avoir entrevu Yikuai.

1. Introduits au IIe siècle avant J.-C.

— Il sait que vous êtes à Kaifeng et il désire vous revoir.

Mon cœur a bondi. Je me suis laissée choir dans le fauteuil où Alouette Empâtée venait de déposer son ouvrage. Je ne sais si c'était d'angoisse, d'appréhension ou de rage. Toute la Corée et la mort de Yi-Shou me sont remontées en mémoire.

En même temps, dois-je l'admettre, il me semble que tout en le redoutant, j'attendais secrètement ce moment-là. Le ciel rose qui s'élève au-dessus des toits de Kaifeng n'avait-il pas un parfum singulier depuis que je savais que, de par sa fonction, Yikuai tôt ou tard me retrouverait ? »

— Je ne veux plus le revoir, je vous l'ai déjà expliqué, avait rétorqué Shu-Meï à l'annonce de la nouvelle. Cet homme m'a fait trop de mal.

Son émoi n'avait pas échappé à Babouche Sacrée. Il s'était empressé de la calmer et avait demandé à Chameau Fatigué de leur apporter du thé à la menthe.

— Vous vous emportez trop lorsque vous parlez de lui. Pourquoi ne pas faire l'effort de l'affronter, ne serait-ce qu'une fois, pour lui dire ce qui vous pèse sur le cœur ? Ma gazelle ne s'en portera que mieux. J'en suis sûr.

Shu-Meï n'en était pas persuadée. Se repiquait-on pour le plaisir avec l'aiguille qui vous avait blessée ?

Au petit matin, elle décida de suivre le conseil de Babouche Sacrée. Perdue en pleine mer de Chine, accrochée à son épave, n'avait-elle pas prié les dieux de la sauver afin de montrer un jour à Yikuai qu'elle avait pu s'en sortir malgré lui !

19

Devant sa fenêtre ouverte, Yikuai contemplait la grande terrasse de marbre blanc, vidée de ses gardes à cette heure creuse de la journée.

Saluant le soleil de l'Orient au couchant, s'élevaient de l'autre côté du bassin les colonnes d'azur peintes à l'or fin des pavillons officiels de la Jouissance Avivée et de l'Étiquette Empesée. L'un abritait la cour des Banquets Impériaux rattachée au ministère des Rites et l'autre, le département du Secrétariat impérial.

Yikuai fronça les sourcils. Une silhouette venait de surgir entre deux rangées de pois grimpants. Serrant frileusement sa robe aux tons muscade retenue par sa ceinture de jais à fermail ciselé de licornes, le chancelier Zhao-Lin en personne se dirigeait à petits pas pressés vers l'enceinte intérieure du Palais d'Hiver.

Qu'allait-il donc faire du côté de la Cité Interdite si ce n'est fricoter dans les appartements de Dame Pan ? Cela faisait un moment qu'il soupçonnait l'honorable sœur de l'Empereur d'être la principale instigatrice de cette conspiration qu'il essayait d'endiguer dans le plus grand secret. Enfin...! Le dignitaire chassa une guêpe du revers de la main.

La jeune protégée de Dame Hue avait été annoncée.

Dans quelques minutes elle se prosternerait devant lui. Une vague appréhension gâchait presque son impatience à retrouver celle qu'il n'avait jamais pu vraiment oublier.

Combien de temps s'était écoulé depuis leur dernière rencontre à Guilin ? Il soupira et referma soigneusement la fenêtre.

— Celle que vous avez exilée en échange de ses modestes services est de retour, entendit-il alors dans son dos.

Yikuai fit volte-face.

Shu-Meï n'avait pas attendu la permission du majordome en culotte de peau à tricouses rayées pour s'introduire dans le cabinet de travail. D'une courbette sèche, elle s'inclina devant le Censeur à la cour impériale.

— Je doute que vous soyez vraiment heureux de me revoir. Peut-être même auriez-vous préféré me savoir morte !

Étonné, Yikuai la dévisagea. Elle était restée telle que dans ses souvenirs. Diaphane, lumineuse comme le cœur d'une orchidée. La même arrogance bombait son front lisse. Seule sa moue d'enfant s'était durcie. Il nota que sa chevelure courte accentuait la jeunesse de ses traits.

Shu-Meï refusa obstinément le siège qu'il lui tendait. Sans paraître s'en offusquer, le dignitaire s'assit de son côté en faisant tinter les breloques de jade en forme d'abeille qui boutonnaient le haut col de sa robe.

— Quel ressentiment motive notre précieuse amie pour proférer d'aussi insultants propos à mon égard ?

— Oseriez-vous encore vous le demander ?

Plus troublé qu'il ne voulait le laisser paraître, Yikuai avala un fond de thé qui traînait dans une tasse, puis plongea ses yeux froids dans ceux de Shu-Meï.

— Je déplore que vous ayez perdu votre époux dans d'aussi sordides circonstances... mais ne devriez-vous pas plutôt adresser votre colère au destin ou aux caprices de la nature ?

Sa sincérité fabriquée l'horripilait. De qui tenait-il ses renseignements ? Le turban de Bouille de Suif se profila soudain au-dessus du vase en émail cloisonné qui décorait l'un des guéridons de laque rouge.

Elle releva le menton.

— Aviez-vous peur que je manque à mes devoirs pour me faire épier dans le pays où vous m'aviez envoyée ?

Yikuai fit claquer le couvercle de sa tabatière et la toisa avec hauteur.

— Allez-vous me tenir rigueur de m'être préoccupé de votre sort alors que je ne recevais plus aucune nouvelle de votre part ?

— Il fallait vous en soucier avant de me promettre monts et merveilles et m'expédier dans ce bagne où vous n'auriez pas laissé croupir le dernier de vos chiens. Vous voudriez peut-être que je vous témoigne à présent ma reconnaissance le front contre terre ?

Le dignitaire se leva, glacial.

— L'épouse d'un timoré incapable de s'élever sans les bons offices de sa femme s'en serait à votre place contentée.

— Je ne m'étonne plus que notre Empire se meure avec des gens de votre petitesse au pouvoir !

Brassant la soie de ses robes, Shu-Meï s'était détournée sans ajouter un mot.

La porte grinça désagréablement aux oreilles du dignitaire. Il entendit ses pas décroître rapidement dans le corridor puis le silence l'enveloppa. Songeur, il caressa un long moment le pinceau en poil de lièvre qui trempait dans son godet de faïence, puis il saisit son encrier de pierre noire à pleines mains et le projeta avec rage contre la boiserie.

— Maître, la Dame Hue est arrivée. Dois-je la faire patienter ?

Agacé, Yikuai contempla le valet aux joues caves qui lorgnait d'un air affolé les débris qui jonchaient le parquet.

« Nom d'un cloaque de mahométan fourré ! » Il en avait oublié la visite de la duchesse. Qu'allait-elle encore lui demander ? Il ne manquait plus que sa venue pour lui gâcher complètement sa journée.

A peine Shu-Meï avait-elle franchi les deux portes de l'antichambre qu'elle se trouva nez à nez avec la Hue.

Après un haut-le-corps de surprise, cette dernière sourit en reconnaissant sa protégée.

— Ainsi notre précieux lys des marais est enfin de retour parmi nous.

Shu-Meï balbutia. Les derniers mots de Yikuai crissaient dans sa tête comme du cristal pilé.

— Sortiriez-vous du bureau de ce coquin de Censeur ? Méfiez-vous, il a l'âme plus galante qu'une hirondelle de printemps. Je crois d'ailleurs que vous en savez quelque chose... (La Hue gloussa d'un air entendu.) Aucune jeunette de la cour ne lui échappe. Il brise les cœurs à la machette. Hihihi !

— Les machettes se brisent parfois sur les cœurs de pierre, répondit Shu-Meï en maîtrisant mal son énervement... Veuillez excuser votre protégée, elle serait déjà venue vous présenter ses vœux de quiétude si elle n'avait pas été dans l'ignorance de votre présence à Kaifeng.

La duchesse releva les pans de son étroite redingote de velours et s'apprêta à gravir les quelques marches de l'escalier.

— En visite, ma chère, pour quelques mois seulement. Les chaleurs de Guilin sont tellement insupportables !

Tout en s'esclaffant, elle fit bouffer son chignon dans le reflet d'une potiche en bronze.

— Eh oui, depuis que mon époux tient les rênes du Guang-Xi, son épouse délaissée s'échappe. Il faut avouer que la politique de notre petit royaume se règle aussi à Kaifeng. Il y a tant à faire à la capitale, ajouta-t-elle d'un air gourmand. Venez donc me rendre visite au palais de l'Agate Enfumée, je vous présenterai aux plus beaux partis de la cour et nous reprendrons en secret nos si charmants petits conciliabules.

Shu-Meï frappa à la Porte Basse de la demeure de Babouche Sacrée et respira les effluves des seringats qui ployaient au-dessus de l'enceinte.

En voyant le dignitaire, dos à elle, perdu dans ses pensées, la haute silhouette lui était apparue tout à coup familière. Lorsqu'il s'était retourné, grave, presque inquiet, elle avait dû combattre le souvenir de leur dernière rencontre qui lui remontait à la tête comme une odeur de foin coupé : une faiblesse qui lui avait coûté cher. Son agressivité s'en était trouvée décuplée.

Pour couronner le tout, l'apparition de la Hue n'avait fait qu'accentuer son malaise. Loin de la dérider, cette rencontre inopinée était venue remuer la puanteur encore fraîche de son passé à Guilin.

La porte s'ouvrit soudain. Précédé de Chameau Fatigué, Babouche Sacrée venait raccompagner Abu Malik jusqu'à sa litière.

— Notre ami tenait à nous saluer avant son départ imminent chez les Khitan, lui annonça le marchand abrité sous le dais huilé de son parasol.

— Je n'ose proposer à notre ardente championne de l'intégrité chinoise d'accompagner le rejeton de mouflon racorni que je suis, plaisanta le nestorien en saluant cavalièrement Shu-Meï.

— Elle a peut-être tort de ne pas vous suivre. Les paysages du Grand Nord sont si mélancoliques sous les neiges de printemps. Je suis sûr qu'ils raviraient son âme !

Shu-Meï se prosterna devant les deux complices aux barbes tressées. Les yeux de Babouche Sacrée se plissaient de malice.

— Merci, je n'ai guère envie de goûter au lait de jument caillé. Je laisse à d'autres le soin de jouer aux dés le sort de la Chine sous une yourte.

Sans plus attendre, elle passa son chemin.

Installée sous le kiosque aux Canards Vermeils, Alouette Empâtée lui adressa un petit signe timoré, aussitôt rabrouée par les graillements de Bécasse Frivole qui ne quittait pas d'un œil son aînée.

Avait-on idée de manifester sa sympathie à l'égard d'une traînée qui errait seule dans les rues de la capitale ?

Elle planta sèchement sa tranche d'osmanthe dans le vase que lui tendait Alouette Empâtée et regarda sa rivale s'éloigner.

Tiens, tiens, qu'avait donc la Troisième Épouse, aujourd'hui ? Elle semblait plus désemparée qu'un cerf-volant dont on aurait coupé la corde. Dorénavant, il faudrait qu'elle soudoie cette grosse tourte de Chameau Fatigué pour savoir où cette dariole passait ses après-midi !

— Ce n'est pas tant que nous manquons de soldats, mais comment voulez-vous combattre ces cavaliers des steppes alors que nous sommes si pauvres en chevaux ?

— Il est vrai que nous n'avons jamais pu rivaliser avec les Barbares dans ce domaine. Je dirais même que du jour où nous n'avons plus été capables de protéger nos régions d'élevage du Gansu et du Shanxi des incursions nomades, notre vulnérabilité en a été accrue. Privés de notre principal moyen d'intervention, nous voilà maintenant repliés au Henan, dépendants de ces Ouigours [1] qui nous vendent à prix d'or leurs plus mauvaises rosses.

Shu-Meï leva la tête. Li-Cheng discutait avec véhémence en compagnie d'un petit homme sombre aussi noueux qu'un tronc de mûrier.

Le grand salon du maréchal Gao était bondé. Une bande d'oies cacardant autour d'un nid de frelons n'aurait pas produit plus assourdissant vacarme.

Shu-Meï avait hésité avant d'accepter l'invitation de la Hue. Soucieux de la distraire, Babouche Sacrée avait fini par la convaincre en lui glissant que le peintre lettré, également convié à cette mondanité, manifestait le désir de la revoir.

Les larges treillis des portes à glissière s'ouvraient sur d'interminables parterres d'hibiscus et d'orchidées entre lesquels serpentaient quelques couples tendrement enlacés.

Gao poussait même le luxe jusqu'à faire éventer des centaines de vasques remplies de jasmin et de fleurs exotiques à l'aide d'une roue à vent, afin de permettre à leurs effluves d'embaumer ses appartements.

Une foule de gentilshommes vêtus de soies virevol-

1. Nomades peuplant la région du Gansu, au nord-ouest de la Chine.

tantes et de *pu-tou*[1] de gaze audacieusement colorés se pressaient autour des femmes serrées dans leurs atours tissés de plumes d'aigrette ou de martin-pêcheur.

— Avez-vous remarqué comme les femmes du Nord jouissent d'une plus grande liberté ? chuchota la duchesse en étalant gracieusement sa jupe « double papillon » sur une chaise basse aux pieds croisés.

Elle pencha son décolleté gansé de pourpre fané vers Shu-Meï.

— Probablement l'influence du matriarcat barbare !

Flanqué d'une beauté hautaine dont les petits pieds bandés[2] ressemblaient aux cornes d'un croissant de lune, le maître des lieux vint respectueusement saluer la Hue.

— Ainsi, votre protégée nous arrive-t-elle aussi de ces contrées du Sud ! Amitabhâ, que je m'y sentirais exilée ! gloussa sa compagne. Est-il vrai que votre lune y est carrée et que les autochtones de vos marais ressemblent à des singes ?

— Nous y défendons comme vous les sources vives de la tradition chinoise, répliqua sèchement Shu-Meï.

Gao, gêné par les balivernes de sa Grive des Champs, s'était hâté d'appeler le peintre à sa rescousse.

— Qu'en pensez-vous, Li-Cheng ?

— Qui dit tradition dit « Classiques », bafouilla le lettré en s'accrochant à la dernière phrase de Shu-Meï. Le confucianisme assure l'ordre de l'État. C'est sa doctrine qui a bâti l'Empire. Si nous n'avions pas

1. Chapeaux-turbans.
2. La mode des pieds bandés date de cette époque. La légende l'attribue à Li-Yu, l'un des suzerains des Dix Royaumes, qui avait par coquetterie demandé à sa favorite de se comprimer les pieds à l'aide de bandelettes.

291

insidieusement délaissé les enseignements de Maître Kong au profit des lumières de la passivité bouddhiste, notre harmonie...

— Excellent, mon cher. Excellent.

Tout en bâillant bruyamment, Gao s'excusa de devoir abandonner les plus brillants joyaux de sa fête et pria Li-Cheng de le suivre pour un entretien dans son cabinet privé.

La duchesse se tourna vers Shu-Meï.

— A propos, comment se sont passées vos retrouvailles avec notre charmant Censeur ? Ce dernier m'a paru l'autre jour plus retourné qu'une crêpe de riz... Il est vrai que vous feriez perdre ses esprits vitaux à un âne de pierre, ma jolie !

Shu-Meï ne répondit pas. Elle se demanda si c'était Yikuai que la duchesse comparait maintenant à un âne ! Croquant distraitement une petite prune à peau nacarat qui trempait dans une coupe en porphyre vert, elle surprit le sourire sulfureux de la Hue en direction d'un gandin en pourpoint crème chaussé de bottes à soufflet.

— Dieux des saints bouddhiques, je vous ennuie ! reprit cette dernière en se tapotant sur les joues pour en raviver l'éclat. Je vous submerge de mes fadaises alors que votre jeune et si « brillant » époux n'est hélas plus de ce monde.

Shu-Meï la dévisagea. Se moquait-elle ?

— Auriez-vous des nouvelles de mon père ?

— Elles sont excellentes, ma chère. Notre commissaire à la pacification nous fait une fois de plus la preuve de ses loyaux services en exerçant sa vigilance sur notre frontière du Champâ... A propos, pourquoi ne revenez-vous pas avec moi à Guilin ? Votre condition de veuve ne vous rappelle-t-elle pas au manoir ?

— Le destin a soufflé mes pas jusqu'ici. Mais je

pense en effet rentrer un jour au Guang-Xi, répondit Shu-Meï avec dignité.

La duchesse éclata d'un rire frais et fit basculer en arrière le papillon d'ambre qui décorait son lourd chignon.

— J'ai appris que vous partagiez à présent la couche d'un marchand juif. Est-il vrai ? Une Tsao ne pouvait-elle mériter mieux ?

Shu-Meï rougit sous l'allusion. Une épouse vertueuse, même veuve, ne vivait que pour son seul mari. « Est-ce qu'un bon cheval porte deux selles », disait l'adage. En tout cas, la Hue pouvait parler ! Au même instant, elle aperçut un ignoble petit nain vêtu de jaune qui se livrait dans son coin à un plaisir des plus solitaires. Ce dernier lui sourit béatement.

Écœurée, Shu-Meï détourna rapidement le regard de la monstrueuse asperge blanchâtre que la main grassouillette triturait.

Que faisait-elle au milieu de cette débauche ? Kaifeng était pire que Guilin.

Une jeune femme au front fardé s'esclaffa grassement en s'installant à califourchon sur les genoux d'un coquet fonctionnaire qu'elle se mit à chevaucher de façon obscène.

— Votre bon ami Yikuai m'a fait la grâce de m'envoyer en Corée, répondit Shu-Meï sur un ton acide. Si « le Juif », comme vous dites, n'avait pas eu la bonté de me recueillir, je siégerais à l'heure qu'il est devant le Tribunal des Régions Infernales.

La duchesse lui tapota gentiment le dos.

— Par les œufs pourris de la mère Tang, je plaisantais, ma chère. Réfléchissez tranquillement à ma proposition. Je ne pars pas tout de suite... D'ici là vous aurez le temps de vous lasser de vos thés parfumés à la gelée de rose.

La duchesse s'interrompit brusquement devant le brouhaha fébrile qui agitait le parterre d'invités.

Vêtu de pourpre officiel, sa poche-poisson accrochée à la taille, un individu à la bouche de merluchon frit venait de faire une entrée remarquée, un aréopage de courtisans agglutinés à ses basques comme des vermiceaux autour d'un fruit pourri.

— Je vous quitte, chuchota-t-elle, mes devoirs m'appellent. Notre ministre Zhao-Lin nous fait le grand honneur de sa visite.

Dans un même élan, le bellâtre à la jaquette beurre frais qu'elle couvait avec attendrissement se leva pour lui saisir galamment le bras.

Ses favoris arrondis en éventail et sa moue d'enfant gâté avaient-ils déjà supplanté Yikuai dans le cœur de l'intrigante ?

Le regard de Shu-Meï se fixa sur le ministre qu'une demi-douzaine de laquais pommadés débarrassaient avec empressement de son étole en loutre argentée. S'agissait-il de ce chancelier dont lui parlait Babouche Sacrée, celui en qui l'opposition mettait toute sa confiance ?

Sa tête de putois déplumé et ses petits yeux ronds d'œufs d'esturgeon lui inspiraient le plus grand dégoût. Yikuai était peut-être odieux, mais il avait pour lui prestance et élégance. Zhao-Lin, lui, ressemblait à un pet soufflé, bouffi de suffisance.

— Je me présente, Roupillon Bavard pour les intimes, préposé aux Quatre Offices et aux Six Bureaux, chargé de la décoration des plats de Sa Majesté.

Shu-Meï sursauta. Le personnage joufflu la salua d'une triple courbette avec la raideur d'un pilon broyant de l'ail cru.

A cet instant, un hurluberlu au crâne entièrement rasé — à l'exception de sa frange en balayette et de deux mèches de cheveux sales flottant sur ses tempes — surgit derrière un panneau de bambou moucheté en brandissant un fouet à queue de cervidé.

— Nom d'un furoncle éclaté ! C'est encore le fils de Gao qui fait des siennes. Il aura potaillé jusqu'à être saoul comme une grive.

— Gardes, à moi !

Entre deux pyramides de mandarines confites et de « nids de délices », une vieille potiche réveillée en sursaut contemplait l'énergumène avec horreur.

— Imiter la coiffure des Khitan, quel scandale !

— C'est du plus mauvais goût. Regardez la tête de notre ministre, on croirait qu'il s'est assis sur son tue-mouches !

— Qu'a-t-il donc fait de si terrible ? demanda Shu-Meï à son voisin. Est-ce plus répréhensible que de forniquer à la vue de tout le monde ?

— Il s'est coupé les cheveux au sabre pour imiter ces sauvages. Voyez ses bottes hautes et sa robe boutonnée sur le côté gauche. Il a même poussé le culot jusqu'à s'habiller à la nomade le soir où son père invite le grand chancelier. C'est de la pure provocation !

— Savez-vous que les Loups Bleus portent leurs robes plus ajustées que le fourreau de leurs épées ? minauda une gourgandine derrière le préposé aux plats.

— Il paraît que les sujets du Khan n'ont pas le droit de se couvrir le chef, même en hiver. C'est mon mari qui en ferait une tête... Lui qui prend froid dès qu'il se décalotte !

— Eh bien, qu'ils crèvent dans leur désert gelé jusqu'au dernier et qu'on en soit débarrassé.

— Qui sait si nous n'y parviendrons pas plus tôt que vous ne le pensez, énonça pompeusement Roupil-lon Bavard en se tournant vers les mijaurées.

Tandis que le maréchal, écarlate, se confondait en excuses devant son invité d'honneur, deux molosses en livrée s'étaient précipités pour ceinturer son fils.

— Bande de chie-dans-l'eau, c'était pour plaisanter ! hurla ce dernier en se débattant furieusement. Au lieu de marmonner, lèvres pincées, comme si vous aviez peur d'avaler les mouches, dites-le donc tout haut que vous voulez en finir avec l'Empereur ! Ahahah... Si vous aviez vu vos gueules d'empeigne... Ciel, les Khitan ! Hahaha... Qu'attendez-vous donc pour agir ?

Une rumeur glacée suivit ses propos. Quelques personnes sortirent précipitamment dans le parc en prétextant le coucher du soleil. Quant à Roupillon Bavard, il avait disparu comme par enchantement.

Accompagnée d'un eunuque flottant dans un manteau de taffetas gris tourterelle, une femme au buste trop long se leva et prit sèchement congé de son hôte.

Shu-Meï l'avait repérée depuis le début de la fête, trônant sur le divan d'honneur comme un vieux dragon dans sa cape à ailerons empesés, occupée à lorgner les convives d'un air hautain tout en complotant d'une voix feutrée.

Elle avait été frappée par son maintien et par la sécheresse de ses traits.

— C'est la sœur de l'Empereur, lui glissa Li-Cheng qui s'était à nouveau rapproché d'elle.

— Est-elle aussi contre son frère ?

Le peintre la regarda d'un air étonné. Shu-Meï sourit. La brise faisait frissonner ses manches comme deux élytres. Cet incident grotesque était tombé à point pour lui permettre de respirer l'air du jardin.

— Ne saviez-vous pas que les petites oies de Guilin avaient, elles aussi, des yeux et des oreilles ?

Li-Cheng éclata d'un rire franc et se laissa tomber sur un banc vermoulu en invitant Shu-Meï à prendre place à ses côtés.

— Il m'est permis de vous faire la cour, plaisanta-t-il, puisqu'ici tout le monde sait que je n'aime pas les femmes.

— Ni l'Empereur, m'a-t-il semblé.

Non loin d'eux sous une charmille, une adolescente aux jupons relevés se faisait butiner sur une balancelle par un homme en redingote mauve. Accroché aux cordes de l'escarpolette, ce dernier, encouragé par les gloussements concupiscents de ses compagnes, imprimait à celle-ci un mouvement des plus éloquents.

— Comment pouvez-vous côtoyer des gens aussi superficiels et dépravés ?

Li-Cheng, que ce plaisir champêtre avait un instant distrait, s'efforça de reprendre son sérieux.

— C'est le même but qui nous unit. La vie facile à la cour ramollit les mœurs, de quelque bord que l'on soit.

— Croyez-vous sincèrement que vos amis luttent pour l'idéal qui vous anime ? Ne serait-ce pas plutôt pour défendre leurs prérogatives ou leurs intérêts personnels ?

Malgré le soir qui tombait, il lui sembla voir rougir Li-Cheng.

— L'important est de ne pas vendre son âme aux Khitan et de préserver la culture Han, se hâta-t-il de répondre.

Shu-Meï glissa de son siège pour cueillir une poignée de renoncules. Les fleurs coupées à la tige grasse tranchaient sur le bleu indigo de sa jupe. Elle fronça les sourcils.

— Notre Premier ministre est-il vraiment digne à vos yeux du titre de Fils du Ciel ?

Le peintre sursauta.

— Qui vous dit que Zhao-Lin cherche à monter sur le trône ?

— Pourquoi me cacher l'évidence ?

Tout en gardant un œil sur le petit marquis qui se faisait à présent déshabiller dans l'herbe par les trois jeunes filles, Li-Cheng soupira.

— Pensez-vous que l'empereur Shi-Jin-Tang mérite la place qu'il a usurpée en installant les Khitan à l'intérieur de la Grande Muraille ? Par sa soif de pouvoir, il a trahi l'intégrité de notre terre sacrée et cela, aucun Fils du Ciel n'avait encore osé le faire !

— Cela explique-t-il que sa famille elle aussi complote contre lui ?

— Rien n'est simple..., avoua Li-Cheng à voix basse, en fixant cette fois-ci l'eau trouble du bassin. La cour a toujours été un centre d'intrigues attisées par les liaisons, les rancœurs, le profit, l'influence malveillante des eunuques du gynécée, comme l'ennui et l'oisiveté... Cependant notre Empereur devient fou. Dame Pan, sa sœur, ne lui a jamais pardonné d'avoir pris pour seconde épouse l'ancienne maîtresse de leur père. Il y a deux mois, la jolie I-Li a été retrouvée coupée en deux, sa tête plantée dans la mangeoire de son cheval préféré. Ce matin-là, lorsque Shi-Jin-Tang se réveilla, il n'en crut pas ses yeux. On avait, dans la nuit, pris soin de déposer à son chevet le vase de cristal où nageaient ses précieux poissons-papillons. Au milieu des nageoires transparentes, un étrange lambeau rosâtre s'effilochait comme une darne rongée. Il s'agissait tout simplement du sexe de sa bien-aimée. Depuis, le Dragon arrache ses cinq griffes[1]

---

1. Le Dragon aux cinq griffes est le symbole impérial.

au fil de ses nuits blanches. Il soupçonne sa sœur d'être l'instigatrice de ses malheurs et s'enfonce dans la plus sombre démence.

— N'était-ce pas le but recherché ?

— Depuis quelques jours, les faits se sont précipités. Voilà que dans sa terreur des Barbares et dans son obsession à leur acheter la paix, il aurait envoyé à Yen-Tchou un messager lui chercher une princesse khitan en remplacement de I-Li. Pis, on dit aussi qu'il aurait promis de leur céder deux de nos précieuses mines de cinabre au Hunan dans lesquelles sa famille possède de juteux intérêts... Vous comprenez à présent pourquoi la guerre est désormais ouverte entre l'Empereur et sa famille !

— Et l'Impératrice ? Vous n'en parlez jamais.

— La Dame aux Yeux de Lune a préféré se retirer loin de toute agitation terrestre. Elle s'est enfermée dans un couvent.

La nuit les enveloppait à présent. Au loin, la fête avait repris et les violons à deux cordes écorchaient l'air de leurs plaintes aigrelettes.

Brusquement, Shu-Meï pensa au nestorien qui était parti chez les Khitan. Ne serait-il pas un envoyé de Shi-Jin-Tang ?

— Rentrons, voulez-vous, j'ai froid.

Shu-Meï s'appuya sur la tablette à encens en bois de sophora qui faisait face à son châlit. Sa tête tournait. Li-Cheng l'avait raccompagnée. Elle avait salué Babouche Sacrée qui jouait aux échecs en compagnie de ses deux épouses, et s'était retirée discrètement sans souper à la grande satisfaction de Bécasse Frivole qui essayait ce soir-là un nouveau masque de jouvence qui la faisait ressembler à un lézard.

Sa soubrette passa la tête dans l'entrebâillement

de la porte. N'avait-elle besoin de rien ? Shu-Meï ne l'entendit même pas. La suite de sa conversation avec le peintre résonnait encore à ses oreilles.

Une fois installée dans la litière, elle lui avait demandé ce que signifiaient les derniers mots du fils du maréchal Gao.

— Si j'ai bien compris, vous désirez supprimer la vie de l'Empereur, celui-là même qui a reçu l'investiture du Ciel, n'est-ce pas ?

Le visage de Li-Cheng s'était contracté. Il s'assura que le maître d'équipage ne pouvait l'entendre.

— Avons-nous le choix ?

— Cela doit vous être aisé, vu le nombre d'assassinats que les murs du palais ont déjà dû étouffer.

— Détrompez-vous. Depuis une première tentative concoctée par son cousin germain, aidé des frères de l'Impératrice, la méfiance du Fils du Ciel est sans borne. Il a même fait étrangler ses chats sous prétexte que l'on pouvait tremper leurs griffes dans du poison.

— Il fait donc goûter à tous ses plats ?

— A trois reprises, car il existe des poisons à effet lent. Voilà pourquoi notre Empereur mange toujours froid. Quant à sa boisson, une garde spéciale y veille nuit et jour.

— Ne pouvez-vous soudoyer l'un de ces éléments ?

— Trop risqué.

— Alors une de ses concubines, peut-être ?

L'opposant ne sembla pas relever l'ironie de son ton. Il parlait vite, sur un rythme saccadé.

— Impossible : chaque soir, l'heureuse élue choisie par l'Empereur sur les Tablettes Sacrées est roulée nue dans une couverture et portée sur le dos d'un eunuque jusqu'à la chambre impériale. Cela, afin d'éviter qu'elle ne cache une arme sur elle.

Les rues étaient désertes. Il fallait se hâter avant le

couvre-feu. Au-delà de l'heure du Chien[1], on ne frappait plus les veilles à Kaifeng, car cela aurait réveillé les fantômes malfaisants des condamnés que l'on exécutait naguère à la tombée de la nuit.

Ils passèrent en bordure de l'ancien terrain de polo[2]. La tête appuyée dans sa paume, Li-Cheng semblait réfléchir. Shu-Meï laissa errer ses pensées le long des pavés glissants inondés de lune.

— Ne pouvez-vous savoir à l'avance le déroulement de ses va-et-vient ?

— Un seul homme connaît les méandres de son emploi du temps. A lui revient exclusivement le droit de les fixer ou de les modifier si bon lui chante, et cela afin de protéger l'enveloppe terrestre du Fils du Ciel.

— Et qui est donc cet homme ?

— Son conseiller et maintenant ami, le censeur Yikuai.

Le visage de Shu-Meï avait alors aspiré l'ombre.

— Êtes-vous sûr de ses convictions ?

— Pouvez-vous percer à jour l'âme noire d'un censeur ? Ses idées restent obscures même pour son entourage. En tout cas, jusqu'à présent, il semblerait avoir joué la carte de l'Empereur, du moins en apparence.

Shu-Meï avait préféré changer de sujet.

— La duchesse Hue approuve-t-elle vos idées ?

— Elle montre quelque inclination pour nos projets. Son nez en pied de biche a dû sentir les vents tourner. Néanmoins, nul ne sait avec qui elle fricote réellement... (Li-Cheng refixa sa coiffe molle avec un certain agacement). Depuis qu'elle dirige le Guang-Xi par le duc interposé, les intérêts de Guilin passent

1. Dix-neuf-vingt heures.
2. Le polo fut introduit en Chine en 709 par les Perses par l'intermédiaire des Tibétains.

avant tout. Si mes sources sont bonnes, elle est en train de se bâtir une fortune colossale.

— A ce que l'on dit, les combats auraient cessé en Annam.

— Détrompez-vous, ils reprennent de plus belle. Chaque camp s'accuse de mordre sur les frontières établies.

Shu-Meï se tut. Les pommettes saillantes de son père sous sa huque à plumail mordoré, les forêts inextricables de l'Annam, l'obscurité qui étouffe, les hommes qui souffrent... Une suite d'images incohérentes s'entrechoquèrent un moment dans sa tête.

On lui avait menti. Son appréhension se confirmait. Le piétinement des sabots se bousculait trop souvent sous son crâne. Elle se garda d'insister.

— Ne craignez-vous pas que l'on vous dénonce auprès de ce Yikuai ?

Li-Cheng soupira en décroisant ses longs doigts.

— Rien n'échappe au Censeur. Ses oreilles s'allongent jusqu'aux marches les plus reculées de l'Empire. Il ne peut cependant nous arrêter pour quelques paroles proférées, sinon la moitié de la population serait en prison, sans compter les mécontents dont les familles et les domaines au nord du fleuve Jaune sont à présent sous contrôle khitan.

— La duchesse ne peut-elle vous aider à tromper la vigilance de son ancien amant ?

— Cela m'étonnerait, répondit Li-Cheng en souriant. Leurs rapports battent de l'aile. Ils ne se voient plus guère.

Il allongea ses jambes sur la banquette en moleskine.

— Lorsqu'ils se sont connus, Yikuai venait de sortir premier de la section des lettres au concours du palais impérial. Cet honneur insigne lui assurait d'ores et déjà une carrière prometteuse. Mais l'homme était impatient. Il a su se servir adroitement de la duchesse pour manœuvrer son oncle, le conseiller Feng, et décrocher ainsi ce poste éblouissant. Les mauvaises langues assurent qu'il ne frétillerait plus autant auprès du « fruit mûr », depuis qu'il n'a plus besoin d'elle.

Déjà les micocouliers qui bordaient la rue du Bazar-de-la-Gourde-Étripée dressaient leurs longs cous noirs. Shu-Meï ploya la tête en arrière. La duchesse jetée aux orties après avoir été pressée comme une bergamote ! Rien ne l'étonnait plus de la part de Yikuaï !

— En tout cas, quelles que soient ses opinions, reprit Li-Cheng, nous devons nous méfier de lui comme de la chaux vive. Pour l'instant, il est l'ombre, le souffle même de l'Empereur. Ne l'oublions pas.

Ainsi, le fringant envoyé impérial rencontré à Guilin réchauffait avec cynisme les cors aux pieds de la duchesse et lui promettait le trône de Liu-Yin dans l'unique espoir de lui arracher les flatteuses paroles qui assureraient son avenir à Kaifeng.

Le destin d'un peuple tenait à peu de chose. Elle repensait avec indignation à l'Annam et à ses morts dont l'enjeu misérable avait probablement servi l'ambition démesurée de Yikuaï. Shu-Meï ne se souvenait plus de la suite de leur conversation.

A présent, dans le brouillard d'encens au musc qui lui picotait les yeux, elle n'entendait plus que l'écho monstrueux de sa voix, alors qu'elle posait doucement pied à terre devant la demeure de Babouche Sacrée.

— J'ai connu le Censeur. J'ai réfléchi. Si vous avez besoin de mon aide, vous pouvez compter sur moi. Je serais heureuse, moi aussi, de contribuer au salut de mon pays.

Interdit, Li-Cheng en avait oublié de la saluer.

20

« *J'ai envoyé ce matin Chameau Fatigué au palais afin de solliciter une audience de Yikuai.*

Un messager vient de m'apporter sa réponse. J'espérais secrètement que le Censeur, vexé par les propos de ma première visite, refuserait de me revoir. Il n'en est hélas rien. A présent, je ne puis reculer devant cette nouvelle entrevue fixée à demain.

Les sentiments les plus contradictoires m'assaillent. Quel scolopendre a pu me piquer pour promettre à Li-Cheng d'intervenir auprès du dignitaire ? Qui donc pourrait prétendre soutirer un renseignement d'un chacal aussi avisé que Yikuai !

Outre la folle candeur de ma proposition, je me demande si j'ai vraiment accepté de surmonter ma répugnance à pactiser avec ce dernier pour la seule sauvegarde de mon pays.

Tout en me cramponnant à l'idéal qui m'unit à Li-Cheng, j'en viens à en douter. N'est-il pas pure chimère ? Les mœurs dissolues de cette fripouille empâtée de Zhao-Lin pourraient-elles un jour constituer un rempart suffisant contre l'hégémonie du Khitan ?

N'ai-je pas plutôt agi pour assouvir ce sentiment nouveau qui m'emplit de perplexité : le désir de me venger. »

— « Épars dans le ciel froid, quelques feuillages rouges sur le sentier de la montagne. Il n'a pas plu mais le bleu de l'espace inonde mes habits. »

Babouche Sacrée leva ses yeux clairs vers Shu-Meï.

— La poésie de Wang-Wei[1] plongerait-elle ma Biche Ailée dans la plus incurable des mélancolies ?

Shu-Meï tressaillit. La pâte de verre soufflée qui surmontait le coffre à vaisselle dans un reflet tremblé reprit brusquement son contour habituel. Elle s'excusa.

Alouette Empâtée pinça consciencieusement les quatre cordes de son *pipa*[2] tandis que Bécasse Frivole en profitait pour se moucher.

— Votre Troisième Épouse se moque éperdument de notre compagnie, insinua cette dernière en bâillant... « Le bleu de son espace » se trouve probablement au palais !

Elle se mit alors à chantonner en s'éventant furieusement.

« Et vers l'absent, mon regret suit sa trace,
qu'on souffre mal l'ennui d'être esseulée !
L'oiseau s'est pour un soir transformé en glace.
Demain, le soleil aura ses ailes dégelées... »

Shu-Meï se maîtrisa pour ne pas quitter la pièce sur-le-champ. Tout, sauf perdre la face devant cette hyène qui savourait la perfidie de ses propos comme si elle suçait des pastilles au gingembre.

Elle releva une mèche de ses cheveux et s'adressa au marchand comme si de rien n'était.

— Mon esprit vagabondait. Je me demandais si

1. Poète (699-759).
2. Luth oblong originaire d'Asie centrale.

notre précédent souverain était en son temps plus populaire que l'empereur actuel.

Reconnaissant de lui éviter par son sang-froid une de ces empoignades de commères, Babouche Sacrée sourit.

— Dans un sens, certainement. La dernière dynastie était reconnue comme légitime par bon nombre de loyalistes Tang auxquels, d'ailleurs, Shi-Jin-Tang doit maintenant se heurter. Mais c'est une très vieille histoire : laissez-moi vous la raconter...

En bon conteur, Babouche Sacrée s'était douillettement installé dans ses coussins de brocart. Il avait même ôté ses brodequins et demandé à Alouette Empâtée de lui porter ses bobelins de velours à bouts ronds dans lesquels il pouvait à loisir délasser ses orteils perclus de goutte.

— A la chute de l'Empire Tang, deux hommes se disputèrent le pouvoir : Li-Ko-Yong et Zhu-Wen. Le premier était un chef turc à qui la dynastie mourante avait fait appel pour mater Huang-Zhao, ce rebelle dont les troupes ravagèrent la Chine du nord au sud pendant près de huit ans [1].

— Est-ce bien ce Huang-Zhao qui a massacré la population de Guang-Zhou et coupé tous les mûriers de la région afin qu'il n'y ait plus de soie à expédier vers les contrées de l'Ouest ?

— C'est cela même. C'est ainsi que périt une bonne partie de la colonie arabe de ce port, toutes confessions confondues. Outre musulmans, nestoriens et manichéens, des centaines de Juifs, dont certains représentants de ma famille maternelle, auraient même disparu dans ce carnage. C'est peut-être en leur souvenir que je me suis installé à mon tour sur la terre qui a bu leur sang.

---

1. De 874 à 881.

Shu-Meï rougit. Elle n'aimait pas l'idée que ses ancêtres aient pu ainsi offenser la famille de Babouche Sacrée.

— Mais nous nous éloignons de mon propos. Zhu-Wen, l'autre postulant au trône, se trouvait être l'un des lieutenants de Huang-Zhao. Rallié à temps à la cause impériale, il avait obtenu en remerciement un important fief au Hunan... Tandis qu'au Sud, tout gonflés du pouvoir grandissant qu'ils avaient acquis au cours de la guerre civile, gouverneurs provinciaux et généraux s'arrachaient la Chine par morceaux, au Nord ce fut Zhu-Wen qui finalement l'emporta sur le fidèle Li-Ko-Yong après avoir fait assassiner le dernier empereur Tang et tous les membres de sa cour. Sa maison régna à Luo-Yang pendant seize ans jusqu'au jour où, juste retour des choses, sa dynastie fut chassée du trône par un des fils de Li-Ko-Yong [1], ce Turc chevaleresque qui avait refusé de trahir son empereur.

— Et c'est ce fils de Li-Ko-Yong que notre actuel Empereur a renversé en appelant les Khitan à sa rescousse ?

Babouche Sacrée acquiesça.

— Vous comprenez maintenant pourquoi certains n'ont jamais vu d'un bon œil l'avènement de Shi-Jin-Tang.

Shu-Meï accepta le châle à matachures dorées que lui tendait Chameau Fatigué. Il faisait frais.

Ses scrupules se dissipaient peu à peu comme ces nuages qui s'affolaient derrière le cadre de la croisée. Elle ne ressentait plus aucun remords à participer au renversement de ce traître, de cet usurpateur, fût-il l'Empereur de tous les Chinois.

C'est en accord avec elle-même qu'elle irait demain affronter Yikuai.

1. Dynastie des Tang postérieure (923-937).

Shu-Meï fixa les bas-reliefs bleus bordés de marbre et sculptés des dix figures de la Loyauté et de l'Amour Filial. Les quatre Rois Célestes, portant respectivement la pagode et l'épée, fermaient la marche en compagnie du dieu des Singes, Sun-Wu-Kong, « celui qui est censé pénétrer le Vide ».

Yikuai, soucieux d'effacer le souvenir pénible de leurs retrouvailles, avait tenu à la recevoir dans le salon particulier attenant à son cabinet de travail. Il l'invita à s'asseoir auprès de lui sur le divan de repos tendu de satin rouge vif à petits macarons d'or.

Cette fois, Shu-Meï ne refusa pas le siège qu'on lui offrait.

— Saviez-vous que Sun-Wu-Kong a jailli d'un œuf fécondé par le vent et qu'il n'était à sa naissance qu'un singe de pierre ? L'Empereur de Jade lui aurait donné la vie afin de parachever la diversité des êtres engendrés entre ciel et terre... Je me sens comme frustré de ne pas détenir un tel pouvoir auprès de la jeune femme que je voudrais tant voir sourire.

— Ne sommes-nous pas tous « singes de pierre » face à ceux ou à celles qui tirent les ficelles de nos destins ?

Sans relever la pique, Yikuai se pencha pour ramasser le mouchoir que Shu-Meï venait de laisser choir. Il contempla les pieds minuscules presque aussi mignons que ces « lys » bandés à la mode de Wu qui faisaient depuis peu des ravages dans les salons et donnaient à la femme cette démarche tellement érotique.

— Je vous dois des excuses pour mes propos blessants de l'autre jour. Jamais je ne me serais pardonné de vous avoir perdue.

Les pointes de ses chaussons décorés de feuilles de

chrysanthème se dressaient comme deux prières muettes. Il réprima le désir de les réchauffer entre ses mains.

— Quelle que soit la déception de votre voyage à Koryo, jamais je n'ai voulu vous porter préjudice. Vous devez me croire, malgré les apparences.

— La toute-puissante raison d'État se cachait probablement derrière la décision de vous débarrasser de deux misérables innocents dans un pays hostile aux Chinois.

— Ce mouvement est récent. Votre collaboration nous fut d'ailleurs précieuse.

— Ne me dites pas que la mine s'est transformée en bagne la veille de mon arrivée, je ne vous croirais pas.

Le Censeur chassa d'un geste impatient le laquais qui venait changer les lanternes de brocart.

— L'homme n'agit pas toujours selon son cœur. Je vous demande seulement d'accepter ma sincérité.

Comment Yikuai pouvait-il renier ses propres responsabilités ? Se sentait-il à ce point coupable pour s'écraser comme une crotte de pigeon ?

Le cuir odorant de ses bottes à soufflets dégageait un entêtant parfum musqué. Cherchait-il tout bêtement à la séduire à nouveau ? L'image du dignitaire, étreignant une de ses faciles conquêtes sur la banquette où ils se trouvaient assis, fit monter le feu aux joues de Shu-Meï.

— Pourquoi vous croire ? Avez-vous, ne serait-ce qu'une seule fois, essayé de vous faire pardonner autrement qu'à coups de mots fleuris ?

Yikuai releva la tête avec orgueil.

— Si tel est le but de votre visite, je suis prêt à exaucer votre vœu le plus fou.

Shu-Meï s'empressa de saisir la perche brûlante avant qu'elle ne lui glisse des mains.

— Et si je vous demandais de me faire rencontrer l'Empereur ?

Le visage impassible, Yikuai décolla d'une chiquenaude une poussière imaginaire sur le revers de sa manche. Derrière la porte de l'antichambre, le bourdonnement d'une conversation s'interrompit. Un claquoir de bois annonça l'écoulement d'une veille. Il croisa haut les jambes avec un sourire railleur.

— Ne faites-vous donc pas partie de ces gens qui l'exècrent pour sa trahison ?

— Peu importe... S'il était en mon pouvoir de simple mortelle de me prosterner aux pieds du Fils du Ciel, je préférerais encore lui dire ce que je pense plutôt que de comploter comme ces lâches dans leurs salons.

Au lieu de s'indigner devant cette insolence qui frisait le crime de lèse-majesté, Yikuai se mit à rire.

— Décidément, vous ne changerez jamais ! Savez-vous qu'à part son entourage d'eunuques, de courtisans et de concubines qui vivent dans la Cité Violette, nul ne peut contempler le visage nu du Fils du Ciel à moins d'y avoir été invité au cours d'une audience exceptionnelle ?

— C'est pour cela que je vous le demande.

Yikuai se lissa la moustache d'un air songeur. Les cils baissés, Shu-Meï lui faisait face, immobile. Avait-elle cédé à la tentation de le rencontrer dans l'unique espoir de le voir se plier à cette toquade des plus extravagantes ?

Que pouvait-elle avoir en tête ?

— Je verrai ce que je peux faire, lâcha-t-il après un long silence. Peut-être puis-je vous arranger une entrevue lors d'une de ses nombreuses chasses. Pour son passe-temps favori, l'Empereur aime à se retirer dans la solitude des bois. Montez-vous à cheval ?

Depuis la fin des Tang, sauf à la cour, une véritable

amazone était plus rare à trouver qu'une rognure d'ongle dans un sac de riz. Yikuai sourit. On ne jouait pas au plus fin avec lui. La jeune femme ne manquerait pas de décliner sa proposition pour échapper au ridicule, et son honneur serait sauf.

Aussi, grande fut sa surprise lorsque Shu-Meï acquiesça.

Celle-ci releva fièrement le menton et remercia intérieurement Long-Jian de l'avoir initiée à cette pratique dont on préférait de plus en plus éloigner les femmes afin de mieux les garder cloîtrées.

Yikuai avait cru s'en tirer à bon compte en lui proposant ce marché de dupes. A présent, c'était elle qui venait de remporter la première manche.

— Le vert de l'herbe et des eucalyptus manque au vieil ours que je suis, reprit le Censeur comme si de rien n'était... Accepteriez-vous de goûter en ma compagnie à la lumière du couchant, à l'occasion de la joute des bateaux-dragons ?

Pouvait-elle refuser ?

— Si cette proposition ne vient pas en contrepartie de ce que vous m'avez promis, j'y consens volontiers... Le cinquième jour de la cinquième lune tombe dans trois jours si je ne m'abuse. Espérons simplement que cette rencontre ne sera pas de mauvais augure pour l'un de nous [1] !

« *Hier, j'ai revu Li-Cheng sous les mandariniers de l'ancienne terrasse à musique construite au sud-est de la ville par le barde Shi-Kuang, non loin du couvent de la Pureté Céleste.*

Jadis, Du-Fu et Li-Bai, les grands poètes de la

---

1. Le jour où est célébrée cette fête passe pour particulièrement néfaste.

gloire Tang, s'y lisaient leurs vers en se livrant aux plaisirs du vin.

C'est le lieu de rencontre préféré du lettré qui puise son inspiration dans ses brumes et son silence argenté.

Je lui ai appris qu'il n'était pas impossible que je rencontre un jour l'Empereur au cours d'une de ses chasses. Il n'a pas caché sa surprise devant l'aubaine.

" La date et le lieu des escapades impériales sont à l'ordinaire protégés du plus grand secret, m'a-t-il avoué. Voilà l'occasion inespérée d'en connaître, grâce à vous, le déroulement en détail. "

J'en tremble. Vais-je attenter à la vie de l'Empereur par simple procuration ? Aurais-je mis le doigt dans une spirale sans fin ?

Quant à Yikuai, s'il pense me tenir en me faisant miroiter la vague promesse d'un entretien avec le Fils du Ciel, il se trompe.

A jouer au plus cynique, il a fait une émule. »

L'Empereur contempla les nuques luisantes de ses conseillers qui se prosternaient par neuf fois en frappant de leur front les dalles glacées de la grande salle de la Vertu Civile.

Le « fouet purifiant » claqua trois fois, ouvrant solennellement l'audience.

Shi-Jin-Tang caressa pensivement les têtes de dragons qui décoraient les accoudoirs du trône impérial. Entre le Fils du Ciel siégeant face au sud et la marée de coiffes aux « pieds tendus » [1] alignées en double file jusqu'à la stèle de marbre noir où figuraient les six astres de la Cuillère australe, se déroulait la soie jaune des marches d'or parsemées de dés de camphre purificateurs.

Sans écouter l'officier-intendant qui invitait les

1. Ailes rigides fixées à la coiffure des fonctionnaires.

dignitaires civils et militaires à déposer leurs plaquettes en bois de sophora et à dérouler leurs écrans, l'Empereur sourit intérieurement. Quelle bonne idée on avait eu d'allonger les ailes rigides des turbans des fonctionnaires afin de les empêcher de se parler à l'oreille !

A droite, au premier rang, il surprit un échange de regards entre Gao, le maréchal du palais, et le grand précepteur Cai. Il détestait leur dégoulinade servile, alors même qu'il les savait affûtant leur langue derrière son dos.

Quant à Zhao-Lin, serré dans sa robe de cérémonie cramoisie, cette morve verdâtre l'horripilait avec ses coassements d'oiseau de mauvais augure et sa lippe protubérante plus graisseuse que ces croupions de dinde qu'il se faisait servir en salade, accompagnés de langues de rossignol frites.

Il se revit jeune général, piaffant derrière son bouclier, tête de lion à gueule de jade, son étendard de feu à breloques de corail rayant le soleil de sanglants idéogrammes.

En ce temps-là, il se battait encore contre le Nomade, le Serpent Noir du Nord. Lorsqu'il avait quémandé son aide pour renverser le fils de Li-Ko-Yong, les seize préfectures qu'il avait dû lui céder semblaient peu de chose à côté du poids de ce trône en or qu'il réchauffait en ce moment même de son fondement.

Imaginait-il alors l'isolement qui l'attendait ? Son entourage divisé, cette haine sourde qui l'enveloppait, la peur qui le faisait sursauter au seul tressaillement d'un rideau chatouillé par la brise, ces nuits blanches passées à contempler l'épée khitan dangereusement suspendue au-dessus de son serre-tête !

Depuis la mort d'I-Li, son auguste sexe, ce sceptre de chair gobeloté par tant de bouches tièdes, ne s'était plus jamais dressé devant les beautés du harem fraîchement estampillées, devant ces corps lascifs, ces puits de musc entrouverts comme des sourires d'enfants, ces aréoles gonflées, pointes de pinceaux gorgés de sang. Nuit après nuit, les jeunettes se succédaient, leurs bras frottés de cet indélébile onguent à la cannelle afin que par le sceau « Vent et Lune sont toujours nouveaux » on puisse les distinguer de celles qui ne pouvaient encore se prévaloir des faveurs impériales.

Quelles faveurs en effet ! Plus indélébile encore resterait gravée dans sa mémoire la déception des élues, la moue dédaigneuse de leurs lèvres peintes devant sa virilité recroquevillée comme une mèche de lampe, sous les cils impudiquement baissés.

La nuit dernière, alors qu'une de ses concubines s'escrimait depuis plus d'une veille à réveiller l'ardeur de sa Courgette Céleste, des rires et des halètements de plaisir avaient déchiré le palais de l'autre côté de la Chambre Violette. Probablement cet ignoble Tong-Guan, l'eunuque en chef du gynécée, l'âme noire de sa sœur, se livrant à ses orgies masquées ou initiant quelque vierge effarouchée à grands coups d'olisbos effrénés.

La petite jeunette, une nouvelle au visage plat et poli comme un encrier de jade, s'était mise à pleurer. Était-ce parce qu'elle n'avait pu satisfaire l'Empereur ou qu'elle craignait de voir son nom rayé des « plaquettes de cinabre[1] » ?

Elle avait pourtant tout essayé : sa bouche collée au membre impérial comme une cigale sur un tronc de plaqueminier, elle l'avait étrillé, titillé, bouchonné avec autant de ferveur que si elle astiquait une

1. Tablettes sur lesquelles sont enregistrés les noms des concubines.

poignée de jaspe, l'agaçant de ses quenottes comme si elle rognait un os de dragon, flattant puis gobant tour à tour les augustes burnes telle la lionne de Sakyamuni jouant avec deux balles brodées.

Elle l'avait même gratifié d'un petit pétrissage aux « grains de riz parfumés ». Hélas, malgré tous ces traitements, malgré les positions du « cheval cabré secouant ses rognons », de « l'écrevisse pétaradant à la nage » ou de « la sauterelle se grignotant le bouton », malgré tout un attirail d'anneaux de soutien, d'étuis péniens en cuir fin, d'armatures ajourées, de « coiffe-glands » taillés dans le poulpe ou la vessie de chameau, de bandelettes de soie imprégnées de camphre, rien n'y avait fait. L' « émouchoir céleste » ne s'était pas plus déplié qu'un lampion recroquevillé.

Exaspéré par les reniflements de la concubine, il avait alors jeté sa cape sur les épaules frigorifiées et l'avait renvoyée dans les tréfonds du gynécée.

Il avait fait ensuite un rêve étrange : au sortir d'une de ces interminables cérémonies, il avait aperçu un mendiant accroupi à côté de l'une des fontaines de la cour du Conseil. Alors qu'il s'étonnait de la présence de l'intrus, ce dernier lui avait tendu une pomme cuite aussi brûlée que son hideux visage.

Agacé, l'Empereur avait passé son chemin sans plus écouter l'illuminé qui criait avec insistance dans son dos : « Un jour viendra où affamé, rongeant la laine de vos habits, vous vous souviendrez de la vilaine pomme de maître Lou. » Son rire caverneux l'avait réveillé en sursaut.

Après s'être rendormi avec difficulté, il rêva à nouveau. Cette fois-ci, des chevaux fous piétinaient son palais. Accrochée par les cheveux derrière un char barbare, la petite concubine au visage plat criait en appelant sa mère, son corps blanc traîné dans un désert blafard où scintillaient des croûtes de sel entre les touffes d'herbe noire.

Mal à l'aise, l'Empereur écrasa une vesse et déglutit.

Le cinquième jour de la cinquième lune, une chaise à porteurs envoyée par Yikuai vint chercher Shu-Meï.

Un grouillement inhabituel régnait dans les rues. Au-dessus des portes pendaient des têtes de tigre confectionnées avec de l'armoise, à côté des effigies du génie Païtsö, l'animal mythique qui savait tenir tête aux démons et qui enseignait aux sages les dessins des talismans propres à combattre les pestilences.

Ce jour passait pour particulièrement néfaste. On ne se serait pas risqué à monter sur un toit ou à exposer au-dehors ses nattes ou sa literie, de peur d'attirer la turbulence des cinq animaux malfaisants dont c'était la fête [1]. Même les fonctionnaires tremblaient de recevoir leur nomination à pareille date.

Bécasse Frivole était restée couchée, des carrés de papier de cinq couleurs appliqués sur le corps et le visage afin de repousser les incartades des mauvais génies. Elle avait dû probablement prier pour que la barque de Shu-Meï chavire ou qu'un Taotie [2] surgi des eaux la dévore toute crue.

Sur les rives du lac, une foule de promeneurs se préparait à assister aux joutes. Déjà, gongs et flûtes éraillaient l'air à bord des embarcations pavoisées et dégoulinantes de fleurs.

Amarrée à l'écart des curieux, une grande barque en bois de cèdre finement sculpté, surélevée d'un

1. Guêpe, crapaud, serpent, scorpion et mille-pattes.
2. Monstre.

large dais tiqueté d'or, attendait Shu-Meï. Yikuai l'y accueillit galamment.

Bientôt la tille s'ébranla et les vendeurs d'amulettes, leurs piles de boîtes à tiroirs suspendues à leur palanche, éparpillèrent leurs ombres le long des quais.

— M'avez-vous conviée pour chasser les esprits pernicieux ou pour célébrer le souvenir du poète Qu-Yuan[1] qui se jeta dans les eaux afin de se révolter contre ceux qui l'avaient si injustement banni ?

Yikuai se mit à rire, soudain détendu. Manches retroussées, trois bateliers muets comme des carpes piquaient le fond du lac du bout de leurs perches, faisant ainsi avancer le bateau.

— Je ne crains ni les guêpes ni les scorpions. J'aime le chant triste des crapauds à la tombée du soir, j'admire la diligence du mille-pattes ; quant au serpent, on dit que je lui ressemble. Maintenant, pour parler de la « calomnie » qui accabla Qu-Yuan, il me semble que celui qu'elle ferait trembler ne pourrait décemment aspirer au poste que j'occupe. Vous voyez, mon esprit plus poétique que le vôtre ne songeait qu'à se délecter de la douceur de la lumière sur votre visage.

Un tambour s'affola. Deux embarcations bariolées de soies vives se croisèrent. L'un des participants lâcha sa pique et tomba.

— On jase sur votre liaison avec ce Babouche Sacrée, le saviez-vous ?

Les yeux de Shu-Meï se colorèrent d'ardoise violette, comme si les eaux du lac venaient s'y refléter.

— Cela ne regarde que moi, je pense.

---

1. Mort en 227 avant J.-C. Les joutes des bateaux-dragons célèbrent en effet la date anniversaire de son suicide, le cinq du cinquième mois lunaire.

— Je le sais. Mais on peut « hacher ses légumes dans son écuelle sans pour autant en faire tomber le jus à côté ».

Le regard de Yikuai sembla fixer un point lointain, peut-être le casque argenté d'un jouteur.

— En ce qui me concerne, j'apprécie la culture et la finesse de cet étranger qui a toujours su rester à l'écart de nos intrigues... Mais, dites-moi, vous m'aviez caché que vous rencontriez si souvent le peintre Li-Cheng !

Shu-Meï se raidit. Le Censeur la faisait-il surveiller ?

— Je pensais qu'à Kaifeng on avait encore le droit de choisir ses connaissances. Li-Cheng est avant tout un ami de Babouche Sacrée... Si cela peut vous rassurer, il m'arrive également de rencontrer le nestorien Abu Malik qui penche plus certainement pour vos idées.

— Croyez-vous donc vraiment les connaître ?

— Qui ne les devinerait ! Ne vous sentez-vous pas gêné de soutenir celui qui a vendu son âme aux Khitan ?

Un coup de vent rabattit le voile de son châle sur les genoux du dignitaire. Yikuai la toisa, imperturbable.

— En me désignant à cette charge, l'Empereur m'honore de sa confiance. Un sujet loyal ne trahit pas le serment qu'il prête à son suzerain.

— Même si ses convictions l'emportent sur son devoir ?

— Le sort de notre pays me préoccupe plus que vous ne le pensez. Seulement, à chacun sa façon d'opérer. Certains usent leur salive, d'autres préfèrent tisser l'ombre.

Un sourire las glissa sur ses lèvres. Ses mains jouèrent un instant avec la gaze mordorée.

318

— L'important est de rester fidèle à soi-même, n'est-ce pas ? La calomnie se chargera du reste, ajouta-t-il comme s'il se parlait à lui-même. Qui sait, peut-être un jour terminerai-je comme Qu-Yuan !

Un rayon embrasa le bouton de diamant qu'il portait au sommet de son chapeau.

— C'est que vous l'aurez désiré, lâcha Shu-Meï non sans impertinence.

Elle dénoua les brides d'un petit paquet qu'elle venait de tirer de sa manche, et jeta respectueusement dans l'eau la poignée de gâteaux triangulaires qu'Alouette Empâtée avait préparés pour l'occasion.

— Longue vie à Qu-Yuan !

— Longue vie à son souvenir !

Shu-Meï regarda les figurines de pâte flotter un instant comme de grandes cigales de papier blanc.

— La duchesse semble se plaindre de ne pas vous voir assez souvent. Elle déplore l'emploi du temps chargé qui la prive de votre présence. La négligeriez-vous ?

Yikuai sursauta. Bercé par le bruit des rames, il se demandait s'il ne valait pas mieux rester petit fonctionnaire sans vouloir à tout prix faire carrière. Cela avait au moins l'avantage de vous éviter les caprices de l'arbitraire.

— Ma fonction ne me laisse guère le temps de jouer les mondains. Ce n'est pas comme tant d'autres !

Parlait-il du damoiseau « beurre frais » entrevu au bras de la duchesse ou raillait-il les effets de mollets de Zhao-Lin ?

— Par ailleurs, je n'apprécie pas toujours ce que fait la Hue.

Shu-Meï se garda d'insister. L'embarras de Yikuai ne lui avait pas échappé. Elle resta un long moment à faire danser ses doigts à la surface de l'eau.

— Je croyais que les combats avaient cessé au nord de l'Annam !

— En théorie, bien sûr, répondit Yikuai vivement. Mais les Annamites sont belliqueux, ils chercheront toujours à nous arracher les poils des oreilles et à nous asticoter à la frontière dans l'espoir de nous grignoter un peu de terrain.

— On dit que grâce à vous Kaifeng aurait récupéré le tribut des Annamites. Le duc de Hue vous doit-il lui aussi de remplacer Liu-Yin sur son trône ?

La voix de Shu-Meï s'était faite insidieuse. Bien entendu, elle connaissait la réponse. Le visage de Yikuai se ferma imperceptiblement.

— Les secrets d'État ne se partagent pas, affirma-t-il avec hauteur.

— Mais vous semblez craindre les humeurs de la duchesse. Pourquoi alors l'avoir hissée au pouvoir derrière son mari ?

— Il n'y avait pas d'autre solution.

— Comme avec les Khitan ? Non, je crois qu'il y a toujours une autre possibilité, ou alors c'est qu'on ne le désire pas vraiment.

Le crépuscule flottait à présent sur le lac.

Sur la berge sud, les lampes rondes que portaient certains promeneurs dansaient au bout de leurs bâtons comme de grosses étoiles blondes. Des lueurs vives éclataient çà et là. Sans doute les boulettes que fabriquaient des gamins en pilant des jujubes et des détritus de charbon.

Yikuai leva la tête. Noyés dans le vague, les yeux de Shu-Meï brillaient étrangement. Brusquement il saisit le bottillon de soie replié sur l'ourlet rose et le serra entre ses mains.

— Vous avez peut-être raison. On peut toujours trouver une solution quand on le désire vraiment.

Shu-Meï ne retira pas son pied.

Yikuai passa les Portes Interdites de l'enceinte du Vœu Pourpre.

Deux officiers de la garde, leur insigne à feuille de saphir piqué à leur turban safran, le saluèrent respectueusement. Au-delà des galeries aux hautes colonnades vermillon des premières cours, il traversa les patios et les jardins de plusieurs appartements et se dirigea d'un pas leste vers le palais de la Pensée Pénétrante qui abritait la salle de lecture impériale.

La voix de Shu-Meï résonnait sous son crâne, entêtante. Un chant de sirène dont elle usait à merveille pour ramollir son adversaire comme un panaris dans de l'eau bouillante.

La finesse de son jugement comme son redoutable instinct de persuasion n'étaient pas à négliger. Une force de caractère pareille, couplée à une telle beauté, était capable de gagner plus de batailles que Wu-Di, le dieu de la Guerre.

« Elle n'a qu'à souffler pour aplanir le mont Tai-Shan, se dit Yikuai en soupirant. Si au moins sa passion servait la juste cause ! »

Accrochés aux quatre faces du hall de la Sincérité Désavouée, les portraits des sages de l'Antiquité le fixèrent de biais avec une narquoise connivence.

Les choses allaient mal. Une fois de plus il allait devoir user de toute sa subtilité pour tempérer les frasques de son suzerain. Le moindre faux pas risquait d'entraîner la pire catastrophe.

— Notre sujet peut se relever.

Yikuai garda cérémonieusement le front appuyé contre terre puis se releva avec une lenteur calculée.

La tête entre les mains, l'Empereur semblait disparaître derrière sa table de travail. Débarrassé de l'imposante couronne bleue aux « vingt-quatre rayons enroulés » et à la lourde plaque frontale rehaussée de cigales d'or, son visage mince paraissait s'allonger comme la flamme d'une torchère.

Il avait troqué sa robe d'apparat et sa jupe de gaze écarlate à motifs de nuages et de dragons enlacés pour une tenue plus légère en linomple couleur neige aux larges revers festonnés.

— Qu'avez-vous à Nous dire que Nous ne sachions déjà ?

Le ton impérieux, presque exaspéré, masquait mal la lassitude qui amollissait ses traits.

— Nos rêves nous hantent. « Tremblez de terreur et de crainte devant le Ciel[1] », nous dit le Canon des Poèmes. Mais Nous, le Ciel, ne tremblons-Nous pas déjà devant Nous-Même ?

« Dans un monde déchiré, le puissant n'est plus qu'un nuage vagabond », pensa Yikuai.

Il avança d'un pas et s'éclaircit la gorge.

— Votre humble conseiller pourrait-il suggérer à Sa Majesté de renoncer à son projet de mariage avec la princesse khitan et de reconsidérer la cession de ses mines de cinabre dont il se préparait à gratifier le Khan ?

Sans attendre la réponse impériale, le Censeur se hâta de poursuivre :

— Sans vouloir contrarier les vœux de Sa Majesté, il serait souhaitable de ne pas déchaîner le courroux de l'opposition ainsi que le ressentiment de la famille impériale.

— Nous en avons fait la promesse à Ye-Liu-Tö-Kouang. Devrions-Nous Nous rabaisser à revenir sur Notre parole ? Nous vous rappelons que vous Nous

---

1. L'Empereur représente la voix du Ciel.

avez toujours incité à calmer les appétits du Khitan afin de sauvegarder la paix.

— Sans risquer d'entacher celle de la cour, sire. On peut aisément remplacer ce tribut et retarder ce mariage en attendant que l'opinion s'apaise.

Shi-Jin-Tang soupira tout en se massant le crâne. La perspective des caissons flamboyants qui se dévidaient à l'infini au-dessus de lui lui faisait tourner la tête.

Yikuai était son conseiller le plus avisé. Il devait l'écouter. D'ailleurs ses migraines l'empêchaient de réfléchir.

Au flottement qu'il lut dans le regard impérial, Yikuai comprit que la discussion allait pouvoir s'engager.

— Je laisse le soin à Votre Majesté d'y réfléchir calmement. J'aimerais à présent aborder de façon plus générale le problème des Khitan.

D'un geste, l'Empereur le pria de poursuivre.

Yikuai se prosterna à nouveau tout en recherchant soigneusement la formule la plus apte à ne pas écorcher la susceptibilité céleste. On ne persuadait pas un porc-épic recroquevillé en boule.

— Comme Vous le rappeliez à votre humble serviteur, nous devons, dans un premier temps, perpétuer nos efforts afin de contenir les ambitions de ces nomades et éviter une incursion fatale qui réduirait notre capitale en cendres. Mais nous devons aussi penser à l'avenir et œuvrer à minimiser leur menace, seule condition pour permettre au Fils du Ciel et à ses descendants d'accomplir un jour la réunification de l'Empire.

— Que Nous proposez-vous donc ?

L'Empereur caressa l'étui de jade de son pinceau préféré, celui qu'il aimait gorger de cette encre rouge parfumée au musc qui lui servait à rédiger les « Édits de cinabre [1] ».

— Nous sommes prêts à admettre que la force de Ye-Liu-Tö-Kouang et, par là sa menace, se trouve décuplée depuis qu'il a regroupé toutes les tribus des steppes et qu'il a fondé son Empire. Pourtant, je reste persuadé que nous pouvons encore transformer cette force en faiblesse.

L'Empereur regarda Yikuai avec des yeux ronds. Où son Censeur voulait-il en venir ?

— Notre risque, poursuivit ce dernier, réside dans son désir de conquérir la Chine tout entière : ses guerriers ne se sentent-ils pas eux-mêmes qu'en temps de guerre ? Cependant...

Yikuai reprit son souffle pour mieux captiver l'attention du souverain qui commençait à en oublier ses maux de tête.

— ... Regardez comme il a évolué en quelques années. Il a déjà ressenti le besoin de copier nos institutions politiques et de les mêler aux formes traditionnelles de l'organisation sociale des clans nomades. N'a-t-il pas aussi tenté de créer les bases d'une écriture proche de la nôtre ? Ce n'est pas un phénomène nouveau. Le nomade qui se sédentarise perd, par la force des choses, ses qualités belli-queuses. La culture lui ouvre de nouveaux horizons. Elle a même un pouvoir étrangement dissolvant sur ses mœurs.

— Soit, et alors ?

Shi-Jin-Tang commençait à montrer quelques signes d'impatience. Il détestait ces longs raisonne-ments qui lui donnaient des fourmis dans les jambes.

— N'avons-nous pas jadis réussi à détourner le cours tumultueux du fleuve Jaune et à endiguer ses

1. Décrets impériaux rédigés en rouge.

débordements ? Soyons plus malins. A défaut d'armes pour les combattre, attaquons-nous à leur âme.

— Mais comment ?

— Hâtons leur métamorphose. Sinisons-les complètement. Persuadons-les d'adopter nos mœurs et notre culture. Transformons le tigre en mouton, le pasteur en agriculteur. Inondons-les de nos instruments de musique, de nos horloges hydrauliques, de nos laques, de nos plus belles céramiques. Que sais-je... baignons-les d'art, ramollissons leurs cerveaux dans l'esthétique. Mandons à la cour de Yen-Tchou peintres, musiciens, artisans et architectes. Dès l'instant où ils apprendront à bâtir des postes fortifiés et des palais, à fixer leurs résidences au lieu de voler de campements en caravanes, ils en perdront leur combativité et ne penseront plus qu'à se défendre et à se protéger... Comblons leur soif de connaissances, leur tressaillement spirituel. Ye-Liu-Tö-Kouang est obsédé par la mort, dit-on. Jusqu'à présent, il assouvissait sa peur de l'au-delà dans la démangeaison de la conquête. Multiplions nos prêtres taoïstes à sa cour pour lui enseigner l'art de l'Immortalité et déléguons par la même occasion une escouade d'éminents bouddhistes à son chevet. La religion de la « non-puissance » calmera sa boulimie guerrière. N'est-il pas plus belle domination que d'étendre le rayonnement intellectuel et moral de sa propre civilisation ?

Yikuai prenait soin de tempérer son ardeur. Ses propos devaient, par leur calme apparent, s'écouler insidieusement dans la cervelle fatiguée de l'Auguste comme les gouttes d'une pluie tiède sur une terre asséchée.

— Tout cela prendra beaucoup de temps, répondit l'Empereur au bout d'un long moment. (Une légère déception ternissait l'éclat de sa voix.) On ne transforme pas l'âme d'un peuple en quelques jours.

— Rien n'est trop long pour sauver l'Empire du Milieu.

Filtrant entre les stores d'écailles de tortue qui maintenaient en permanence le cabinet dans la pénombre, un rayon vint embraser la boule d'or de la Vérité Suprême décorée des six astres de la constellation du Sagittaire.

Yikuai toussota.

— Il y aurait peut-être un moyen de précipiter cet état de choses.

Shi-Jin-Tang leva ses yeux fatigués vers le dignitaire qui se tenait respectueusement debout depuis le début de l'audience. Ce dernier poursuivit :

— Qui mieux qu'une femme parviendrait à influencer l'empereur khitan et à le persuader en douceur des avantages et des bienfaits de nos apports ? Je ne vois que ce moyen pour conquérir promptement le cœur et l'esprit du Nomade et nous permettre de l'endormir et de le glisser tout ficelé dans notre manche. Calmer ses instincts guerriers, même provisoirement, peut nous donner le temps de nous réorganiser.

— Il faudrait une créature dont l'intelligence et les talents rivalisent avec la beauté.

Yikuai se prosterna devant le Fils du Ciel.

— Je crois avoir trouvé cette perle rare, Majesté.

Pour la première fois depuis le début de l'entrevue, une lueur amusée caressa les prunelles célestes.

— Nous avons confiance en votre jugement.

Shi-Jin-Tang lissa du pouce la corne démesurée de ses ongles recourbés.

— J'aimerais beaucoup la rencontrer.

21

La jument noire de Shu-Meï renâcla. Déjà, les bâtiments des écuries se profilaient sur la droite de la barrière nord du domaine.

C'était la deuxième fois qu'elle se promenait en compagnie de Yikuai. En la quittant l'après-midi de la joute des bateaux-dragons, le Censeur lui avait proposé de venir monter ses propres chevaux au palais de la Prospérité Préservée.

Était-ce une manière déguisée de vérifier qu'elle ne lui mentait pas, ou simplement le prétexte tout trouvé pour revoir régulièrement la jeune femme ?

— Heureusement que vous n'avez pas les pieds bandés ! Cette mode interdira bientôt les plaisirs d'un tel sport aux quelques téméraires qui le pratiquent encore.

Yikuai sauta de son rubican bai et s'approcha de Shu-Meï pour l'aider à descendre de sa monture. Son aisance à cheval le surprenait. Qui avait pu lui apprendre à monter comme un vrai cavalier ?

Il lui saisit la main et profita du moment où elle se glissait à terre pour la serrer brusquement dans ses bras. Derrière les boucles de son chignon parfumé, les bois humides du domaine s'étendaient à perte de vue. Corolles de nuages sombres détachés dans la brume.

— Vous devriez surveiller vos relations, murmura-t-il doucement. Elles ne vous occasionneront que des tracas.

Shu-Meï se dégagea rapidement et saisit la bride de sa jument. Le souffle de l'animal colorait l'air d'étranges bouquets blancs.

Yikuai avait-il deviné ce qui la préoccupait depuis des jours, lui qui savait toujours tout ? Shu-Meï préféra se persuader qu'elle s'était laissé étreindre dans le but de brouiller les soupçons du dignitaire.

Elle flatta la croupe de la pouliche dont la queue tressée de grelots fouettait le vent.

« *Jeu fou des Nuages et de la Lune. Chevaux cabrés glissant sur le givre. Éclipse.*

Les épingles de jade ont glissé sur le sol. Elles se sont éparpillées sans un cri. Lentement la pluie de mes cheveux a caressé sa bouche tandis que la soie de nos robes ondoyait comme la houle d'automne.

Mon corps s'est offert comme on se livre au vent. Je n'ai cédé à Yikuai ni par lassitude ni par calcul. Une sorte d'immense soupir. Une digue qui se rompt.

L'acharnement dans le plaisir a le parfum du désespoir. Je me défends de le revoir avec la même force qui secrètement m'attire à lui.

Notre passion a la couleur de l'orage. Elle brûle comme le sel sur nos lèvres et bouleverse nos sens comme des cris d'oiseaux.

Je voudrais ne plus penser, oublier nos corps brisés roulant comme des vagues entre les rideaux de soie tiède, mais mon ventre me l'interdit. Je hais ce cœur qui bat là où il ne devrait.

Ce matin, alors que je me promenais dans la roseraie en compagnie de Babouche Sacrée, ce dernier m'a demandé pourquoi je ne montais pas à cheval aujourd'hui.

Tout en soufflant pensivement sur les pétales d'une rose jaune, il m'a priée d'écouter la musique de mon cœur plutôt que les roulements de tambour de la politique.

Je ne lui ai jamais parlé de mes conversations avec Li-Cheng, encore moins de mes rapports avec Yikuai. Son intuition me trouble.

Son nez si long lui permettrait-il de fouiller les âmes ? »

Shu-Meï semblait dormir, ses cils clos recourbés sur ses songes.

Yikuai contempla longuement l'ovale qui reposait sur la lourde manche dont le brocart chamarré se dévidait comme un écheveau jusqu'au pied du châlit. Une ceinture dénouée flottait sur l'estrade. Quelle innocence trompeuse que le sommeil d'une femme !

L'instant d'avant, il avait cueilli son plaisir comme un dernier souffle. Il l'avait possédée, tour à tour violence puis abandon. Il avait léché sa souffrance, volé son intimité. Elle lui avait fait don de sa fierté.

A présent, elle lui échappait, fluide, libre, plus indécente encore, recroquevillée sur son secret.

La pluie tambourinait sur les dalles de terre cuite de la première cour. On distinguait le son flûté, plus clair, des gouttes qui résonnaient au fond de la vasque de cuivre.

A peine écartée, l'idée fixe du complot revint le hanter. Où se situait Shu-Meï au milieu de ce marécage de vieux crocodiles ? Il avait la confirmation qu'elle revoyait Li-Cheng malgré ses avertissements. Au reste, pouvait-il lui en vouloir ? Il l'enviait presque de pouvoir vibrer librement, comme un poisson aux nageoires transparentes, accrochée à la traîne de son idéal.

Enfin! Il respira. Sa charge le ligotait peut-être à l'Empereur, mais il possédait en contre-partie le pouvoir de brouiller les cartes.

— Vous ne m'avez jamais répondu. Pourquoi accepter cette compromission avec les Khitan?

Yikuai se retourna. Un instant, ses soucis l'avaient égaré.

De ses doigts fins, Shu-Meï pelait une orange en le dévisageant avec intensité comme si elle avait lu ses pensées. Avait-elle feint de dormir, abritée derrière sa tranquille indifférence? D'un geste il écarta les pans du surtout et fit glisser l'étoffe soyeuse sur les cuisses de la jeune femme.

— La cour est pourrie, divisée, affaiblie par ses luttes intestines. Les Khitan n'attendent qu'une chose, que le furoncle éclate. Si à l'issue d'un complot ou d'un accident le Fils du Ciel venait à disparaître, ils seraient trop heureux de pouvoir établir leur bon ordre à Kaifeng.

Le tissu découvrit le ventre plat qu'un œil en forme de poisson décorait au-dessous du nombril.

Shu-Meï lui tendit un quartier de fruit.

— Pourquoi n'agirions-nous pas comme eux? Envoyons des troupes à Yen-Tchou.

Elle mordit soudain dans la pulpe tiède. Le jus coula entre ses lèvres. Yikuai se pencha et lécha doucement l'étrange tatouage, souvenir d'Abou Roi des Mers. Il avait un goût sucré.

— C'est exactement ce à quoi pousse l'opposition. Mais à vouloir s'affranchir de leur onéreuse protection, elle n'oublie qu'une chose : nos forces militaires ne feront jamais le poids. Une telle opération ne parviendrait qu'à nous attirer une nouvelle et fatale invasion. Et si le Khan pénétrait dans Kaifeng, ce serait la fin des Han et la Chine deviendrait un empire khitan.

Shu-Meï l'avait écouté avec intérêt. Tout en jouant avec l'ourlet diapré de son *hui-yi*, elle lui demanda comment l'homme d'action qu'il était comptait réagir sans que l'Empire ne se déculotte.

Yikuai s'allongea près d'elle et lui exposa son ambition d'aliéner puis de conquérir les Khitan en les pétrissant de culture han. Tout en parlant, il se demanda si ce n'était pas le moment d'amener Shu-Meï au projet qu'il caressait. Il hésita. Comment allait-elle réagir à sa proposition ? Son caractère entier pouvait tout aussi bien approuver comme rejeter une telle idée.

Il l'attira contre sa poitrine et profita un instant du sentiment de plénitude qui les unissait avant de se jeter à l'eau.

— Pourquoi ne partiriez-vous pas à la cour de Ye-Liu-Tö-Kouang ? s'entendit-il murmurer. Il n'y a que de cette façon que vous pourrez servir pleinement votre idéal. Je suis prêt à lancer tous les paris que vous parviendriez à ouvrir l'esprit du Khan et à calmer ses prétentions belliqueuses à notre égard.

Sous sa main, Shu-Meï avait tressailli. Il pouvait voir une veine battre le long de son cou.

— Vous me vendez ?

— Non, c'est ma plus pure conviction. Si vous acceptiez de mettre au service de l'Empire votre intelligence, votre beauté et vos talents de cavalière qui ne manqueront pas de surprendre le Khan, vous contribueriez activement au salut de notre pays.

Shu-Meï s'était redressée, le corps glacé.

— Si je comprends bien, après m'avoir fait la faveur du bagne, vous voulez m'envoyer dans le lot des concubines que l'on livre en tribut à Yen-Tchou.

Est-ce dans le but de me sacrifier à l'ennemi que vous continuez à m'honorer avec autant d'assiduité ?

Yikuai protesta énergiquement, cherchant à apaiser le malentendu. Reculant devant ses caresses, Shu-Meï se coula tel un serpent au pied du lit.

— Je ne vous crois pas. D'ailleurs, pourquoi me diriez-vous la vérité puisque vous n'avez jamais tenu parole ? Je devais rencontrer l'Empereur, il me semble. J'attends toujours.

Gonflée d'orage, Shu-Meï avait rapidement fixé sa chevelure et rajusté le désordre de ses vêtements.

— Votre art consiste à berner pour mieux broyer, n'est-ce pas ? Désolée de vous avoir laissé gaspiller votre « énergie vitale » pour rien ! Jamais vous ne m'enverrez chez les Khitan.

Elle releva la tête avec mépris.

— Vous espériez peut-être vous débarrasser de moi. Qu'à cela ne tienne, vous voilà enfin et définitivement libéré de ma présence.

La lourde robe bleu nuit s'évanouit entre les colonnes de marbre de Dali.

Resté seul, Yikuai se pencha pour ramasser l'épingle à tête de phénix que Shu-Meï avait laissé choir. La pointe recourbée le piqua au doigt. Un parfum d'écorce d'orange flottait encore au-dessus du lit.

Il serra l'objet dans sa paume et se leva.

Babouche Sacrée frappa légèrement à la chambre de Shu-Meï. Personne ne répondit. Il poussa alors avec douceur les vantaux de laque rouge.

Dos à lui, assise sur son coffre à habits, Shu-Meï se tenait immobile devant la fenêtre entrouverte.

— Chameau Fatigué m'apprend que vous n'avez

pas touché à un seul plat depuis hier. Je m'inquiète. Quel tourment dissimulerait votre langueur pour vous ôter ainsi le sang des joues ?

Shu-Meï se recroquevilla sur elle-même sans répondre.

Babouche Sacrée tira à lui un tabouret bas et lui tendit une grosse pâte de fruit au miel qu'il avait soigneusement enveloppée dans sa manche.

— Ce sont vos préférées, je crois.

Devant le mutisme de sa protégée, il s'assit et lui saisit le bras.

— Un dénommé Yikuai ne se cacherait-il pas derrière cette mélancolie inavouée ?

Les yeux de Shu-Meï émergèrent lentement de l'ombre. Babouche Sacrée avait-il deviné qu'elle était retombée dans les bras du dignitaire ?

— Vous n'avez pas à vous méfier de moi. Croyez-vous que je ne lis pas dans votre âme ? Pour qui vous aime, elle a la transparence du cristal. Un jour, il y a déjà longtemps, vous m'aviez demandé si j'avais entendu parler du Censeur...

La voix paisible de Babouche Sacrée submergeait Shu-Meï comme une vague de fond. Brusquement, elle éclata en sanglots et décida de tout lui avouer. Elle n'avait plus le cœur à lui mentir.

Pourquoi aimait-elle l'homme qui continuait à la trahir ?

Lorsqu'elle eut fini son histoire, la nuit était tombée. Le feuillage noir d'un érable agita ses doigts de chauve-souris. Elle ne distinguait presque plus les traits de Babouche Sacrée. Seule, la pierre de lune qu'il portait au doigt luisait comme un œil de chat.

Ce dernier gardait le silence, balançant son turban de gauche à droite comme un gros bourdon indécis.

— Pourquoi être si intransigeante ? Il peut vous croire indispensable au salut de son pays tout en éprouvant les sentiments dont il vous honore. Votre fierté vous empêchera-t-elle toujours d'ouvrir les yeux ?

— Yikuai ne m'a séduite que dans le but de me vendre aux Khitan.

— Je ne le pense pas. Son projet est celui d'un homme sage, un homme qui voit dans le temps, alors que l'opposition trépigne et se cabre, prête à ruer, les œillères collées sur la défense de ses petits intérêts... Par ailleurs, qui pourrait contester le choix d'une telle ambassadrice ? Si le Censeur ne vous tenait pas dans sa plus haute estime, jamais il n'aurait eu l'idée de confier le destin de l'Empire entre vos mains.

— Mais il se sert de moi !

— Et vous, ne vous servez-vous pas de lui ?

Shu-Meï bénit la nuit qui engloutissait son visage. Elle avait parlé à Babouche Sacrée de l'entrevue que Yikuai lui avait promise avec l'Empereur, mais elle s'était gardée de lui confier le marché qui la liait parallèlement à Li-Cheng.

— Moi aussi je me sers de vous, soupira le vieillard en sortant sa boîte à criquet. (Un grésillement feutré s'échappa du couvercle de nacre.) J'achète le plaisir de vous regarder. J'aimerais aussi que vous y ajoutiez celui de vous sustenter.

Shu-Meï posa sa tête sur les genoux du vieil homme.

Flanquée de Bécasse Frivole et d'Alouette Empâtée, Shu-Meï déambulait dans la foule sous la protection de Chameau Fatigué. L'eunuque avait, pour l'occasion, revêtu un manteau en vourine vert amande qui le faisait ressembler à un énorme chou de printemps.

C'est qu'on venait de toutes parts assister aux préparatifs du Grand Sacrifice du Ciel et de la Terre que l'Empereur célébrerait exceptionnellement dans un mois afin d'assurer la paix de l'Empire et la pérennité de la dynastie régnante.

Cette manifestation avait quelque chose d'ironique. Shu-Meï se demanda confusément si le Fils du Ciel serait encore ici-bas à ce moment-là.

Depuis deux jours, la partie sud de la ville était en ébullition. Des services spéciaux avaient été désignés pour préparer l'autel et construire tout spécialement les « salles de lustration [1] ». Déjà, on recouvrait de tentures vertes les nattes qui coiffaient leurs piquets et leurs charpentes de bambou.

Shu-Meï contempla les soixante-douze marches de l'escalier qui conduiraient l'Empereur à ses libations rituelles. Babouche Sacrée avait insisté pour qu'elle accompagne ses deux épouses. Elle n'avait osé refuser de peur de le peiner.

L'excitation qui l'entourait ne la concernait pas. Passagère de l'ombre, l'air et la lumière l'éblouissaient comme à la suite d'une longue convalescence. Les rires gras des badauds piétinant dans la poussière, les aboiements des officiers en faction, les égosillements de Bécasse Frivole qui avait perdu un talon ne lui écorchaient pas même les tympans. Elle suivait la silhouette de Chameau Fatigué sans penser.

Brusquement, elle se demanda si Li-Mai, sa gouvernante, était encore en vie. Reconnaîtrait-elle le manoir ?

— Hou-hou !

Une manche surmontée d'un chignon fleuri haut de deux pieds s'agita frénétiquement devant elle.

— Eh bien, aurais-je à ce point vieilli pour que ma protégée me regarde avec des yeux en forme de beignet de lotus ?

1. Salles de sacrifices.

Il ne manquait plus que l'apparition incongrue de la duchesse pour ramener Shu-Meï au déplaisir de la réalité. Elle pria intérieurement afin que la Hue ne lui parle pas de Yikuai, ce que cette dernière s'empressa bien évidemment de faire.

— Seriez-vous si occupée pour négliger de visiter l'ancienne amie de votre mère ? Il paraît que l'on doit s'adresser à vous pour obtenir des nouvelles du Censeur. On dit dans les salons que vous l'accaparez beaucoup ces derniers temps.

— Attacheriez-vous tant d'importance aux ragots ? Chacun devrait savoir qu'il ne s'agit que de « fagots[1] » charriés par la salive des médisants.

— Votre humour me ravit, ma chère. En tout cas, personne n'a entrevu les ailerons de sa coiffe depuis des jours. Je pensais que vous pourriez peut-être me rassurer sur son sort.

— Je ne sais pas, bafouilla-t-elle.

Shu-Meï chercha du regard la cape violette d'Alouette Empâtée. Loin devant, Bécasse Frivole s'était empressée de rejoindre Chameau Fatigué sans l'attendre.

Jouant avec les rubans qui jaillissaient de son décolleté rebondi, la duchesse la dévisagea, moqueuse.

— Bon, je vous laisse. Vous m'avez l'air aussi perdue qu'un tue-mouches englué dans un pot de miel... Évidemment, Kaifeng n'est pas une petite ville de province. Tous ces horizons doivent vous tournebouler la tête !

Sans relever la pique, Shu-Meï salua respec-

1. Rumeur. Expression chinoise tirée d'un poème du Livre des Odes.

tueusement la duchesse et promit de lui rendre visite très prochainement. Elle était pressée de se retrouver seule.

— A propos, s'enquit la Hue avant de rejoindre le gandin « beurre frais » qui l'attendait non loin, avez-vous pris votre décision en ce qui concerne Guilin ? La date de mon départ approche.

Entouré d'une demi-douzaine de jeunes gens efféminés, le dénommé Tong-Kiu piaffait d'impatience devant les niches des empereurs des cinq couleurs et celles des trois cents étoiles.

— Je serais heureuse de vous suivre et de retrouver ma province natale, répondit machinalement Shu-Meï en repensant aux propos de Yikuai. Il y fait certes plus chaud ! Je vous ferai parvenir ma réponse définitive dès que possible.

— Je m'en réjouis à l'avance.

La duchesse parut soudain plus détendue. Elle pianota sur l'épaule de Shu-Meï avant de disparaître dans un envol de jupons :

— Ah, j'allais oublier... Notre ami Li-Cheng cherche à vous revoir.

Contractée, Shu-Meï ne desserra pas les lèvres sur le chemin du retour.

Le long de la Voie Impériale, des soldats en casaque noire égalisaient la chaussée à grand renfort de sable fin jusqu'au temple des Ancêtres Impériaux.

Elle ne pouvait se résoudre à quitter Kaifeng si vite. Pourtant, elle aurait voulu oublier sa promesse au peintre. De Yikuai, plus aucune nouvelle. L'avait-il jetée comme un bouchon de paille maintenant qu'il savait qu'elle ne lui servirait plus à étriller ses ambitions auprès de l'Empereur ?

Elle se mordit un pouce jusqu'au sang.

Babouche Sacrée se précipita pour les accueillir à l'extérieur de la salle du Prodige Éblouissant. Il saisit aussitôt Shu-Meï par le bras et l'entraîna à l'écart en sautillant comme un feu follet.

Lorsque les chignons de ses deux épouses ne furent plus en vue, il extirpa victorieusement une missive roulée dans sa manche et la glissa entre les doigts tremblants de Shu-Meï.

— Il y a environ une veille, un coursier est venu du palais. Il repassera chercher votre réponse demain matin. A présent, je vous laisse.

Toujours aussi délicat, Babouche Sacrée s'éclipsa.

Shu-Meï brisa le sceau impérial et détacha non sans fébrilité le cordonnet qui entourait la missive.

La longue feuille de soie se déroula en bruissant comme un vêtement qui tombe. Qu'allait encore inventer Yikuai pour la rouler comme un puceron dans une feuille de moutarde ? Devant ses yeux, l'écriture échevelée du Censeur se tourmentait en quelques lignes :

« Je ne peux croire qu'elle ait rayé mon espace
Ses ailes ont fui en déchirant mon âme lasse... »

En trois phrases sèches, compensant l'aveu brûlant qui se dissimulait derrière le début de son poème, Yikuai la priait d'oublier sa proposition indigne et lui fixait dans huit jours un rendez-vous avec l'Empereur au pavillon des Cerfs Rouges.

En attendant de lui faire parvenir plus de détails, il lui demandait humblement s'il pourrait à nouveau contempler son visage.

Shu-Meï resta un long moment au-dessus de son papier à ramages, le manche d'ivoire de son pinceau entre les dents. Elle contempla la tache sanglante qui

338

cachetait la lettre et imagina les mains blanches et soignées de Yikuai mouillant sa pierre à encre de Huizhou, ses sourcils frottés au noir de fumée froncés sous son bandeau plat.

Confit d'impuissance, le dignitaire revenait à la charge. Un corbeau luisant vint cogner du bec contre la croisée.

Elle rédigea rapidement sa réponse en le remerciant de respecter sa promesse mais se garda cependant de relever sa dernière proposition.

Roupillon Bavard termina son rapport et attendit silencieusement la réaction du Censeur.

Masqué par le contre-jour, le visage de Yikuai restait impénétrable. Roupillon Bavard ne se souvenait pas l'avoir déjà vu à la lumière. Il toussota et réprima une cruelle envie de se gratouiller le fondement.

Devenue routine, la délation commençait à manquer d'un certain piment. Pourtant, la rédaction d'interminables dossiers sur la vie privée et professionnelle des fonctionnaires n'était pas toujours dénuée de piquant. Quoi de plus exaltant que de fouiner dans les vices de certains !

Il avait ainsi découvert que le ministre Zhao-Lin se faisait sucer par des garçonnets déguisés en fillettes quand il ne se faisait pas lécher la Fleur du Pommier par son chien préféré. D'autres, selon la mode barbare, ne jouissaient qu'à cheval, pilonnant le cul tendu de leurs compagnes cramponnées à la crinière de leur monture. Le grand secrétaire à la Résidence du maréchal s'était même un jour fait surprendre la verge coincée dans le col effilé d'un vase Mei-Ping. Quant à la sœur de l'Empereur, un de ses laquais bien informé certifiait l'avoir trouvée en train de se masturber avec le cou d'un dindon, pendant que sa servante lui pétait au visage.

Certes, ce genre de renseignements ne faisait pas toujours avancer ses investigations, mais ils éclairaient de façon inattendue la personnalité de chacun.

Pour le moment, ce que lui demandait Yikuai n'avait rien de titillant : mettre au clair, jour après jour et sans relâche, cette liste de comploteurs aurait fait bâiller plus d'un éléphant. Dire qu'il n'avait accepté cette mission que dans l'unique but d'assister à quelque méchante perquisition doublée de supplices raffinés ou d'innocentes mutilations ! Enfin, cette activité souterraine avait au moins pour mérite de lui affûter la vue et d'allonger ses esgourdes en forme de coquilles d'escargot.

La voix grave du Censeur le fit sursauter. Yikuai releva la tête de l'épais rapport et croisa les mains.

— Excellent travail, je vous félicite.

Roupillon Bavard se prosterna avec servilité.

— Il nous faut néanmoins renforcer notre vigilance autour des têtes pensantes de l'opposition. Continuez à vous faire inviter le plus souvent possible au quartier général de Dame Pan. A l'approche du Grand Sacrifice Impérial, je ne serais pas étonné si nos comploteurs se mettaient sérieusement à bouger. Malgré les forces d'ordre déployées à cette occasion, l'exhibition publique de l'Empereur doit les exciter comme une bande de pucelles devant un godemiché.

Pour la première fois, le dignitaire daigna se lever pour raccompagner son visiteur jusqu'à la lourde porte lambrissée.

Gêné par l'imposante stature de son supérieur, Roupillon Bavard se hissa sur la pointe de ses brodequins tout en fixant respectueusement les bandes de mollequin pourpre qui enserraient les jambières du Censeur. Ce dernier le dépassait largement d'une tête.

— Je compte sur vous pour ne négliger personne. Le maréchal Gao, le censeur Cai, la sœur de l'Empereur et le Premier ministre restent bien entendu nos cibles privilégiées. Cependant, « la soupe se réchauffe plus vite au fond des petits pots que dans les grandes marmites ». Fouinez donc un peu plus du côté de Li-Cheng, ce peintre arriviste et... surveillez aussi de près la jeune protégée de Babouche Sacrée, le marchand juif du quartier de la Gourde Étripée. Tâchez de savoir si elle ne trempe pas plus activement qu'on ne le croit dans ce bouillon de culture.

22

Shu-Meï se laissa entraîner par Li-Cheng dans un dédale de ruelles. Le soleil encore haut éclaboussait les auvents des fontaines.

Ils débouchèrent sur une large place où se donnaient en spectacle une multitude de bateleurs sur des estrades colorées. Ici et là, dans une odeur de fumée et de chou cuit, jongleurs, acrobates désarticulés, montreurs d'ours ou avaleurs d'aiguilles haranguaient les badauds tout en rivalisant d'adresse au milieu d'une musique assourdissante.

Elle avait longuement hésité avant de revoir Li-Cheng, partagée entre le désir de lui taire son rendez-vous au pavillon des Cerfs Rouges et celui de tenir tête à Yikuai.

Les sentiments du dignitaire à son égard devaient peser bien peu pour vouloir la sacrifier aussi aisément aux Khitan. Parfois, elle se demandait si leur passion ne tirait pas sa seule raison d'être de cette cruelle partie d'échecs !

A côté des marionnettes ailées d'un spectacle d'ombres, quelques bouffons vêtus de tuniques pétassées et de gros bonnets singeaient la balourdise des paysans du Shandong dans l'indifférence la plus complète. Visiblement, le public préférait frissonner aux histoires de revenants qu'un groupe de théâtreux mimait non loin à grand renfort de grimaces et de coups de gong.

Détendu, Li-Cheng s'était arrêté devant les espartilles trouées d'un conteur qui s'époumonait à retracer d'une voix nasillarde les épisodes des différentes vies de Bouddha.

— N'ayez crainte, chuchota-t-il après avoir vérifié que personne ne les suivait. Je ne divulguerai à personne l'origine du précieux renseignement que vous venez de me livrer.

— Qu'allez-vous faire à présent ?

Chaînes aux pieds, un groupe de lépreux en bonnets rouges éparpilla la foule aux quatre coins de la place. Les chairs rongées de leurs visages, dérisoires masques d'opéra effrités comme des éponges marines, étaient horribles à voir. Certains n'avaient plus qu'un trou à la place du nez. D'autres écarquillaient leurs orbites dévorées au milieu d'une bouillie de peau desquamée.

Li-Cheng eut un geste évasif.

— Nous avons perdu beaucoup de temps à palabrer. Le moment d'agir est arrivé.

— Allez-vous vous servir de mon information ? Pourquoi ne profiteriez-vous pas plutôt de la sortie officielle de l'Empereur lors de son Grand Sacrifice ?

— Il sera trop entouré. Yikuai n'est pas fou. A l'heure qu'il est, le Censeur doit concentrer toute son attention sur cette manifestation. Une tentative d'assassinat ce jour-là serait inévitablement vouée à l'échec.

Accrochées à des perches en bambou, quelques loupiottes commençaient à s'allumer. Au son des cymbales, l'atmosphère s'échauffait. Shu-Meï contempla de loin un combat de boxe qui opposait les

343

soldats de l'armée à la garde impériale. Les premiers se trouvaient parqués au nord de la capitale, prêts à contrer toute invasion. A les voir se battre, éméchés, le verbe haut et la tignasse déployée, elle ne pouvait s'empêcher de douter de leur réelle efficacité en cas de conflit.

Elle glissa une sapèque trouée dans la main sale d'un gamin qui s'évertuait à faire sauter ses poissons bariolés au-dessus d'une jarre en terre cuite.

— Avez-vous pensé que je pouvais vous dénoncer au Censeur ?

Li-Cheng rit, ses joues creusées d'une fossette ronde comme un pois.

— Bien sûr. Dans ce cas, il ne me restera plus qu'à me pendre ! Mais je ne pense pas m'être trompé dans mon jugement. Je n'imagine pas que vous puissiez manquer à votre parole.

Il saisit la main de Shu-Meï et l'effleura de ses lèvres.

— Allons, la duchesse nous attend au pavillon de la secte du Lotus Blanc... Si nous achetions leurs masques à ces mendiants pour mieux la surprendre ?

Laissant Shu-Meï à ses réflexions, il s'éloigna d'un pas leste troquer les parures de tête de deux coquefredouilles qui agitaient désespérément leur sébile tout en frappant le sol de leurs cannes de jonc tressé.

La confiance du peintre la touchait. Happée par le tourbillon d'une farandole qui tournait autour de quatre musiciens accompagnant de leurs flûtes un jongleur d'anneaux, elle décida de se laisser porter par le courant. Mais déjà Li-Cheng revenait en brandissant ses trophées.

— Voici Heng dit le Dragon Bleu, qui souffle par le nez, et voici Ha dit le Tigre Blanc, qui renifle par la bouche[1]. Reste maintenant à espérer qu'ils ne crachent pas des puces !

La duchesse sursauta à la vue des deux Immortels grimaçants qui venaient de faire irruption dans le grand salon.

Le peintre et Shu-Meï ôtèrent leurs masques en riant.

— Auriez-vous mauvaise conscience pour vous affoler devant les visages bienfaisants de nos gardiens de temples ? Par Yama, Roi des Enfers, nous ne sommes pas déguisés en juges infernaux, plaisanta Li-Cheng en la saluant cordialement.

La secte du Lotus Blanc, une association d'obédience taoïste, tenait ses quartiers dans une venelle adjacente à la Voie Impériale, non loin du marché aux livres et aux plantes médicinales. Le lieu sentait le renfermé et l'encens bon marché. Un parfum de débauche soufrée semblait suinter des plinthes.

Était-ce l'imagination de Shu-Meï ? Il est vrai que l'on prêtait aux adeptes de ces sectes toutes sortes de pratiques sexuelles étranges liées à l'obsession de l'immortalité et au mysticisme le plus halluciné.

Shu-Meï se souvenait des manuels érotiques de Yi-Shou où les maîtres de l'art de la chambre à coucher n'hésitaient pas à encourager leurs disciples à s'unir à quarante femmes en une seule nuit, sous le prétexte de revitaliser leur « essence ». La multiplication et même l'échange de parte-

---

1. Gardiens des temples bouddhistes et taoïstes dont on peut voir les statues ou les effigies gigantesques de chaque côté des portes.

naires faisaient des miracles de jouvence. C'était, paraît-il, le remède le plus efficace pour garder sa verdeur toute printanière à un « poireau » vieillissant !

Cela lui faisait penser à cette secte des Turbans Jaunes [1] qui voulait renverser la dynastie Han afin de fonder un empire taoïste. On disait que, dans l'espoir de s'aguerrir, ses fidèles se livraient à de gigantesques copulations de masse avant chaque bataille.

Épuisés par leurs fornications endiablées avant même d'avoir combattu, ils subirent, tout naturellement, les plus humiliantes défaites.

Shu-Meï détailla les précieuses peintures dont les rouleaux décoraient la salle sombre. Sur la plupart figuraient les trois Purs, divinités taoïstes correspondant aux divisions originelles de l'éther cosmique. Sur une table basse, différents instruments de musique étaient exposés. Entre un orgue à bouche, un *kin* [2] aux cordes de soie azurée et un gros tambour ovale, elle reconnut les plaquettes de métal reliées de lanières de cuir d'un xylophone à côté d'une collection de magnifiques cloches de bronze ornées à la base d'un masque de Taotié.

« De même qu'elle annonce la lecture des Textes Sacrés, la cloche invite à l'attaque sur les champs de bataille, lui expliquait son père, tandis que le tambour qui marque la fin des prières et appelle la pluie à tomber signale la retraite des armées. » Elle s'en rappelait comme si c'était hier.

Ce jour-là, Tsao avait accepté que sa fille l'accompagne visiter le prieur d'une bonzerie voisine.

1. IIᵉ siècle après J.-C.
2. Luth.

Émerveillée, Shu-Meï contemplait les lourdes portes de bois sculpté du monastère. Tandis qu'une cloche tintait au loin, pressant les moines de se réunir dans la Salle d'Or, une pluie fine s'était mise à tomber.

« Je croyais avoir entendu que c'était le tambour qui appelait la pluie », s'était-elle écriée en tirant avec véhémence la manche de son père.

Au souvenir de sa première insolence, elle sourit, le cœur serré. Les tambours de la retraite résonneraient-ils un jour sur la frontière de l'Annam ?

— J'aime la suave tranquillité de ce salon d'initiés, roucoula la duchesse en reposant sur ses genoux la flûte à bec dont ses lèvres mordillaient goulûment l'embout. Rien de tel pour vous ressourcer l'âme ! Je viens régulièrement ici suivre les délicieuses leçons de pipeau de maître Go. C'est un virtuose. La cour raffole de ses talents, chuchota-t-elle en couvrant ce dernier d'une œillade attendrie. Mais son art ne se limite pas à charmer nos oreilles. Taoïste invétéré, ses pouvoirs magiques sont illimités et le voilà passé maître dans l'art d'acquérir l'Immortalité. Les neuf transmutations de l'or, du cinabre, de l'orpiment, de l'argent et du mica n'ont plus de secret pour lui.

Assis à côté d'elle, un frêle vieillard au crâne en forme de poire hocha du bonnet. La cordelière de fil noir qui étranglait sa tunique bordée de plumes de cigogne le faisait ressembler à un sablier. Non loin, protégés par un paravent, deux hommes jouaient au double-six dans le plus grand silence.

— Diététique, exercices respiratoires et gymnastique taoïste nous évitent bien des déperditions d'énergie vitale, n'est-ce pas, maître Go ? s'exclama la Hue. Qui ne voudrait pas des belles pêches de l'Immortalité de Xi-Wang-Mu, notre Reine Mère de l'Occident[1]!

— Je dirais même que l'obsession de certains de nos empereurs à atteindre son verger paradisiaque expliquerait bon nombre d'expéditions chinoises vers le Grand Ouest, renchérit Li-Cheng en se grattant furieusement le cou.

Shu-Meï se demanda si la duchesse avait aussi appris de maître Go à souffler par le nez ces gaz jaunes qui réduisaient vos ennemis en grains de riz! Elle bâilla.

A côté d'elle, Li-Cheng discutait avec ses hôtes du conflit qui opposait le confucianisme au taoïsme.

— La morale confucéenne est rationnelle, énonçait-il de sa voix chaude. Son éthique ne vise qu'à organiser la famille et à gouverner la société au nom de la Hiérarchie et de l'Ordre en usant de rites et d'étiquettes. Le taoïsme, quant à lui, vit du surnaturel et règne sur les âmes à coups de superstitions, de miracles et d'amulettes, tout en demeurant la vivante expression de notre antique paganisme. Il nourrit notre imaginaire, il exacerbe nos sentiments religieux tandis que le confucianisme les tempère.

— Tout Chinois évolué a résolu ce problème, rétorqua maître Go d'une voix de chat écorché. Sa tête suit les enseignements de Maître Kong et son cœur ceux de Lao-Tseu.

Shu-Meï se demanda si les taoïstes ne confondaient pas parfois leur cœur avec leur queue. A cet instant, comme pour la conforter dans ses impressions, des halètements se firent entendre derrière la cloison.

1. Divinité dont le palais situé sur les monts Kun-Lun serait la résidence des Immortels. Elle détiendrait dans ses vergers les fameuses pêches dont la saveur permettrait d'atteindre l'Immortalité.

La duchesse passait-elle, elle aussi, derrière la tenture pour entretenir sa longévité en compagnie de maître Go ? Elle l'imagina emprisonnant la « radicelle égrotante » de ses grosses fesses marbrées de cellulite. A moins que le vieux libidineux ne préférât plutôt se délecter des Yin bien frais de toutes jeunes vierges ! L'homme, disait-on, pouvait gagner de nombreuses années de vie en se frottant à la rosée revigorante d'un de ces « boutons fermés ». A voir la tête de coing fripé du taoïste, Shu-Meï n'en était pourtant pas convaincue.

— Désirez-vous jeter un coup d'œil dans l'autre pièce ?

D'un air aguicheur, la duchesse lui désigna l'œilleton pratiqué dans le mur à la place de la bouche de l'Empereur de Perle.

Offusquée, Shu-Meï fit semblant de ne pas entendre. La Hue perdait-elle la tête ? Où donc Li-Cheng l'avait-il amenée ? Cet endroit était un lupanar masqué. L'image de Yi-Shou démontrant le bien-fondé des prostituées lui revint brusquement en mémoire. Maître Go comparait-il, lui aussi, leur « liqueur bénéfique » à celle des vierges ?

« Tu n'imagines pas à quel point l'homme regaillardit sa santé à leur contact, énonçait-il avec le plus grand sérieux. A force d'être le réceptacle de tant d'énergies viriles, la Grotte Cramoisie de ces dames recèle un Yin[1] des plus tonifiants pour la fragile santé de ton pauvre mari. »

Et dire que des générations d'épouses continueraient à gober pareilles sornettes !

1. Le renforcement d'énergie passe dans l'alchimie sexuelle taoïste par un échange bénéfique du Yin et du Yang, le Yin de la femme renforçant le Yang de l'homme et vice versa.

— Notre ami Yikuai vient me rejoindre ici de temps en temps, reprit la Hue en gloussant. Rien de tel que la position du « lotus et du bâton croisé » pour vous régénérer des pieds à la tête.

Shu-Meï rougit sous son regard insistant. Le Censeur culbutait-il toujours la duchesse ? Plutôt mourir que d'imaginer ces ébats-là !

Les joueurs de dés s'étaient évanouis. Maître Go avait de son côté disparu derrière une porte voûtée. Quelques instants plus tard, un hurlement inhumain couvrit les gémissements de plaisir qui continuaient à enfiévrer la pièce.

La duchesse s'empressa de les rassurer tout en se repoudrant abondamment le nez.

— Ne craignez rien. Il s'agit juste d'une petite expérience alchimique à base de sulfure de mercure qu'expérimente notre ami sur un malheureux estropié qu'il a eu la générosité de recueillir... A propos, saviez-vous que la racine de ginseng se métamorphose après trois cents ans en un homme à sang blanc dont quelques gouttes suffisent à rendre la vie à un mort ?

Shu-Meï déglutit. Comment l'amie de sa mère pouvait-elle se repaître de ce jardin d'horreurs ?

Les cris reprirent de plus belle.

— Ma chère, puis-je compter définitivement sur votre compagnie lors de mon voyage prochain pour Guilin ?

Shu-Meï fixa la Hue avec dégoût.

— J'ai changé d'avis, répondit-elle sèchement. La petite provinciale que je suis a encore beaucoup de choses à apprendre à la capitale.

Lorsque Shu-Meï revint chez Babouche Sacrée, ce relent de plaisir à l'arrière-goût de mort flottait désagréablement dans sa tête. Il suscitait en elle l'image très précise d'un supplicié au sexe arraché qu'elle avait vu dans le jardin du gouverneur de Guang-Zhou. Il s'agissait d'un soldat condamné pour avoir volé un panier d'œufs.

Ses membres, débarrassés de leur peau suivant le supplice de la « mort lente » et méthodiquement dépecés, avaient roulé dans un lit de jonquilles dont l'entêtante odeur de sperme se mêlait à celle plus fade du sang caillé. Elle se souviendrait toujours de ce sexe décapité qui éclaboussait la terre mouillée comme un long lys nervuré.

Pour le moment, elle ne pouvait s'empêcher d'associer sa trahison au climat malsain de la tanière de maître Go. A quoi rimait sa dérisoire prise de position ? Devant l'air accablé de Babouche Sacrée, sa mauvaise conscience éclata :

— Je sais, je ne devrais pas me mêler à tous ces gens. Leurs âmes sont aussi corrompues d'un bord à l'autre.

Babouche Sacrée s'empressa de la calmer et la fit asseoir sur l'une des balancelles du jardin. Shu-Meï soupira, la tête entre les mains.

— Existe-t-il réellement une solution pour contrecarrer les Khitan ? Je commence à en douter.

— A part l'idée du Censeur que vous aviez vos raisons de refuser, je n'en vois pas d'autre. Les exodes et les guerres ont ruiné le nord de la Chine. Nous ne sommes pas assez forts pour nous mesurer militairement à l'envahisseur.

Le marchand tritura la doublure de sa robe de satin broché.

— Toutefois, d'après Abu Malik, une bande de partisans sous les ordres d'un mystérieux brigand parviendrait à inquiéter les Khitan. Ces illuminés se seraient introduits derrière les lignes barbares et défendraient la Chine à leur manière. Un peu à l'image de ces Hiong-Nou [1] qui avaient pour coutume de lancer leurs attaques quand la lune était pleine et de se retirer quand elle décroissait, ils n'hésitent pas à fondre sur les caravanes avant de se replier dans leurs montagnes. Les Khitan auraient, dit-on, beaucoup de mal face à cet ennemi insaisissable. Malheureusement, ils ne sont qu'une poignée à résister de la sorte.

Shu-Meï sourit. Il existait encore des personnages de l'envergure du « Dragon ». Long-Jian n'était pas mort pour rien. Il avait fait des émules. Un homme au Nord avait pris sa relève dans son combat contre l'oppresseur. A moins que...

Elle chassa cette folle supposition et avoua à Babouche Sacrée son désir d'abandonner toute intrigue ainsi que son intention de rentrer prochainement au manoir. Le tourbillon de la capitale la décevait.

— Justement... (Babouche Sacrée hésita.) Je n'ai pas trouvé le courage de vous l'annoncer plus tôt. Un courrier de Yikuai est arrivé tantôt. Votre père aurait été tué sur le front de l'Annam, il y a environ un mois.

Torturé, Yikuai tournait et retournait inlassablement les quelques indices de l'enquête dans sa tête.

La lettre anonyme qu'il avait sous les yeux lui brûlait les doigts. A qui donc appartenait la petite écriture nerveuse et serrée qui avait tracé d'un pinceau résolu la liste des comploteurs pour l'envoyer à son insu à l'Empereur ? Qui dans son dos voulait sabrer l'opposition tout en créant le doute dans la tête de Shi-Jin-Tang quant à l'efficacité de son Censeur ?

Le procédé était perfide. C'était ce qu'on appelait :

1. Nomades de l'Ouest particulièrement menaçants au IIe siècle après J.-C., à l'époque des Han.

tirer deux lièvres d'un coup. Si Roupillon Bavard n'avait intercepté de justesse la missive avant qu'elle ne franchisse le seuil des Appartements Pourprés, sa tête, à l'heure qu'il était, ne vaudrait pas plus qu'une roquille.

A qui pouvait profiter son discrédit auprès de l'Empereur ? Certainement ni à Zhao-Lin ni au maréchal Gao, puisque leurs noms s'étalaient en tête de liste sur l'épais papier moiré. Yikuai se leva et alla se verser une rasade d'alcool de fleur de prunier. Personne à sa connaissance ne pouvait définir une liste aussi détaillée des opposants à moins de s'être infiltré depuis longtemps parmi eux.

S'agissait-il de Dame Pan ? L'éventualité n'était pas à négliger. Pourtant, celle-ci avait tout intérêt à jouer jusqu'au bout la carte de la conspiration, quitte à se débarrasser ensuite de l'encombrant Zhao-Lin. Il ne lui resterait plus, dans ce cas, qu'à placer son jeune fils sur le trône et à régner sur l'Empire à la place de son frère.

L'huile de la lampe grésillait. Un courant d'air rabattit la flamme orangée. Yikuai approcha à nouveau le fin rouleau de la lumière. Le nom de Shu-Meï y figurait en fin de page, comme rajouté.

Il avait, certes, ses propres doutes sur la jeune femme. Mais, jusqu'à présent, malgré ses opinions, rien ne permettait d'affirmer qu'elle faisait activement partie du complot.

Le dénonciateur était-il au courant de l'entrevue qu'il avait projeté d'organiser entre Shi-Jin-Tang et Shu-Meï ? Trop de questions restaient sans réponse.

Sans se faire annoncer, Roupillon Bavard se glissa dans l'entrebâillement de la porte. Des mèches collées de sueur plaquaient ses favoris roussâtres.

— Je viens de faire vérifier certains détails. Cette liste ne correspond pas tout à fait à la nôtre. Certains individus que nous soupçonnions d'adhérer au complot manquent à l'appel.

Yikuai le dévisagea sévèrement.

— Je l'avais noté. Il n'y a pas besoin de sortir premier de l'académie de la Forêt des Pinceaux pour remarquer que la sœur de l'Empereur ne figure pas sur cette missive !

— Je ne me l'explique pas non plus, bredouilla Roupillon Bavard en se tassant sur ses talonnettes compensées.

— Dois-je en déduire qu'un second complot nous échappe et que l'efficacité de mes services ne vaut pas une soupe de pois ?

— Peut-être cherche-t-on à nous jeter des grenouilles dans les yeux pour mieux brouiller les pistes ?

— N'oubliez pas que ce petit chef-d'œuvre anonyme s'adresse à l'Empereur et non à son Censeur.

Yikuai se carra dans son fauteuil et croisa les bras sur son insigne de jade.

— On veut probablement déstabiliser le pouvoir avant de lui porter un coup fatal. Reste à savoir qui ? Je ne vois pas l'opposition s'amuser à dénoncer ses propres chefs pour le seul plaisir de se débarrasser de ma personne !

Devant lui, manches ballantes le long de sa tunique brodée d'oiseaux gobe-mouches, Roupillon Bavard se balançait d'un pied sur l'autre sans mot dire.

— A propos, que pensez-vous du nom de la fille Tsao au milieu de cette bande d'intrigants ?

— J'ai de nouveaux renseignements à son sujet, justement. Un de mes hommes déguisé en mendiant l'a prise en filature en compagnie du peintre Li-Cheng. Ils auraient ensemble parlé de l'Empereur, mais une musique assourdissante a empêché mon indicateur d'en entendre davantage.

Yikuai se raidit. Malgré ses avertissements répétés, Shu-Meï n'en faisait qu'à sa tête. Comme il l'avait toujours craint, Li-Cheng manipulait son âme passionnée depuis le début. Même s'il s'était réservé la possibilité de changer le lieu et la date de son entrevue avec l'Empereur, il lui était désagréable d'admettre que Shu-Meï avait essayé de le berner en cette circonstance. Dire qu'il avait presque cru à sa sincérité le jour où il l'avait contemplée dans son sommeil. Elle avait un air tellement innocent!

— Li-Cheng l'a ensuite entraînée à la secte du Lotus Blanc, poursuivit Roupillon Bavard sous l'œil noir du Censeur. La duchesse de Hue s'y trouvait au même moment.

Pouvait-on fonder des soupçons sur un mot glané au beau milieu d'une foule vociférante? Yikuai contempla le petit cheval de jade vert qu'il venait de faire glisser de sa manche. La silhouette de Shu-Meï dansait devant ses yeux, insouciante, son boléro de satin brodé de pivoines rehaussant ses joues légèrement rosies.

— Voulez-vous que j'approfondisse mes investigations à son sujet? insista Roupillon Bavard d'un air gourmand.

— Laissez, je m'occuperai moi-même de ce cas, rétorqua froidement le Censeur. Pour l'instant, dégelez vos méninges et secouez-moi votre gelée d'andouillette confite. Si vous ne me trouvez pas d'ici à deux jours l'origine de cette missive, je me ferai un plaisir de vous trancher moi-même les bourses. Il reste encore des places d'eunuques à pourvoir à la cour!

Resté seul, Yikuai réfléchit. Une nouvelle conspiration se tramait sous son nez et il n'avait rien vu. Comment avait-il pu laisser la situation se dégrader à ce point? Une chose était certaine, s'il avait de justesse échappé à la disgrâce, son pouvoir ne tenait plus qu'à un fil. Comme le prouvait ce geste, ceux qui lui enviaient sa place privilégiée dans le cœur de l'Empereur étaient nombreux en dehors même de l'opposition.

Il songea à Shu-Meï, non sans une certaine violence. A la pensée qu'elle avait passé l'après-midi dans l'antre dissolue du père Go, il serra avec rage son presse-papiers en jais de serinde. Ce n'était plus à elle qu'il en voulait, mais à ceux qui la lui volaient.

A l'heure qu'il était, Shu-Meï devait pleurer la mort de son père. Un cygne plongea dans l'eau noire du bassin. Sans savoir pourquoi, Yikuai se sentit brusquement triste.

« Mon père gît quelque part sur la frontière annamite au fond d'une gorge boisée, son cœur percé d'une sagette, sa main refermée sur son armure de cuir bouilli.

J'entends sur la pierraille les sabots des chevaux s'entrechoquer comme des crânes. Son morion à plumail a probablement roulé dans une tranchée. Le " Chêne " qui aimait tant la vie s'est abattu dans un froissement de flèches avec pour tout bagage le goût du sang et de la terre dans la bouche.

J'ai du mal à croire que le soleil ne réchauffera plus son corps. Guan-Yin seule sait à quel point je l'ai aimé. Je l'ai haï aussi. Peut-être parce que je lui ressemblais trop.

Il aura fallu sa mort pour que je comprenne l'amour infini qui nous liait. Celui qu'il ne m'a jamais exprimé et qu'il comprimait mal sous sa cotte de mailles.

" J'aurais pu te noyer, m'avait-il un jour avoué, parce

que tu es née sous le signe du Cheval de Feu[1]. D'après les astres, tu feras trembler tous les tiens, tes excès provoqueront les pires catastrophes et personne ne pourra arrêter la folle course de ton destin. Mais j'ai choisi d'en prendre le risque, avait-il ajouté en riant, parce que je t'ai donné mon sang. "

Parfois, la fierté qui bridait nos sentiments me faisait penser à ces deux roches aux formes étranges qu'en temps de sécheresse les villageois de Yang-You fouettaient de verges de couleur jusqu'à ce que pluie s'ensuive. Deux blocs immobiles, face à face, pleurant sous leurs cils de pierre.

Le cheval qui galope, dit l'adage, n'est fidèle qu'à son ombre. Aujourd'hui, j'ai compris que l'ombre que je poursuivais était peut-être celle de mon père. »

Yikuai se dressa en sueur sur son lit. Penché sur lui, son serviteur lui secouait l'épaule.

Il se souvint alors qu'il avait veillé la plus grande partie de la nuit et qu'il s'était endormi tout habillé.

— Maître, un homme vous attend dans le cabinet de la Sentence Éclairée. Il veut vous parler de toute urgence. A voir ses houseaux couverts de poussière, sa route a dû être longue.

Yikuai se leva d'un bond sans prendre la peine de nouer les cordons de sa robe d'intérieur.

La silhouette voûtée pivota sur elle-même. Yikuai n'eut aucun mal à reconnaître le voyageur au

1. L'année du Cheval de Feu revient tous les soixante ans. Elle est encore considérée comme néfaste pour l'entourage de l'enfant de sexe féminin qui naît sous ce signe, surtout au Viêt-nam et au Japon où l'on constate une baisse de la natalité cette année-là.

visage tanné par le vent qu'il avait envoyé quelques semaines auparavant espionner à la cour de Ye-Liu-Tö-Kouang.

Il serra le nestorien dans ses bras et le pria de se mettre à l'aise. Abu Malik dégrafa la ganse d'étoffe écrue qui sanglait son hoqueton de tussor marron. La fatigue creusait ses traits.

— J'arrive à l'instant même de Yen-Tchou. La situation est grave. Aussi n'ai-je pas hésité à vous déranger en pleine nuit.

Yikuai l'encouragea vivement à poursuivre.

— D'après mes renseignements, une faction extrémiste pro-khitan se serait infiltrée dans le milieu des opposants.

Yikuai se laissa choir sur son siège. Tout en tombant à pic, cette nouvelle n'en résonnait pas moins comme un véritable coup de gong, de quoi vous faire frémir les poils des oreilles ! A vouloir tuer le Loup, il en avait oublié la menace du Tigre.

— Ces vendus sont plus dangereux qu'on ne le pense, reprit Abu Malik en toussotant. Habilement intégrés à l'opposition, ils auraient depuis le début encouragé les loyalistes à renverser l'Empereur, avec l'idée de profiter du désordre qui s'ensuivrait pour appeler le Khan à leur rescousse et se débarrasser des amis de Zhao-Lin. Une façon comme une autre de récupérer adroitement le pouvoir pour eux seuls.

— Pourquoi, alors, ce document anonyme destiné à Shi-Jin-Tang et tout juste intercepté par mes services ?

Yikuai sortit d'un coffret la missive incendiaire et la montra à Abu Malik.

— Admettons que cette liste ait été établie par ces pro-khitan, quel intérêt ont-ils à dénoncer ce complot ?

Le nestorien examina attentivement le rouleau qu'on lui tendait.

— Justement, répondit-il, cette lettre vient confirmer mes sources. Quelque indiscrétion leur aurait fait soupçonner que vous étiez sur le point de décapiter la conspiration. La situation leur échappant et votre personnage devenant encombrant, ils auraient préféré, comme on dit, « changer leur flèche de carquois ». Leur calcul est simple : en avertissant l'Empereur du complot, ils sonnent l'arrêt de mort de Zhao-Lin et de ses complices. Du même coup, ils dénoncent votre incapacité et incitent Shi-Jin-Tang à vous remplacer. Reconnaissant de lui avoir permis de conserver son trône, ce dernier ne manquera pas de leur offrir les postes clefs dont le vôtre. Libre à eux ensuite de manipuler ce malheureux Shi-Jin-Tang comme bon leur semblera.

— Vous voyez probablement juste, soupira Yikuai.

Abu Malik caressa pensivement les tresses de sa barbe nouée dans son col officier.

— Comme vous le voyez, il semblerait que vous soyez devenu après Zhao-Lin la première cible à abattre. Nul n'ignore l'influence que vous exercez sur l'Empereur. Si vous ne tempériez pas ses états d'âme, Shi-Jin-Tang serait prêt à se racler la peau des orteils pour la donner au Khan dans l'espoir de se délivrer l'âme de ses démons.

Assurément, un souverain au cœur faible était une proie de choix. En lui apportant les clefs du complot sur un plateau, les pro-khitan étaient certains de glisser Shi-Jin-Tang dans leur manche.

Le Censeur se versa un godet d'alcool de riz et tendit le carafon de porcelaine à l'espion.

— Savez-vous qui se cache derrière cette nouvelle conspiration ?

— Il s'agit d'une bande de jeunes arrivistes uniquement motivés par l'attrait du pouvoir. Nul idéal ne les anime. Seul l'opportunisme leur fait choisir le camp barbare. Ils n'intéressent les Khitan que dans la mesure où ces derniers voient là l'occasion de ligoter Kaifeng et de tripler leur tribut.

— Connaissez-vous leurs noms ?

— Certains d'entre eux, oui. A partir de ceux-là, il vous sera simple de remonter la filière.

Yikuai réfléchit un instant tout en tirant sur les genouillères de ses bas-de-chausses indigo.

— Pour arriver à quelque personnage influent comme la sœur de l'Empereur, n'est-ce pas ?

— Dame Pan rêve certes d'étrangler son frère, mais de là à vendre son âme à ceux qu'elle exècre, il y a le gouffre du lac Dong-Ting !

Yikuai n'en était pas convaincu. L'amour du pouvoir poussait parfois certains à pactiser avec le Juge des Enfers !

Le dignitaire saisit ses baguettes damasquinées et entreprit de gober un œuf moucheté. Quoi qu'en dise le nestorien, la situation était beaucoup plus compliquée qu'elle n'en avait l'air.

— Savez-vous ce qu'en pense le Khan ? demanda-t-il brusquement, vous à qui revient l'honneur de partager sa coupe depuis des années ? D'ordinaire, Ye-Liu-Tö-Kouang préfère le coup de poing expéditif aux démarches sinueuses et à cette perversité toute chinoise.

Abu Malik allongea ses jambes. Par le gland mité de cette bouffissure d'âne, ces chevauchées n'étaient plus de son âge et il mourait d'envie de se tremper les attributs dans un bain de siège !

— Vous n'avez pas tort, approuva-t-il. Ye-Liu-Tö-Kouang s'en est un soir ouvert à moi au cours d'une beuverie qui réunissait ses fils et tous les chefs guerriers du fameux Ordo [1]. Le Khan se gausse de ces Chinois qui, au lieu de s'unir, ne pensent qu'à se tirer dans le dos. Au fond de lui-même, il se méfierait presque de ces extrémistes qui n'ont pas de sang khitan et qui n'hésitent pas à trahir les leurs par intérêt. Mais pourquoi ne profiterait-il pas de l'aubaine ? Nos dissensions incessantes ne révèlent que trop notre faiblesse. Ye-Liu-Tö-Kouang en est conscient et, bien qu'il s'assagisse avec l'âge, je ne saurais trop vous inciter à agir vite.

Yikuai remercia le nestorien de ses précieux conseils. Il fallait en effet montrer au Khitan que les Chinois n'étaient pas dupes, et le dissuader de toute urgence de venir plonger son nez dans les affaires de l'Empire.

— Grâce à vous, je commence à voir poindre l'aube, plaisanta-t-il à l'adresse d'Abu Malik.

Les deux hommes s'esclaffèrent. Une lumière blafarde commençait à filtrer à travers les stores de léger brocart.

— Vous ne m'aurez pas toujours à vos côtés, soupira néanmoins ce dernier. Je me fais vieux. Ces nuits passées à gobelotter en compagnie du Khan me sont de plus en plus pénibles. Il serait temps que vous pensiez à ma succession.

Yikuai ne répondit pas. Pour l'instant, il était impatient de comparer la liste d'Abu Malik à celle de Roupillon Bavard.

Tout en reconduisant le nestorien à la porte de l'Enceinte Extérieure, il ne put s'empêcher de songer avec effroi qu'il allait devoir affronter la salle du Conseil dans un peu moins d'une veille.

1. Camp spécial réservé à la cavalerie d'élite, fer de lance de la puissance militaire khitan.

Yikuai laissa la jeune fille verser l'aiguière d'eau tiède sur ses épaules. La fatigue de la nuit s'évaporait lentement dans le bain. Il était maintenant acculé à agir s'il voulait garder sa tête et son poste.

Le visage appliqué se pencha pour mieux le frictionner. Il contempla le galbe des seins à travers le caraco croisé que la garce se gardait bien de boutonner jusqu'en haut.

Il n'y a pas si longtemps encore, cet inappréciable instant de délassement se soldait régulièrement par une petite chevauchée de son membre viril en travers de la baignoire ou par une culbute rapide sur les carreaux de porcelaine réchauffés par la vapeur.

Froissant l'armoise et la litière de violettes qui jonchaient l'estrade, il écartelait la servante aux gros seins et l'inondait d'un plaisir sourd et brutal avant de la renvoyer aux cuisines, sa tresse ébouriffée et sa « feuille de saule » trempée.

C'est ce qu'il appelait galamment se mettre « cerise en bouche » !

Depuis quelques jours, cependant, ce genre d'exercice le laissait indifférent. Pis, la vision de cette bêtasse aux louchards explosant comme des lampions l'agaçait au plus haut point.

Était-ce cette menace latente qui le taraudait avant même d'avoir reçu cette missive, ce parfum de pourriture et de décomposition d'un monde au milieu duquel il se sentait aussi solitaire qu'un grand érable rouge luttant contre les rafales ?

Il écarta volontairement l'image de Shu-Meï de son esprit. Elle seule aurait pu l'apaiser, pourtant elle aussi l'avait probablement trahi. L'ombre qui entourait cette supposition l'écorchait plus qu'il ne l'aurait voulu.

Agacé, il fit signe à la soubrette de le laisser.

Grâce aux informations précieuses du nestorien, la

situation se retournait à son avantage. Restait à convaincre Shi-Jin-Tang. S'il y parvenait, le pouvoir s'offrait à lui. Son poids dans la conduite des affaires de l'Empire n'aurait jamais été aussi grand.

En fin de matinée, après le Grand Conseil, il serait reçu par l'Empereur, seul devant l'immense table où se dresseraient dix mille plats dégoulinants de sauce : lèvres de singe grillées aux graines de sésame, fiente de loriot en salade, fœtus de léopard en croustille, pattes d'ours au miel et aux pois de neige sauce huître, foies de dragon en beignets dont la vertu vous faisait pousser les ailes de l'Immortalité.

Il s'agenouillerait dos au sud, face à la natte impériale et, gonflant sa vésicule comme une vessie d'éléphant et durcissant ses artères comme des faisceaux de bambous nains, il commencerait ainsi son discours :

— Maître de l'univers à la face cachée, si pour mettre fin au meurtre il faut user du glaive, le Sage a dit qu'il ne fallait pas hésiter à tuer... Le Fils du Ciel, centre de gravité de la terre, doit donner l'exemple. Il doit de sa main droite ordonner l'exécution immédiate de ceux qui ont décidé par ce complot de le supprimer.

A l'exception du haut de son visage, Yikuai s'immergea entièrement dans l'eau parfumée. Il fallait persuader Shi-Jin-Tang de frapper vite et fort, et des deux côtés. Trancher les têtes des deux oppositions et les faire rouler dans le même panier. Montrer ainsi aux Khitan la force et l'autorité impériales auxquelles rien n'échappe.

Il devrait user de toutes les ruses de la rhétorique pour appeler l'Empereur à la clairvoyance.

Une mouche vint se poser sur la verseuse en grès rosé.

Et si ce dernier paniquait devant son audace ? S'il

refusait ce coup d'éclat de peur de s'attirer les foudres du Khan en accusant son Censeur de paranoïa galopante ? ou pis, en l'accusant de vouloir à son tour usurper le pouvoir ?

Yikuai marchait sur une pellicule de glace. La survie de son pays, comme la sauvegarde de son honneur et de sa charge, dépendait à présent de la disposition d'esprit dans laquelle il allait trouver son suzerain. Tout reposait sur l'incidence d'une dent gâtée ou de sa crotte matinale mal déféquée.

Yikuai soupira.

La sagesse ne devait-elle pas finalement l'inciter à agir brutalement sans même lui en parler ?

Il se souvint néanmoins qu'il se battait pour défendre un symbole, la griffe du Dragon Impérial, sans laquelle la résistance de son pays, qu'il comparait volontiers à celle de la fleur de prunus en hiver, n'existerait pas.

Il se déplia dans une gerbe d'eau glacée.

23

Brassant l'air comme une corneille sur le point de s'envoler, Bécasse Frivole déboula dans le boudoir des Aromates Éventés. Face à elle, Shu-Meï brodait aux pieds de Babouche Sacrée. La Deuxième Epouse pointa son ombrelle en direction de la protégée en roulant des yeux de merle constipé.

— Un laquais vient de se présenter. Son maître demande à voir madame. Sa chaise à porteurs attend dans la rue et ne veut pas dégager la chaussée. Quelle impertinence !

Shu-Meï interrogea le marchand du regard.

— Je peux même vous dire que le voisinage est en ébullition. La valetaille jase, renchérit la commère en faisant tournoyer la cordelière de son aumônière d'un air pincé. La litière vient du palais, à ce qu'il paraît.

Yikuai se déplaçant en personne ! Quelle raison pouvait pousser le dignitaire à insister aussi effrontément ? Si l'entrevue avec l'Empereur avait été ajournée, il lui aurait fait envoyer un messager.

Babouche Sacrée invita Shu-Meï à ne pas laisser patienter plus longtemps ce visiteur de marque.

— Notre ami a probablement de bonnes raisons de vous parler pour se déranger de la sorte, lui soufflat-il à l'oreille. Faites fi de votre ressentiment pour une fois.

Shu-Meï se leva à contrecœur.

— « Qui laisse ses épouses filer dans l'air, risque fort de porter le chapeau vert [1] », entendit-elle siffler Bécasse Frivole à l'adresse du vieux Persan.

Une main gantée releva la portière de gaze du palanquin.

Le dos calé contre des coussins de satin noir, Yikuai invita Shu-Meï à prendre place à ses côtés.

— Je vous avais pourtant clairement formulé que je ne désirais plus vous voir.

Le Censeur la fouilla froidement du regard.

— Auriez-vous mauvaise conscience ?

— Pas plus que celui qui était prêt à me sacrifier aux Khitan comme une vulgaire prostituée.

— Cessez d'être ridicule, j'ai besoin de vous parler.

— Cela tombe mal, je n'ai plus rien à vous dire.

Shu-Meï voulut s'écarter, mais elle n'eut pas le temps de faire un pas... Yikuai l'avait saisie par le bras et tirée dans la chaise à porteurs qui s'ébranla aussitôt.

— Où m'emmenez-vous ?

Le dignitaire ne répondit pas. Devant eux, quelques palanches affolées s'écartèrent. Un mulet se cabra pour éviter les cages en osier d'un marchand d'oiseaux.

— Vous m'arrêtez, c'est cela ?

— Penseriez-vous le mériter par hasard ?

Jusque-là, Yikuai était resté immobile, presque compassé dans son *ku-zhé* à plis violets. Pour qui se prenait-il ?

— Laissez-moi descendre !

Sans paraître l'entendre le Censeur ordonna à ses

1. Expression chinoise pour « être cocu ».

laquais d'accélérer l'allure. Shu-Meï chercha à s'esquiver de l'habitacle, mais il la retint d'un geste ferme.

— Comment peut-on respecter les lâches qui ne cherchent qu'à dominer les faibles en abusant de leur force ?

Dans son indignation, Shu-Meï avait crié. La gifle l'atteignit au coin des lèvres.

Interdite, la jeune femme toisa Yikuai. A travers ses larmes de rage, elle crut déceler comme une blessure dans son regard.

Le soleil sembla déraper sur les lattes glissantes d'un pont en arc-en-ciel.

Moulé dans un pourpoint queue-de-vache à larges molletières de feutre, Roupillon Bavard exultait. Il allait enfin pouvoir donner une correction à ces embryons d'œufs pourris, à ces traîtres pouilleux qui n'avaient pas plus d'honneur qu'une paire de couilles bouillies.

Ah, qu'il trépignait d'impatience à l'idée de les suspendre par la langue à des crocs de boucherie, ou de les flageller à travers des outres cousues après leur avoir truffé les boyaux de piment rouge et de grosses fourmis !

Le Censeur lui avait recommandé un travail net et sans bavures. Qu'il se rassure... Leur trahison serait lavée dans le sang le plus pur.

Il se dressa sur ses ergots et lança méthodiquement ses directives d'une voix coupante. A tour de rôle, les officiers de la garde se présentèrent devant lui, leur casque à plumail sous le bras. Chacun reçut la liste détaillée des individus qu'ils devaient arrêter.

Lorsque la dernière Tunique Noire eut débarrassé le parquet, Roupillon Bavard serra ses liasses de papier dans leur étui de bois précieux et sourit : à lui maintenant le privilège d'aller visiter en personne le ministre Zhao-Lin.

Déjà le soleil fondait derrière l'interminable enceinte de terre sèche, ensanglantant les torches des cyprès et la pourpre des saules. Shu-Meï trébucha.

Devant elle, précédé de quatre gardes, Yikuai marchait vite. Il ne lui avait plus adressé la parole.

Sans distinguer l'ombre des cours qu'elle traversait, Shu-Meï se laissa entraîner. Leurs pas glissèrent silencieusement de galeries en corridors. Où l'emmenait-on ?

La porte coulissa. Shu-Meï contempla la pièce dans laquelle Yikuai venait de la pousser. Une natte simple se déroulait sur une majestueuse estrade de bois de camphrier. Aux murs, plusieurs calligraphies de maîtres s'étalaient sur des panneaux de papier huilé. Le décor volontairement dépouillé lui rappelait la chambre d'ascète de son père.

— Et maintenant, qu'attendez-vous de moi ?

Yikuai leva tranquillement les yeux sur elle sans lui répondre. Devant son impassibilité, Shu-Meï sentit le piment lui monter au nez.

— Répondez. Attendez-vous que je vous vende mes amis ou dois-je vous offrir mon corps ?

Yikuai haussa les épaules.

— Ne vous gênez pas. Le Khan ne ferait pas tant de manières.

— Assez.

Cette fois-ci, le dignitaire se retourna, plus pâle que la tablette en ivoire sur laquelle il s'appuyait.

— Un peu de dignité, voulez-vous.

— Laissez-moi rire. Où se trouve la dignité de celui qui enlève une femme sans son consentement ?

Yikuai n'eut pas le temps de lui répliquer. Un garde en tunique vert lentille s'était avancé pour lui parler à l'oreille. Agacé, le Censeur disparut derrière une tenture.

Shu-Meï se précipita alors vers la porte, mais celle-ci était verrouillée. Pourquoi Yikuai avait-il donné l'ordre qu'on les enferme à double tour ? Dans l'espoir de la faire avouer ?

Un va-et-vient désordonné résonnait à présent dans le couloir. Lorsqu'elle se retourna, seul au milieu de la pièce, il la dévisageait à nouveau, mi-hautain mi-sévère, la licorne de son insigne flottant au bout de son ruban rouge.

— Vouliez-vous partir sans même me saluer ?

— De quel droit m'avez-vous enfermée ?

Yikuai s'approcha jusqu'à la frôler de ses manches.

— L'envie du prince, allez savoir ! N'ai-je pas ici tous les droits ?

— Oh si, même celui de frapper une femme. Profitez-en vite, vous n'en jouirez pas toujours.

La fatigue accentuait la sécheresse de ses traits. Elle se mit à détester ce visage anguleux sous son haut turban de gaze, ces lèvres trop minces, cette prestance et cette aisance dont il jouait pour mieux la séduire.

L'ombre déchiquetée des bambous bruissait derrière la fenêtre. Shu-Meï souleva sa traîne en queue d'hirondelle et dévisagea le dignitaire avec mépris.

— J'ai réfléchi à votre sujet. Ce n'est pas l'honneur qui vous empêche de trahir l'Empereur, mais votre goût démesuré du pouvoir, la jouissance de tenir le monde en laisse... Votre désir d'abuser des autres vous égare.

Yikuai se mordit les lèvres. Cette fois-ci son insolence dépassait les limites.

— Pensez-vous que ceux qui semblent partager votre idéal valent mieux ? N'avez-vous jamais songé qu'ils pouvaient se repaître de votre naïveté pour mieux satisfaire leurs piètres ambitions ?

— De même que vous n'avez pas hésité à faire massacrer des milliers de malheureux en Annam, dont mon père ! s'écria vivement Shu-Meï.

— C'est faux !

— N'avez-vous pas sournoisement incité le Roi Borgne à provoquer puis à prolonger cette boucherie pour mieux le poignarder par-derrière ? Ne me dites pas que vous l'avez fait assassiner pour délivrer le peuple de sa tyrannie. N'était-ce pas plutôt pour prêter main-forte aux aspirations dévorantes de la duchesse de Hue en échange de votre ascension à la cour ?

Hors de lui, Yikuai saisit brusquement Shu-Meï par le bras. D'un seul coup, sa main libre enserra la gorge nue.

Un instant, il fut tenté d'accentuer sa pression. Le sang cognait sous sa paume. Qu'il serait simple d'en finir et de la posséder d'un seul geste pour toujours !

Le fait de détenir sa vie au creux de sa main le fascinait et en même temps lui faisait horreur. Shu-Meï n'avait pas tort. Le désir du pouvoir rendait-il fou ?

Il desserra brutalement sa prise. Shu-Meï s'affala sur la couche comme un chiffon mouillé. Yikuai fixa les six caractères du poème qui lui faisait face. Long fleuve tranquille, l'encre noire semblait déborder de son cadre de soie.

— Vous cherchez à vous en persuader afin de mieux nourrir votre haine à mon égard, n'est-ce pas ?

— Oui, répondit-elle dans un cri.

Le regard douloureux de Yikuai la surprit. Ce dernier se détourna lentement vers la fenêtre.

— Quand bien même je m'abaisserais à justifier mes actes, vous ne me croiriez pas. Je crois qu'il vaut mieux oublier ce qui s'est passé entre nous.

Shu-Meï ne répondit pas. Depuis qu'elle connaissait le Censeur, c'était la première fois qu'elle entendait sa voix trembler.

L'obscurité noyait petit à petit les contours de la pièce. Shu-Meï fixa la haute coiffe dont les ailes rigides frissonnaient comme deux rémiges de soie.

— Pourquoi m'avez-vous enlevée ?

Yikuai regarda le soir tomber doucement sur la pièce d'eau. Le vol d'une couple de canards sauvages s'y reflétait comme dans un miroir. Pourrait-il oublier que cette femme l'avait peut-être trahi ?

— Parce que je n'arrive pas à me passer de vous, avoua-t-il brusquement, presque à regret.

La gorge serrée, il se retourna. Dans la pénombre, Shu-Meï lui tendait les bras.

Zhao-Lin détourna le regard des yeux luisants qui le scrutaient dans l'ombre. Le chien gratta furieusement le sol de sa cage en retroussant ses babines mauves. Lupin était jaloux.

Il y avait quelque chose d'excitant à forniquer sous la truffe de son *kiao* préféré. Et dire que, comble d'ironie, cette bête était d'origine khitan !

De la plus charmante humeur, le Premier ministre plongea avec délices son membre dilaté dans le petit derrière pommelé de sa nouvelle servante. A ses côtés, la sœur aînée qu'il venait de labourer comme un forcené haletait comme Lupin, ses cuisses encore ouvertes.

Âââââââhh ! Rien de tel qu'un torrent encaissé,

qu'un goulet humide ombré de fougère pour sentir son « âme » grandir comme un majestueux Pic Solitaire !

Mais rien décidément n'égalait dans son imagination la perspective des nouveaux privilèges qui l'attendaient. Celui, par exemple, de biner frénétiquement les « œillets bridés de la Cour Arrière » et les « pivoines lustrées du Jardin de Devant » des deux mille concubines impériales. Si l'on y ajoutait les mille trois cents « boutonnières moussues » des eunuques du gynécée, que de Niches Célestes à défoncer !

La tête lui en tournait : outre le frétillement divertissant de mille trois cents paires de « cliquettes » à son service, cela lui donnait le choix entre cinq mille trois cents mignons orifices dans lesquels réchauffer son « outarde à long cou ». De quoi enchanter ses longues nuits d'hiver.

Le panorama de ces montagnes de chair pour lui seul amoncelées enfiévrait d'autant ses appétits de pouvoir qu'il décuplait les fringales de son Olifant Triomphant.

Il se dégagea du terreau moite qu'il venait de farfouiller, attrapa un bougeoir en argent et l'enfonça avec violence dans le croupion extasié. La jeunette poussa un hurlement, repris aussitôt en écho par Lupin, langue pendante et poil hérissé.

A cet instant, un vacarme assourdissant le fit sursauter. Cris et cavalcades se rapprochaient. Que se passait-il ? Qui avait-on laissé entrer ?

Affolé, Zhao-Lin bondit vers la cage de son chien pour le lâcher. Peine perdue : la porte vola en éclats, le coupant dans son élan, nu et grotesque, à quatre pattes devant Lupin.

Au-dessus de lui, Roupillon Bavard, entouré de ses gardes, lorgnait la scène en ricanant.

— Mort au traître !

La lame d'une dague gicla. Les cuisses de la servante, les aboiements du dogue, l'éclaboussure du sang, mille éclats voltigèrent sous le crâne du Premier ministre.

Le ciel du baldaquin se déchira. Un instant, un trône en or surgit des limbes de sa conscience. Il tendit un bras et s'effondra.

Roupillon Bavard trancha d'un geste sec le sexe ratatiné, couronné de ses testicules, et lança le paquet ensanglanté à travers les barreaux de la cage.

— Tiens, histoire de varier les menus... ça te changera de lui lécher le fondement !

La truffe humide, le dogue renifla les rogatons encore chauds de son maître, et les avala tout rond.

— Que me veut ce singe à chapeau ? Il y a erreur, s'égosilla Tong-Kiu en frappant du poing sur son guéridon. Je n'ai jamais fait partie de la conspiration du renégat Zhao-Lin.

L'officier en tunique de drap noir, qui se grattait le chef à l'aide d'une plume d'aigrette, ordonna à ses sbires d'arrêter l'amant de la duchesse.

— Ordre du Censeur à la cour impériale.

— Puisque je vous dis que je suis innocent !

— Tu ne serais pas pro-khitan par hasard, espèce de colique purulente de chacal ? hurla le militaire en lui brandissant sous le nez une copie de la liste établie par le nestorien.

Tong-Kiu pâlit. Tout en se débattant furieusement, le jeune homme glissa aux pieds de l'officier et se cramponna à ses mollets en pleurnichant.

— Je vous en supplie, lâchez-moi... Votre serviteur vous le revaudra.

— Attends de goûter au supplice du pal pour gémir comme une pleureuse, ricana le soldat... Dis-moi, ça sent le chou chez toi ! Allons, les gars, notre hôte se propose gentiment de nous faire visiter ses cuisines pendant qu'il nous racontera sa petite histoire.

Sous les travées enfumées, un gigantesque chaudron reposait sur son foyer de briques chaudes. Devant l'irruption des gardes qui poussaient leur maître ligoté, les servantes lâchèrent leurs chapons et s'enfuirent en criant.

L'officier souleva l'énorme couvercle du tripode. Un clapotis fumant s'en échappa. Il en huma le fumet avec gourmandise.

— Tiens, tiens, qu'est-ce que je vous avais dit, la soupe d'anguille au chou du seigneur Tong-Kiu !

Interrompant du geste les soldats qui raflaient les jambons suspendus aux poutres, la Tunique Noire ordonna qu'on lui amène le traître et qu'on maintienne sa tête au-dessus du liquide bouillant.

— Viens donc nous faire l'honneur de goûter à ce délicieux brouet avant de nous donner le nom de tes acolytes.

— Nôôôôn.

Sans plus de préambule, les hommes enfoncèrent sauvagement le visage aux yeux exorbités dans la marmite.

Longs cris mouillés comme des ventres de mouettes. Leurs corps soudés dans le plaisir, Yikuai et Shu-Meï avaient glissé sur l'épais tapis brodé, balayés par les effluves de santal et de musc.

L'espace et le temps s'étaient évaporés. Pliée, écartelée sous sa bouche, buvant sa peau, Shu-Meï se demandait s'ils cueillaient l'instant pour oublier le monde ou s'oublier eux-mêmes.

A peine touchèrent-ils au repas fin qu'une ombre complaisante avait discrètement déposé au pied de leur couche.

Yikuai supplia Shu-Meï de rester à ses côtés jusqu'au petit matin. Il tenait à profiter de sa présence le plus longtemps possible. Pourtant, entre la quatrième et la sixième veille, il ne cessa d'être dérangé. Il s'en excusa auprès de Shu-Meï et prétexta son travail. Celle-ci ne chercha pas à en savoir davantage.

Les cheveux déployés sur le petit oreiller de cuir dur, le corps alangui comme une longue algue tiède, Shu-Meï laissait ses esprits dériver vers l'oubli. Elle avait décidé de s'abandonner comme une vague qui meurt.

S'étaient-ils affrontés pour mieux se retrouver, cédant brutalement, presque maladroitement, à la rage de leur désir ? Pourtant, que cherchaient-ils à fuir, emportés par leurs sens dans cette nuit intemporelle, comme deux nuages arrachés !

Shu-Meï ouvrit les yeux. Des éclats de voix surnageaient dans sa torpeur. Un grain de sable crissait étrangement à la place de son cœur : une rage sourde à vivre follement, à arracher l'éphémère, le fugitif au goût de mort.

Déjà Yikuai se penchait sur ses lèvres. Devant son visage inquiet, elle sourit. Alors, lentement il s'étendit sur elle et l'enveloppa fiévreusement de son corps comme une immense jacinthe d'eau.

Roupillon Bavard fixa le marchand avec méfiance. Ses yeux clairs l'intimidaient. Lui disait-il vrai ? Avait-on réellement emmené la fille Tsao au palais ? Certes, le Censeur avait manifesté le désir de s'occuper lui-même de ce cas, mais par la grenouille de Sakyamuni, pourquoi ne l'avait-il pas prévenu ?

Agacé, il cracha dans la coupe de fruits posée sur la desserte.

De son côté, Babouche Sacrée réfléchissait. Que reprochait-on de si grave à Shu-Meï pour le réveiller en pleine nuit ?

— Le Censeur est même venu la chercher en personne, finit-il par bredouiller.

Yikuai en pinçait-il pour cette petite provinciale ? Roupillon Bavard ne cacha pas son étonnement. Son supérieur n'avait-il pas mieux à faire ? A la pensée, toutefois, qu'il expérimentait peut-être sur cette nouvelle recrue quelques savants supplices, un sourire vicelard éclaira sa face aplatie.

Il ricana et tapa du pied dans la table ornée de mantes religieuses.

— Bon, pour cette fois je vous laisse. Mais si vous m'avez menti, comptez sur moi, je saurai vous retrouver.

Lorsque les gardes eurent disparu, Babouche Sacrée retourna se coucher, mais il ne put trouver le sommeil.

Cette visite nocturne avait-elle une relation avec l'enlèvement de Shu-Meï ? Où était sa Perle, à présent ?

Assise dans sa chaise à porteurs, Shu-Meï laissait les rues vides défiler, sans les voir. Le silence dans la ville était impressionnant. De temps à autre, des ombres sortaient des maisons en courant. Tout entière au souvenir de sa nuit, elle n'y prêta guère attention.

Elle revoyait Yikuai dans la lumière de l'aube, ses cheveux juste retenus par un anneau d'argent, la soie rouge de sa ceinture assortie à la doublure brodée de son *hu-yi* blanc. Elle ne pouvait oublier la mélancolie de son regard. Sans savoir pourquoi, il lui semblait que ces instants qui l'avaient bouleversée ne se reproduiraient plus jamais. Sa présence lui manquait-elle déjà ?

Elle chassa cette angoisse injustifiée et sourit.

Babouche Sacrée se précipita vers Shu-Meï aussi vite que ses petits pieds coiffés de brocart le lui permettaient.

Grâce à Dieu, sa Perle était sauve !

A la voir radieuse et détendue, il ne put s'empêcher de la serrer contre sa poitrine jusqu'à l'étouffer.

— Par le Tao, j'aurais volontiers troqué la fin de mes jours contre l'assurance de vous savoir en vie.

Confite de honte, Shu-Meï étouffa le souvenir de sa folle nuit et regarda pudiquement ses souliers.

— De drôles de choses se sont passées depuis votre départ, ajouta le marchand. Des soldats ont quadrillé la ville, investissant de nombreuses demeures. Le martèlement de leurs bottes ne nous a guère laissé de répit.

Il se garda d'évoquer la visite de Roupillon Bavard, de peur de l'effrayer.

Ce remue-ménage avait-il un rapport avec l'effervescence qui avait agité le palais toute la nuit ? Mue par un atroce pressentiment, Shu-Meï demanda au vieillard s'il en avait l'explication.

— Nombre de bruits contradictoires courent dans Kaifeng ce matin. On dit même que deux complots auraient été déjoués et que...

Li-Cheng ! Shu-Meï pria Babouche Sacrée de l'attendre. Elle n'en avait pas pour longtemps. Il lui fallait s'assurer que le peintre était toujours libre.

En courant vers la maison du lettré, elle se demanda avec affolement si Yikuai avait pu avoir la fourberie de vibrer de plaisir à ses côtés pendant qu'il faisait arrêter la moitié de la ville.

Pendu à l'une des branches du vieux sophora, le corps de Li-Cheng se balançait, grotesque au bout de son écharpe blanche, son visage triste penché sur le col de sa veste brodée.

Une brise molle agitait l'ourlet de sa robe sang de bœuf, imprimant aux membres raidis une dérisoire impression de vie.

Shu-Meï redressa le tabouret en bois qui gisait aux pieds du lettré et contempla avec horreur la langue violacée qui semblait la narguer comme un pistil obscène.

Un silence étrange s'était abattu sur la courette. A son arrivée, elle avait trouvé la porte d'entrée grande ouverte. En traversant le hall de bienvenue désert, elle avait eu du mal à contrôler son appréhension devant les meubles saccagés et les porcelaines brisées.

A présent, plus aucun doute n'était permis. Le malheureux avait préféré mettre un terme à ses jours plutôt que de laisser à d'autres le soin de s'en charger.

Shu-Meï se détourna du cadavre qui semblait jaillir du feuillage comme un appendice monstrueux, une sorte de fruit macabre. Brusquement, elle entendit le peintre rire et le revit, détendu, la tête légèrement ployée en arrière, accoudé près d'une estrade où sautillait une poignée de nains grimés.

« Avez-vous pensé que je pouvais vous dénoncer auprès du Censeur ?

— Bien sûr. Dans ce cas, il ne me restera plus qu'à me pendre. »

L'écho de sa phrase martelait à présent ses tympans. Li-Cheng avait-il douté de sa parole ? Avait-il repoussé le tabouret du pied, persuadé qu'elle l'avait vendu ?

Shu-Meï imagina l'écharpe de soie étranglant sa pomme d'Adam dans un sinistre craquement de vertèbres.

Li-Cheng l'esthète, Li-Cheng le pur. Sa joie de vivre suspendue dans les airs parmi les grappes blanches du sophora dont la pâleur de lune dégageait un parfum de mort.

Un sanglot la fit sursauter. La tête dans son tablier, une femme gémissait doucement, accroupie contre la margelle du puits. Shu-Meï reconnut la vieille *amah* du peintre.

Sans la voir, la nourrice, prostrée, continua à bercer contre sa poitrine une poupée de chiffon délavée.

Shu-Meï frappa plusieurs fois à la porte de Babouche Sacrée. Personne ne répondit.

Elle longea alors le mur d'enceinte jusqu'au massif de lauriers-roses qui masquait une ouverture provoquée par un éboulis et se glissa à l'intérieur du jardin. Un vol de grues cendrées s'abattit derrière le bleu des tuiles. Pourquoi ce silence ?

Bouleversée par la mort du lettré, Shu-Meï pénétra dans le premier patio. Babouche Sacrée et ses épouses devaient deviser à l'ombre du salon de la Senteur Fanée, comme à l'accoutumée.

N'avait-elle pas trahi le peintre à sa façon en se donnant, cette nuit, à celui qui avait commandé sa mort ? Pendant que Li-Cheng se figeait dans une dernière secousse, pendant que les bourreaux du Censeur barbouillaient les rues de sang, elle, ne pensait qu'à écarter les cuisses !

Le cynisme de Yikuai la dégoûtait. Comment pouvait-il jouir quand sous son crâne résonnaient les cris du massacre qu'il avait ordonné ?

Elle trébucha sur une chaussure et s'aperçut avec effroi qu'il s'agissait d'un pied coupé. Dans une mare de sang gluant, des jambes affreusement mutilées dépassaient d'une tenture. Aux chevilles éléphantesques, Shu-Meï n'eut aucun mal à reconnaître celles d'Alouette Empâtée.

Affolée, elle se rua dans les autres pièces. Jamais elle n'aurait dû abandonner Babouche Sacrée ! Ce qu'elle découvrit dans le troisième boudoir la paralysa d'horreur. Ligotée à une chaise, Bécasse Frivole gisait, tête en arrière, son chignon postiche balayant le sol. Comme pour la faire taire, une âme bien intentionnée lui avait fourré jusqu'à la luette ses dix doigts sectionnés, salsifis sanguinolents qui lui tordaient la bouche comme des os mal digérés.

Son rictus était effrayant. Solitaire, un doigt jaune comme une patte de poulet avait glissé sur le tapis, sa griffe pourpre pointée vers le divan de repos. Un trou béant inondait le buste défoncé.

Courbée en deux, Shu-Meï vomit. Elle venait de s'apercevoir qu'on avait arraché le cœur de la Deuxième Épouse.

Mais où était donc Babouche Sacrée ?

Interdite, Shu-Meï s'approcha de Chameau Fatigué.

Non loin du bassin dans lequel se noyaient les bleus du ciel et des thuyas nains, ce dernier, agenouillé dans l'herbe, pleurait sur le corps de son maître.

Roulé dans son manteau souillé au milieu des orchidées, le marchand fixait Shu-Meï, les yeux crevés.

— Il vient de mourir, murmura le vieux serviteur en lâchant la main brune.

Bouleversée, Shu-Meï lui demanda ce qui s'était passé.

— Peu de temps après votre départ, une escouade d'hommes en armes s'est présentée. Ils vous recherchaient, ajouta-t-il en sanglotant... Mon maître leur a dit qu'il ne savait pas où vous vous trouviez, mais Bécasse Frivole s'est insurgée en criant qu'il mentait, que sa faiblesse envers vous allait les perdre.

Au souvenir de la malheureuse, ses doigts arrachés lui dégoulinant de la bouche, Shu-Meï frissonna.

Chameau Fatigué leva vers elle son gros visage chiffonné.

— Celui qui semblait être leur chef lui a coupé la parole d'un coup de dague, puis ses sbires, en riant grassement, ont coursé Alouette Empâtée qui cherchait à s'enfuir. Babouche Sacrée m'a alors prié d'un geste discret d'aller vous prévenir. Je me suis esquivé sans encombre, mais une fois dans la rue je n'ai pas eu le courage d'abandonner mon maître et je suis revenu sur mes pas. Je les ai alors aperçus traînant le vieil homme au fond du jardin en le rouant de coups. Dans leur rage à le faire avouer où vous vous trouviez, l'un d'eux n'a pas hésité à lui crever les yeux puis à lui uriner sur le visage.

Shu-Meï le pria de continuer.

— Devant le silence opiniâtre de Babouche Sacrée, leur chef, lassé, a décidé d'en finir et lui a planté sa pique dans le ventre avant de l'abandonner. Les hommes sont ensuite retournés dans le premier pavillon pour en ressortir peu de temps après en brandissant un paquet ensanglanté, entortillé dans un linge.

Shu-Meï s'effondra aux pieds du marchand. L'eunuque souleva le visage meurtri de son maître et le caressa tendrement de sa manche.

— Je me suis alors précipité vers Babouche Sacrée

qui agonisait. Ses derniers mots furent pour vous, ajouta-t-il en baissant humblement la voix. Au sourire qui éclairait faiblement ses traits, je me suis soudain rendu compte qu'il avait pris ma main pour la vôtre. Il a remercié son Dieu de lui avoir ramené sa gazelle. Il pouvait à présent mourir heureux.

Les yeux brouillés de larmes, Shu-Meï contempla le visage fixe sur lequel le temps s'était arrêté.

Babouche Sacrée, son meilleur ami et son confident, s'était sacrifié pour elle, n'hésitant pas à supporter les pires tortures sans broncher. Le cœur serré, elle pensa que jamais plus il ne la toucherait du regard.

L'odeur forte du cuir tanné, mêlée aux effluves douceâtres du miel et des écorces de cannelier, envahit ses narines. Les jardins suspendus et la rumeur colorée du bazar d'Ispahan que le vieillard évoquait avec tant de nostalgie remontèrent lentement à sa mémoire.

Non loin, le miroir du bassin se mit à flamber sous la lumière de midi. Shu-Meï froissa la rose rouge qu'elle venait de cueillir. Babouche Sacrée était mort par sa faute. A cette douleur s'ajoutait une monstrueuse certitude : Yikuai s'était offert une dernière nuit d'amour avec elle, avant de la livrer froidement au fil de l'épée.

Elle se releva en serrant les poings et abandonna Chameau Fatigué devant la dépouille de son maître.

Yikuai contemplait rêveusement les oiseaux aquatiques et les lotus bleus qui s'épanouissaient sur la laque dorée du grand paravent. Son opération de ratissage était un succès. Grâce aux aveux de ce minable pet pourri de Tong-Kiu qui s'avérait être l'amant de la duchesse, le clan pro-khitan avait sauté tout comme les conspirateurs du gros Zhao-Lin.

Il pensa avec un certain agacement à la Hue qui n'avait pas hésité à passer de ses bras dans ceux de ce traître. Par goût ou par calcul ?

Enfin ! A l'exception de la Dame Pan et de son fils qu'il avait pour le moment assignés à résidence dans leurs appartements pour ne pas heurter la sensibilité capricieuse de l'Empereur, l'opposition était exterminée.

A cet instant la porte s'ouvrit.

Maîtrisée à grand-peine par deux gardes, Shu-Meï se débattait devant ses yeux comme une truite dans une épuisette.

Sa réaction était à prévoir. Elle avait dû le maudire en apprenant que ses amis avaient fait l'objet d'une sanglante répression. Mais comment aurait-il pu agir autrement ? Devait-il lui expliquer que le seul moyen de l'épargner avait été de l'enlever ?

Il pria sèchement ses hommes de les laisser seuls et s'approcha de la jeune femme.

— Ne pouviez-vous avoir le courage de me tuer de vos propres mains ? s'écria Shu-Meï avant qu'il ait pu dire un mot.

Yikuai la dévisagea avec étonnement.

— Est-ce ainsi que vous me remerciez de vous avoir sauvé la vie en vous gardant cette nuit à mes côtés ?

Shu-Meï lui cracha au visage.

— Il m'aurait été plus doux de la passer auprès du Roi des Démons ! Vous m'avez menti. Je vous détestais, à présent j'ai trop de mépris pour vous haïr.

Abasourdi, Yikuai se laissa tomber sur son siège. Son engagement dans la cause des comploteurs était-il si fort pour qu'elle déplore de ne pas y avoir trouvé la mort ? Il saisit un bâtonnet de cire et le cassa rageusement en deux.

— Petite idiote ! Si vous réfléchissiez un peu au

lieu de prétendre défendre votre pays en égrenant à tous vents des mots creux, vous auriez compris que j'agissais pour son bien, moi aussi.

— En massacrant et en torturant des innocents, en mutilant atrocement leurs femmes et en les hachant menu pour ajouter un zeste de piment à votre divertissement, peut-être !

— Quoi ! (Yikuai se mit à rire en tripotant nerveusement un œuf de malachite qu'il venait de sortir d'un de ses tiroirs.) Votre imagination vous fait divaguer, ma chère. Croyez-vous que j'aie pris plaisir à arrêter ces hommes ? S'ils ont trouvé la mort, c'est qu'ils la méritaient.

— Pouvez-vous alors m'expliquer pourquoi, non content d'avoir acculé Li-Cheng à se pendre, vous vous êtes acharné sur le malheureux Babouche Sacrée, sans hésiter à l'étriper après lui avoir crevé les deux yeux parce qu'il refusait de me vendre, puis à arracher le cœur d'une de ses épouses dans le but probablement de le griller pour votre repas du matin ?

Shu-Meï s'interrompit, à bout de souffle. Dans son indignation, son boléro doublé s'entrouvrit, découvrant largement la naissance de ses seins.

— Que racontez-vous ? Je n'ai jamais donné de tels ordres.

Le visage de Yikuai s'était décomposé.

— Vous n'avez jamais ordonné à vos hommes de venir me chercher pour me tuer ?

— Jamais. Je vous le jure. Cela fait peut-être partie de ma lâcheté, conclut sèchement Yikuai.

Shu-Meï baissa les yeux.

Qui avait pu tuer Babouche Sacrée ? Une bavure que cette poire blette de Roupillon Bavard se serait gardé d'ébruiter ? Le Censeur se leva, blême. La fureur défigurait ses traits.

384

Impressionnée, Shu-Meï recula d'un pas.

— Quand tout cela s'est-il passé ?

— Il y a moins d'une veille. Pendant que je découvrais la pendaison de mon ami Li-Cheng.

Yikuai tira violemment sur le cordon d'une sonnette. Aussitôt, une demi-douzaine de gardes en casaque de cuir fauve investirent son bureau.

— Gardez cette femme jusqu'à mon retour. Elle ne doit en aucun cas quitter cette pièce.

Shu-Meï s'était dégagée, exaspérée.

— En quel honneur ?

— Le mien. Je tiens à vous prouver que Babouche Sacrée n'est pas mort par mes soins. Ensuite, vous pourrez penser ce que vous voudrez de moi. Je m'en moque.

24

La porte s'ouvrit violemment.

Interdite, Shu-Meï contempla le paquet sanglant que Yikuai venait de jeter sur la table. Glissant du linge souillé, un monstrueux caillot brunâtre roula à ses pieds.

— Vous ne m'aviez pas dit que le cœur de l'épouse de Babouche Sacrée était censé remplacer le vôtre.

Remplacer le sien ! Les tempes battant la chamade, Shu-Meï s'écroula sur la chaise à haut dossier. Où Yikuai avait-il pu retrouver les restes de Bécasse Frivole ? Partagée entre l'horreur et la nausée, elle ressentit un soulagement étrange à l'idée qu'il s'était battu pour lui prouver son innocence.

Le Censeur arpentait la pièce à grandes enjambées. Elle demanda non sans appréhension s'il avait arrêté l'assassin.

— Et comment ! Notre homme n'a pas attendu que la nuit tombe pour fêter avec ses comparses la récompense de son odieux forfait.

— Et pour qui œuvrait-il ? s'enquit Shu-Meï en tremblant.

Bras croisés, Yikuai fixa les neuf dragons vernissés qui bondissaient sur la faïence bleue du bas-relief.

— J'ai pensé que vous aimeriez apprendre la vérité

de sa bouche... Il vous le dira lui-même, conclut-il calmement.

A qui pouvait profiter un tel crime ? pensa Shu-Meï.

Accroché par la chevelure à un nœud coulant, la pointe de ses pieds en équilibre sur une litière de potiches brisées, l'homme écarquilla ses yeux globuleux et dévisagea Yikuai avec effroi. Une bouillie rougeâtre décorait le col de sa soubreveste et le dos de ses mollets déchiquetés.

De temps à autre, armé d'une planche à clous, un garde goguenard s'amusait à lui taper sur les jarrets afin de l'obliger à danser la gigue sur les arêtes tranchantes.

— Votre misérable serviteur n'est qu'un pauvre soldat, un ancien de la garde de Li-Ko-Yong sans emploi, obligé de faire l'amuseur public pour gagner sa pitance en soulevant des pièces de fer au coin des rues, gémit le détenu à l'adresse du Censeur... De grâce, épargnez-moi. Je n'ai cédé qu'à la tentation de nourrir mon ventre vide.

— Silence !

Yikuai demanda que l'on détache le supplicié puis désigna Shu-Meï du doigt.

— C'est elle que tu devais tuer. Dis-lui qui t'en a donné l'ordre.

L'homme se recroquevilla.

— C'est... c'est la duchesse de Hue.

Il se tut brusquement, terrorisé à la vue de la pointe acérée que Yikuai faisait chauffer au-dessus de la flamme du quinquet.

La duchesse ! Abasourdie, Shu-Meï regarda le dignitaire. C'était impossible, comment l'amie de sa mère avait-elle pu commanditer sa mort ? L'aveu ricochait contre les murs de terre sèche. Elle voulut se boucher les oreilles, mais Yikuai l'en empêcha.

Devant elle, le tortionnaire de Babouche Sacrée poursuivait d'une voix hachée :

— Le Juif n'a jamais voulu avouer où vous étiez, ni sous la menace ni même sous la torture. Le temps pressait, j'ai alors pris sur moi de prélever le cœur de l'une des femmes qui se trouvaient là... Elle était déjà froide, ajouta-t-il comme pour s'excuser. Je me suis dit : la duchesse n'y verra que du feu. Elle m'avait fait jurer de vous arracher le vôtre et de le lui apporter si je voulais être payé.

Shu-Meï contempla le tas de couenne pleurnichard avec dégoût. Le sourire sirupeux de la Hue se superposa un instant aux membres tronçonnés, au gosier de Bécasse Frivole truffé de ses phalanges blanchies, au corps de Babouche Sacrée au milieu des fleurs, ses yeux pâles pleurant des fontaines de sang.

Pourquoi la duchesse, pourquoi ?

A peine entendit-elle Yikuai lui demander à mi-voix si elle désirait venger de sa main la mémoire du marchand. Devant son silence, il n'insista pas.

La pointe brûlante dansa un instant devant les prunelles du condamné paralysé par la peur. Brusquement, Yikuai l'enfonça, crevant d'un coup sec l'œil exorbité comme un œuf en gelée.

Le piétinement des gardes, les hurlements stridents du détenu se confondirent. Le sol se déroba.

Yikuai cligna des paupières. Au sortir de ce cachot humide, la lumière qui écrasait les perspectives de la tour de la Promulgation de la Vertu l'éblouissait douloureusement.

Près de lui, les pieds de Shu-Meï effleuraient le sable de l'allée comme deux papillons mal assurés.

Accablés, ni l'un ni l'autre n'osait évoquer l'angoisse commune qui les liait.

La duchesse ! Cette révélation avait quelque chose d'indécent, de presque grotesque. Peut-être parce qu'ils ne pouvaient s'empêcher d'associer à ce crime révoltant les images les plus folles et les plus crues de leur courte liaison.

Yikuai balaya des yeux l'immense verger qui se prolongeait à l'ouest du palais. Armés de leurs longues cuillères, des dizaines de jardiniers vêtus de bleu versaient au pied des arbres les excréments du gynécée préalablement dilués à l'eau de pluie[1]. Shu-Meï lui avait demandé comment il avait pu retrouver le meurtrier aussi vite. Puis elle s'était tue, gênée.

Ses indicateurs avaient débusqué le tueur dans un bouge à vin, gobelottant grassement ses taels en compagnie de ses hommes de main. Moyennant quelques ligatures de sapèques, les renseignements étaient faciles à soutirer parmi la vermine des bas-fonds. Rares étaient les canailles qui ne se vantaient pas à la suite d'un coup aussi juteux.

Après quelques menus sévices, le criminel avait avoué son forfait. Quand Yikuai avait appris que le commanditaire du meurtre n'était autre que la duchesse, ses esprits vitaux s'étaient retournés. Il s'était précipité chez la Hue. Comme il le craignait, le palais de l'Agate Enfumée était désert. Son ancienne maîtresse s'était déjà volatilisée après avoir abandonné dans sa fuite la preuve de sa culpabilité.

En fait, la macabre découverte ne faisait que confirmer ses doutes. Trop de faits étranges concor-

1. Les Chinois ont toujours eu une prédilection pour l'engrais humain.

daient. Pourtant, jusqu'au dernier moment, il avait préféré étouffer lâchement le soupçon qui le grignotait comme une nausée.

— Où est la duchesse maintenant ?

Shu-Meï avait articulé avec difficulté comme si les mots lui écorchaient les lèvres.

— Partie, murmura Yikuai, le regard perdu au-dessus des parterres de pivoines arborescentes. (Il inspira longuement.) Mes hommes sont à ses trousses. Ils ne devraient pas tarder à la rattraper.

Ballottée dans son carrosse, la duchesse ruminait sa défaite. Elle avait mal jaugé la ruse de ce renard de Yikuai. Une certaine fierté pourtant accompagnait cette constatation lorsqu'elle repensait au jeune dignitaire tout frais émoulu sur lequel elle avait autrefois jeté son dévolu.

Un soir d'automne baigné de lune, défiant du regard le brillant protégé que son oncle, le conseiller Feng, venait de lui présenter, ne s'était-elle pas juré d'en faire son amant ?

A Luo-Yang, les fêtes se succédaient comme les danses au son des *cheng* et des *pipa*, et l'ambitieux Yikuai n'avait pas tardé à se précipiter dans ses filets. Elle se souviendrait toujours des deux chevaux de marbre blanc qui avaient protégé de leur ombre la fureur de leurs premiers ébats au fond du jardin d'un temple voisin. Enfin !

Aveuglée par la poussière, la duchesse tira d'un coup sec sur le store ajouré de la portière. Cet incapable de Tong-Kiu ne prendrait jamais la place de Yikuai, et pour cause ! Maigre consolation, elle détenait aujourd'hui le cœur de cette pouliche écervelée.

Au loin, dans un décor sauvage, se dressaient les parois abruptes de la Passe du Dragon et ses dix mille

Bouddhas sculptés dans la pierre ocre. Comme ce matin pâle lorsqu'elle avait quitté son nouvel amant pour rejoindre son mari à Guilin, froidement déterminée à faire tout ce qui était en son pouvoir pour propulser le jeune homme aux plus hautes marches du pouvoir.

Yikuai lui devait tout. Jamais il ne serait arrivé à ce poste sans ses intercessions auprès de son oncle et ses relations à la cour.

Comme sa litière traversait à grand fracas le pont en bois qui enjambait les flots jaunâtres de la Yi, son regard accrocha le vertige de la falaise sculptée. Entre deux Bodhisattva, un Gardien Céleste, poings sur les hanches, s'esclaffait de toutes ses dents de pierre, foulant de son pied droit le corps malmené d'un mauvais génie.

Elle devait reconnaître que le dignitaire avait répondu à ses vœux en l'aidant à placer son mari au pouvoir à la place de Liu-Yin. Mais nom d'un gourdin ramolli de vieux maréchal ! pourquoi cette gourgandine était-elle donc venue leur gâcher la vie ?

La Hue chassa rageusement une mouche du revers de la main. Tout s'était dégradé si vite. Pouvait-elle prévoir que le cœur de ce « durillon » cynique et solitaire se ramollirait comme un beignet au contact de cette « endive » à peine déniaisée ?

Monsieur n'avait pas supporté qu'elle l'oblige à envoyer cette « queue de cerise » en Corée. Pis, une fois sa dette rachetée et la succession de Liu-Yin réglée, le nouveau Censeur avait eu le toupet de la laisser tomber.

Aussi, lorsqu'elle avait aperçu la fille de Tsao dans l'antichambre de son amant, elle avait failli en avaler son cure-dents émaillé. Que faisait Shu-Meï dans la capitale ? Qui l'avait fait revenir en Chine ? Ces deux-là n'avaient pu se rencontrer par hasard comme lentilles d'eau dérivant sur un bassin !

Pour couronner le tout, Yikuai avait refusé ce jour-là de débloquer les fonds qu'elle était venue lui demander pour couvrir ses dépenses militaires à la frontière annamite. Comment avait-il pu oser, après tout ce qu'elle avait fait pour lui ? A n'en pas douter, il était manipulé par cette mijaurée qui devait l'engluer dans le miel de sa fleur rance pour mieux le tenir en laisse.

Dès lors, elle n'avait plus eu qu'une idée en tête, se venger d'eux tout en amadouant Shu-Meï. Ah, quel délice d'arracher des confidences à sa rivale, de contempler cette bouche qui devait affoler le sexe glorieux de son ancien amant tout en songeant à la manière la plus expéditive de la lui coudre pour toujours.

La haine l'étouffait. Pilonnée par la verge molle de Tong-Kiu, elle réfléchissait : comment allait-elle porter un coup fatal à cette trique de Yikuai ?

L'idée diabolique commença à germer le jour où cette minable courge de Tong-Kiu, la tête coincée entre ses deux seins, lui avait fait l'aveu de son projet. Le plan de ses complices n'était pas si sot : manœuvrer l'opposition de l'intérieur, afin de savoir quand et comment se débarrasser de l'Empereur pour mieux appeler les Khitan à la rescousse et régler le compte des intégristes, était astucieux.

Du coup, son benêt d'amant avait grimpé dans son estime. Les sucs de sa Vallée des Roses s'étaient embrasés à la pensée du pouvoir qu'elle pourrait gagner en trempotant dans une telle entreprise.

C'était elle qui lui avait suggéré de changer de

tactique. C'était elle qui l'avait poussé à envoyer cette lettre anonyme à l'Empereur afin de précipiter la déchéance du Censeur.

Elle n'avait eu aucun mal à convaincre Tong-Kiu. Surtout quand elle lui avait agité sous le nez l'opportunité que pouvait représenter pour lui le siège vide de Yikuai.

Yikuai soufflé comme un fétu, disgracié, destitué de ses fonctions, Yikuai piétiné, bon pour l'exil. Mieux, la Hue ouvrit le petit coffret décoré de perles de Yuan que le fonctionnaire lui avait offert, et contempla le lacet de soie rouge [1] qui tranchait sur son écrin.

Elle avait même prévu de le lui envoyer de la part de l'Empereur. Le Censeur n'aurait pas manqué d'y voir là un encouragement de son suzerain à se donner discrètement et dignement la mort.

Elle rabattit le couvercle d'un coup sec. Tout s'était malencontreusement précipité. A l'aube, un coursier était venu lui apprendre la mort de Tong-Kiu et celle de ses partisans. Le vent tournait. Yikuai avait-il débusqué le lièvre en soulevant une pierre ?

Il ne lui restait plus qu'à fuir la disgrâce. Toutefois, avant de quitter la capitale, elle avait voulu s'assurer de la mort de sa rivale. Voilà qui était fait ! Grâce à la diligence de cet ancien mercenaire, cette petite verrue ne se trémousserait plus sur le Champignon Luminescent du dignitaire.

L'or d'un champ de colza flamba au loin. Ainsi allait la vie.

A cet instant, un galop assourdissant se rapprocha. Tout en jouant avec son peigne damasquiné de petits papillons de turquoise, la duchesse se pencha par la portière.

---

1. Manière élégante d'inciter au suicide un dignitaire touché par la disgrâce.

Une dizaine de tuniques noires courbées sur leurs montures cravachaient l'air en soulevant un nuage de poussière. Cette fois-ci, elle avait bel et bien perdu.

La Hue se repoudra une dernière fois comme pour un rendez-vous galant. Une femme de son rang devait garder sa dignité, même dans la défaite.

Shu-Meï contempla la colline d'iris sous laquelle reposaient à présent Babouche Sacrée et les restes de ses deux épouses.

« Quel Immortel ne ferait ici le tour de l'infini ? lui avait un jour chuchoté le marchand alors qu'ils foulaient les longues herbes bleues de ce site sauvage. Je veux plus tard dormir à l'ombre de ces pins. »

Autour d'elle, la neige des cerisiers brouillait les feuillages écarlates des érables d'une vaporeuse mélancolie. Cette atmosphère irréelle n'était pas sans lui rappeler les paysages délayés des peintures de Li-Cheng. Li-Cheng qui avait emporté avec lui le secret de leur dernière entrevue.

Elle baissa les yeux. La jalousie pouvait-elle justifier autant d'atrocité ? A côté d'elle, Yikuai, respectueux de son chagrin, n'osait bouger.

Ainsi, la duchesse l'avait une première fois condamnée en inscrivant son nom sur la liste des comploteurs. Elle l'imagina, écumant devant son projet anéanti, déléguant dans sa rage ses tueurs chez Babouche Sacrée afin de se venger de Yikuai qui venait de châtier son protégé.

A un autre moment, Shu-Meï aurait ressenti un picotement pervers à la pensée que le Censeur avait choisi de l'épargner, malgré l'accusation dont l'avait sournoisement accablée la Hue. Plus aujourd'hui.

Tout semblait tellement dérisoire devant ce poignant monticule de terre !

Des chatons de saule voltigeaient dans le ciel gris. Shu-Meï releva la tête et demanda brusquement à Yikuai si le rendez-vous qu'il lui avait fixé avec l'Empereur tenait toujours.

Le Censeur la scruta un instant sans que puissent transparaître ses pensées. Il lui sembla que son regard avait la fixité des pampilles d'ambre qui ornaient son collier.

— Ai-je pour habitude de revenir sur ma parole ? Le Fils du Ciel vous recevra comme convenu dans trois jours.

A son tour, Shu-Meï l'examina curieusement. La question lui brûlait la langue.

— Auriez-vous tenu votre engagement si les événements ne s'étaient pas précipités ?

Cette fois-ci le visage du dignitaire se referma.

— Il appartient au passé d'y répondre.

De la pointe de sa botte doublée, il fit ricocher un petit caillou doré.

« Le poète sait-il s'il aurait écrit le même poème un jour de pluie ! » Le poète avait raison. Mieux valait ne plus regarder derrière soi. Le complot avait été démantelé et c'était l'essentiel.

Une profonde lassitude envahit Shu-Meï. Les sourcils teints de la Hue la hantaient. Avait-elle trahi Yikuai pour servir au mieux ses intérêts ou par amour blessé ? L'intrigante à la tête froide pouvait-elle cacher une autre femme, fragile et pitoyable, dévorée par la passion ?

— Quel sort pensiez-vous réserver à la duchesse ? s'enquit-elle au bout d'un moment.

— Celui que vous m'indiquerez. J'ai une dette envers vous dont je ne me suis pas encore acquitté.

Yikuai baissa la tête. Les buissons d'armoise et d'églantiers sauvages s'ébrouèrent sous le vent.

La porte coulissa derrière Yikuai. La duchesse tressaillit. Sa dernière heure était-elle arrivée ?

Sans bruit, les gardes s'écartèrent sur le *hufu* bleu sombre du dignitaire. Ce dernier nota sans se laisser attendrir que la Hue portait — était-ce un hasard fatidique ? — la fameuse robe jaune brodée de dix mille ailes de papillons dans laquelle elle lui était apparue le premier jour à Luo-Yang.

— Vous avez gagné cette fois-ci, ironisa la Hue. Mais, tôt ou tard, les Khitan auront raison de la faiblesse de l'Empereur. Votre manque de flair me surprend, Yikuai, vous avez choisi le mauvais cheval.

— Je pourrais en dire autant de vous.

La duchesse se mit à rire, un rire de gorge qui sonnait faux.

— Tong-Kiu aurait fait un excellent Censeur si c'est ce que tu meurs d'envie de savoir... et c'était au demeurant un amant plus fidèle que toi.

Yikuai releva les pans de sa tunique et s'assit face à elle.

— Pourquoi avoir voulu me pousser en disgrâce ? demanda-t-il doucement en détaillant les traits un peu bouffis qu'ombrait le contre-jour.

La Hue était encore belle. Ce n'était pas l'âge mais la cupidité qui ramollissait son visage. Sous son regard, les cils trop fardés tremblèrent.

— Pour me rappeler à ton souvenir, peut-être... Tu vois, cela a fonctionné. Il y avait bien longtemps que je ne t'avais vu seul avec la pénombre pour seul témoin... Il ne manque plus que nos rires d'antan.

Yikuai se crispa involontairement. Cherchait-elle à le faire ployer ? Son ancienne maîtresse était capable de toutes les ruses pour arriver à ses fins.

— Dommage que la tête de cette punaise n'ait explosé contre un mur, poursuivit-elle d'un ton las. Elle t'abandonnera comme une chique après t'avoir sucé la moelle. Tu verras...

Yikuai l'interrompit.

— Pourquoi n'as-tu pas mentionné Dame Pan dans la liste anonyme que tu destinais à Shi-Jin-Tang ?

La Hue décrocha un à un ses longs pendentifs de jais.

— Chacun connaît les sentiments partagés de l'Empereur vis-à-vis de sa sœur. C'était une façon de ne pas le braquer, de s'assurer qu'il trancherait plus rapidement. Et puis, ajouta-t-elle en souriant, c'était aussi un moyen de t'aiguiller sur une mauvaise piste au cas où par malheur cette lettre te serait tombée entre les mains.

Yikuai admira secrètement la finesse de son raisonnement.

— Avoue pourtant que je suis bien arrivée à te faire suer la cervelle, ricana-t-elle. Il me suffit en définitive d'imaginer la pâleur de ton visage lorsque tu as pris connaissance de cette lettre, pour me sentir tout à coup apaisée.

— Buvons alors à ta santé, proposa froidement Yikuai sans la quitter des yeux.

A la vue du plateau qu'un laquais venait de déposer devant elle, la duchesse blêmit. Elle savait ce que cela signifiait. Elle saisit néanmoins sans trembler la coupe de vin tiède que lui tendait le dignitaire et la vida d'un seul trait.

— Je t'ai aimé, Yikuai, avoua-t-elle avec plus de calme qu'elle n'aurait cru... Finalement, je n'ai pas tout à fait perdu la partie, puisqu'en déjouant ces complots tu m'as fait gagner le pari que je m'étais fixé il y a si longtemps en te voyant pour la première fois. A présent, tu as tous les pouvoirs. Personne ne peut plus arrêter ton ascension, hormis les Barbares. Tu tiens les rênes de l'Empire, mon ami.

Le visage de la Hue sembla se vider de son sang.

— Qui sait même si tu ne ressens pas aujourd'hui un certain soulagement à te débarrasser de celle qui fut l'artisan de tes succès ! Ne préfère-t-on pas, dans la vie, se persuader que l'on ne doit sa réussite qu'à soi seul ? Que tu as dû souffrir, mon pauvre Yikuai, de devoir supporter ma présence à tes côtés. Je comprends maintenant pourquoi tu cherchais tant à m'éviter... Enfin, te voilà délivré.

Elle lécha une goutte de poison qui perlait au coin de sa lèvre et s'affaissa un peu plus contre le dossier de sa chaise.

— Envoyez mes cendres à Guilin, voulez-vous.

Soudain, son rire strident enfla, monstrueux, démoniaque. Secouée de spasmes, la duchesse désigna le Censeur d'un doigt tordu par la haine.

— Seul, vous êtes désormais seul, Yikuai. Misérablement seul. Hahaha...

Après un dernier hoquet, elle s'écroula sur le tapis telle une feuille jaunie.

Le silence s'abattit. Prostré dans ses pensées, le dignitaire balança du pied la coupe vide au fond de la pièce, puis se leva.

Shu-Meï ouvrit la boîte en corne de rhinocéros et la referma aussitôt avec horreur. Long serpent luisant, tranché au ras du crâne, Yikuai venait de lui faire parvenir la tresse de son ancienne maîtresse.

La duchesse était morte. Elle s'en fichait. Cela ne ramènerait pas Yi-Shou ni Babouche Sacrée à la vie.

Dire que c'était la Hue qui avait manigancé son éloignement à Koryo pour la séparer de Yikuai. Il y avait de quoi en pleurer. Le séduisant dignitaire au chapeau-cage garrotté aux ordres de la duchesse.

Shu-Meï avait été la « farce du dindon », une balle de feutre que s'arrachaient ces deux sinistres personnages pour mieux tester leur pouvoir l'un sur l'autre.

En lui demandant de choisir la punition de son âme damnée, le Censeur avait tout simplement et dans les règles mis fin à leur petit jeu. Il avait gagné sa partie d'échecs avec la Hue.

Elle s'assit sur son lit. Des particules dorées dansaient dans l'air en s'engouffrant par la fenêtre ouverte. Dos à elle, Chameau Fatigué rangeait les coffres de bois mat et pliait les habits de sa maîtresse, silencieux.

Babouche Sacrée lui manquait. Dans cette demeure dont sa présence imprégnait chaque objet jusqu'à cette fiole de verre rouge rapportée du Fer-ghâna, trop de souvenirs se bousculaient.

Lui parti, elle n'avait plus rien à faire à Kaifeng. Devait-elle retourner au Guang-Xi où son père ne l'attendait plus ? Elle revit brusquement la pètite fille qu'elle était il n'y a pas si longtemps, celle que l'on enfermait dans sa chambre à double tour parce qu'elle n'obéissait pas aux usages.

Serrant ses poings d'impuissance, ses pieds battant l'air au-dessus du parquet incrusté de grues bleues, elle meublait alors sa solitude en dévorant les orchidées à la chair sucrée que l'on disposait chaque matin dans leurs paniers laqués.

Qu'il était doux alors de pouvoir cogner contre des murs sa révolte d'enfant. Qu'il venait vite le jour où, ces murailles tombées, on découvrait qu'il n'y avait plus que soi contre qui se révolter !

Shu-Meï lissa la moire froissée de sa jupe-tulipe.

Rien ne la retenait plus nulle part. Devant ce constat de vide, elle n'eut pas même envie de pleurer.

« Notre vie ici-bas, à quoi ressemble-t-elle ? A un vol de corbeaux qui, venant à poser leurs pattes sur la neige, parfois y laissent l'empreinte de leurs griffes. » Ressassant, mélancolique, ce vers de Su-Dong-Po, Yikuai flatta l'encolure de son rubican. Le poil trempé mouilla sa paume.

Cette chevauchée lui avait lavé l'esprit. Un besoin de se fouetter les sens, de se saouler d'air à grandes giclées de vent. L'odeur fauve du cuir, mêlée à la sueur animale, le rassurait.

Il avait sacrifié la vie de son ancienne maîtresse pour sa trahison. Pourtant, ce geste ne lui avait pas procuré le soulagement qu'il escomptait. Acte de pure dérision. Sa vengeance avait même un arrière-goût amer.

Shu-Meï resterait-elle à Kaifeng ? Leur liaison n'était-elle pas elle aussi le fruit d'un jeu illusoire et désabusé ? Il laissa trotter ses pensées au rythme de l'alezan. Peut-être devaient-ils tous deux laisser les événements se tasser, les blessures se panser avant de se retrouver.

Soudain, il tira sur ses rênes. A quelques foulées de là, une silhouette frêle venait de surgir non loin de la première barrière du domaine. Oubliant son amertume, il éperonna sa monture. Les troncs droits des gingkos basculèrent, l'ombre des peupliers noirs trembla.

Brusquement, elle fut devant lui, sereine, impérieuse, bouleversante dans sa beauté claire. Alors, il comprit tout à coup à quel point il y tenait.

Yikuai sauta de cheval. Un flot de projets se bousculait dans sa tête. A sa lassitude écœurée s'était substituée une envie de vivre débordante et brutale, aussi violente que son désir de serrer la jeune femme dans ses bras.

Il pressa Shu-Meï contre les pythons brodés de son pourpoint et retint doucement son visage entre ses mains. Pourquoi se déchiraient-ils ? Ils n'avaient qu'à cueillir le présent, à mordre sa lumière, au lieu de se laisser engloutir par l'ombre du passé.

— Évadons-nous, voulez-vous... Oublions tout, murmura-t-il. J'aimerais que vous m'accompagniez au Shandong. Nous pourrions en profiter pour effectuer un pèlerinage au mont Tai-Shan. Autant contempler sa silhouette mythique tant que nous sommes vivants [1] !

Un instant leurs lèvres s'effleurèrent. La souffrance muette qui baignait ses yeux l'étonna. D'un geste léger elle se dégagea, long cou de cygne ployé sous l'orage sombre de sa chevelure.

— Je ne pense plus que cela soit possible. Pardonnez-moi, j'ai réfléchi...

Sans savoir pourquoi, le cœur de Yikuai se serra. Il laissa retomber ses mains tandis que son regard se fondait dans le vert froid des eucalyptus.

— ...J'ai décidé d'accepter votre offre et de partir à la cour du Khan.

La nouvelle tomba sur la tête du Censeur comme un sac de noix. Sans répondre, il lâcha la bride de son cheval et le fit fuir d'une grande claque sur la croupe.

— J'aimerais fixer mon départ le plus tôt possible, poursuivit Shu-Meï en évitant de croiser son regard.

— Vous n'y pensez pas !

À l'idée qu'il était à deux doigts de la perdre, Yikuai

1. Montagne mythique la plus célèbre de Chine. La légende disait que les esprits des morts venaient s'y réfugier.

sentit son principe vital se liquéfier. Quelle mouche avait pu piquer Shu-Meï ? Non, elle se moquait de lui, elle cherchait à tester ses sentiments à son égard.

— Mon idée était mauvaise. Cette mission est indigne de vous. Rassurez-vous, jamais vous n'aurez l'occasion de connaître la froidure du Grand Nord et de ses vents glacés.

— Changeriez-vous de cause comme de turban ? (Shu-Meï le contempla durement.) N'aviez-vous pas d'idée derrière la tête en me promettant de me faire rencontrer l'Empereur ? Je suppose que tout en sauvant votre honneur, cette entrevue avait pour but de me convaincre de mon utilité dans les steppes, n'est-ce pas ?

Yikuai rougit. Ce n'était plus vrai. Ses sentiments avaient depuis longtemps balayé la raison d'État.

— J'ai renoncé à ce projet. Je ne pense plus qu'il soit nécessaire, répliqua-t-il avec violence.

Tout en la dévisageant furtivement, il maudit ce visage déjà lointain, évaporé. Était-il possible que Shu-Meï l'ait déjà quitté ?

Le gravier crissait sous leurs pas. Un instant, l'ombre des fleurs d'alisier plaquées contre la croisée baigna sa mémoire. Leurs bouches mêlées, n'avait-il pas eu ce jour-là la cruelle impression de la vendre au destin ?

— Me punissez-vous ? murmura-t-il. Il me semble pourtant vous entendre me crier que jamais vous n'iriez chez les Khitan !

— Les femmes sont changeantes, c'est ainsi. Aujourd'hui ce n'est plus vous qui désirez m'y envoyer, mais moi qui veux partir.

La gorge serrée, Shu-Meï pria de toutes ses forces Guan-Yin de lui donner le courage de ne pas revenir sur sa décision. Il fallait qu'elle parte, elle le devait peut-être à cause d'eux deux.

A côté d'elle, le Censeur marchait vite, les mains croisées dans le dos. Des herbes échevelées pleuraient de chaque côté de l'allée.

Pour la première fois de sa vie, Yikuai se sentit soudain torturé par la jalousie. Shu-Meï dans les bras de ce barbare de Ye-Liu-Tö-Kouang, c'était impossible. Comment avait-il pu se fabriquer son propre piège ?

— Avez-vous pensé qu'il vous faudra peut-être séduire le Khan ? Pardonnez-moi, mais je ne peux me résoudre à vous imaginer sous la yourte de cette peau d'ours puant le lait caillé !

— Vous auriez dû y songer plus tôt, répliqua Shu-Meï non sans amertume. J'en ai mesuré le risque. Je suis prête à tout si cela doit servir mon pays.

Quel argument pouvait-il opposer à sa volonté ? Une bise aigre fit trembler les plumes d'aigrette qui accrochaient son col. Il se sentit brusquement diminué et grotesque.

— Dois-je vous implorer à genoux de ne pas me quitter ?

La voix de Yikuai s'était brisée. Shu-Meï se retint pour ne pas se jeter dans ses bras.

— Cela ne changerait rien, dit-elle doucement. Je pense qu'il vaut mieux que nous nous séparions pour quelque temps.

Qui avait dit : « Ignorant le chemin l'un de l'autre jusque dans nos rêves, comment nous consoler d'un tel regret ! »

La prophétie de la Hue éraillait funestement ses oreilles. Yikuai contempla les champs ocre qui ondulaient en vagues serrées. Le vent désormais fouetterait sa solitude.

Il s'était débarrassé de celle qui lui avait permis d'accéder au pouvoir. Juste décision du Ciel, celle qu'il rêvait à présent de garder à ses côtés lui échappait.

Pensait-il à Guilin que la toquade physique qu'il avait alors ressentie pour ce joli fruit frais se transformerait en amour fou dont il ne pourrait se délivrer ?

Devant lui, détaché de sa branche, un nid de loriots aux brindilles entrelacées de fleurs gisait dans l'herbe.

N'écoutant plus que sa douleur rentrée, Yikuai écrasa froidement les œufs pâles sous ses pieds.

25

Le chariot bâché traversa la foule qui s'amassait à proximité de la porte de l'Écluse d'Or. Shu-Meï respira l'odeur des jujubes grillés, des petits pains à l'anis et du porc caramélisé qui flottait une dernière fois pour elle dans les rues de Kaifeng.

Elle imagina la haute silhouette de Yikuai se découpant derrière la fenêtre du palais, et son cœur se serra. Se retrouveraient-ils un jour ? Combien de nuits avaient blanchi sous ses yeux, combien de fois avait-elle brûlé de céder à sa passion et de revenir sur sa décision ?

Cramponnée à l'arceau d'osier, elle refusa de se retourner sur son passé. Aujourd'hui, elle partait. Elle préférait abandonner au temps le choix de défaire ou de renforcer ses sentiments. Les sonnailles des mulets grelottèrent dans la brise.

Juste avant son départ, Chameau Fatigué lui avait demandé la permission de rester à Kaifeng. « Votre serviteur est trop vieux, lui avait-il confié. Mon rôle est de veiller sur la maison que mon maître nous a laissée afin de vous y accueillir le jour où vous reviendrez. »

La résolution du vieil eunuque l'avait touchée. Avait-il deviné son désarroi ? En tout cas, où qu'elle soit, elle savait maintenant qu'une personne au moins l'attendait.

Déjà les maisons serrées des faubourgs s'espaçaient. Elle se rappela son excitation lors de son arrivée dans la capitale en compagnie de Babouche Sacrée. Que cela semblait loin !

Depuis sa mort, leurs longues conversations la hantaient. Elle repensait aux arguments du vieil homme face au projet que caressait Yikuai de l'envoyer chez les Khitan.

« Lorsqu'on se bat contre le loup, mieux vaut parfois se transformer en singe plutôt qu'en mouton déguisé en tigre. Devant nos forces militairement inférieures à celles du Khan, le Censeur a raison de vouloir employer la ruse. Son idée peut paraître folie et utopique, mais je suis certain qu'avec le temps elle portera ses fruits. Parfois, une femme a su mieux qu'une armée détourner le destin de l'Empire et mériter à sa façon le titre de Fille du Ciel. Et qui mieux que vous serait digne d'un tel mandat ! Par ailleurs, s'indignait-il, que peut contre l'envahisseur une opposition qui n'a pour objectif que la défense de ses propres intérêts ou la sauvegarde d'un idéal se résumant à quelques formules vides ? Voyez ces intrigants en dentelle, que connaissent-ils de la réalité des choses, coupés du monde, bien à l'abri dans leurs salons ? »

Perdue dans cette grande maison peuplée d'ombres sans écho, elle s'était souvenue des descriptions qu'il lui faisait de ces villages abandonnés au nord du fleuve Jaune, de ces aires brûlées et pillées à la suite des incursions nomades, du spectacle affligeant de ces familles décimées fuyant par centaines vers le sud, leurs baluchons sur l'épaule, préférant renoncer à leurs terres plutôt que de faire à nouveau face aux Barbares.

Elle pensait aussi à ceux qui étaient restés et qui devaient subir malgré eux le joug et les coutumes de l'envahisseur, ainsi que les pressions des percepteurs khitan dans ces provinces septentrionales cédées par le traître Shi-Jin-Tang.

Tout en songeant à cette poignée de partisans qui, seule, parvenaient à inquiéter les nomades en les défiant sur leur terrain, elle avait alors eu honte.

Fleur coupée et oisive à Kaifeng, que faisait-elle pour son pays ? Yikuai avait raison. Elle ne savait que se délecter de mots creux. Il lui avait offert l'occasion de se rendre utile et elle avait refusé, barricadée dans sa fierté.

Dès lors, elle n'avait plus eu qu'une idée en tête : partir chez les Khitan, suivre la voix de la raison, celle que lui soufflait Babouche Sacrée.

Sa décision prise, elle pensait de plus en plus souvent au « Dragon ». Qu'il soit vivant ou mort, Long-Jian ne l'abandonnerait jamais. Il approuvait son choix, elle le savait.

Malheureux et impuissant, le Censeur avait fini par se plier à son vœu. Sa tâche serait ardue. Gagner le cœur et la confiance du Khan n'était pas à la portée de toutes les femmes. Aussi, un homme avait-il été chargé par Yikuai de l'introduire auprès de Ye-Liu-Tö-Kouang, un homme à qui elle pourrait se confier les yeux fermés et qui la protégerait comme sa propre fille.

Quelle n'avait pas été sa surprise en reconnaissant Abu Malik, l'ami nestorien de Babouche Sacrée qu'elle n'avait pas hésité à qualifier de traître dès leur première rencontre !

A hauteur de la carriole, ce dernier chevauchait à côté d'elle, le buste frileusement enveloppé dans sa pèlerine ouatinée. Le nestorien tourna vers elle son profil d'aigle solitaire et lui fit un petit signe amical de la main.

Petit à petit, lui avait dit Yikuai, il lui faudrait apprendre à remplacer cet homme auprès des Khitan.

Nostalgie, appréhension et excitation se confondaient. Devant elle, bordée de peupliers, la route poudreuse écartelait la plaine. Au nord-est il y aurait Yen-Tchou la Barbare, morceau de Chine arraché, capitale de prédilection de ce Khan habitué en nomade à s'installer au gré des saisons aux quatre coins de son Empire. Ensuite, au-delà du serpent crénelé de la Grande Muraille et de ses contreforts montagneux, surgiraient les plateaux venteux, les lagunes saumâtres, l'étendue fauve à l'herbe jaunie où une solitude aride l'attendait.

Elle imagina quelques campements de yourtes de feutre protégés par leur rangée de chariots, troupeaux de chameaux blancs disséminés au milieu de cette mer sèche, entre les touffes vert-de-gris d'armoise et de genévrier, et se sentit brusquement seule à en pleurer.

Elle devrait combattre les mœurs farouches de la steppe et de la forêt, apprivoiser Ye-Liu-Tö-Kouang, l'inciter à ne plus chasser l'homme comme le cerf maral ou l'hémione, lui enseigner à écouter l'écho des violes sous celui du vent.

Elle apaiserait ses angoisses et lui apprendrait sa Chine. Elle l'initierait à son art, à sa culture, à ses coutumes. Elle le familiariserait à ses poètes, à ses philosophes et à sa pensée. Elle polirait ce rustre afin de lui faire aimer et respecter l'Empire du Milieu. Cela, elle se le promettait.

Peut-être aurait-elle ainsi l'impression de n'avoir pas vraiment quitté son pays !

A travers ses larmes, elle aperçut en bordure du

chemin le tronc lisse et brillant d'un paulownia et entendit à nouveau la voix de Talent Modeste résonner à ses oreilles : « Efforce-toi par ta seule volonté de te diriger là où les dieux ont décidé de t'attendre. »

Elle soupira.

L'attelage s'immobilisa dans un grincement d'essieux et de grelots. Armé de ses gourdes en forme de coloquinte, le cocher disparut entre les quelques maisons en briques de terre crue d'un village. Au loin, le tonnerre gronda.

Devant Shu-Meï, au-dessus de l'or sombre d'une butte qui semblait s'élever à perte de vue, un cerf-volant rose voguait comme un poisson dans le ciel noir. La pluie se mit à tomber.

Alors, sans plus écouter les convenances, elle sauta à terre et se mit à courir, courir à perdre haleine, ivre d'air, poussée par le vent jusqu'au sommet de la colline, comme si elle désirait embrasser le ciel.

Si, à l'image de ce brigand qui luttait contre le Khan en solitaire, elle pouvait à son tour contribuer à défendre un peu la Terre de ses Ancêtres, alors sa vie ne serait pas vaine.

Elle se souvint des petits chaussons décorés de canards mandarins qu'elle avait elle-même brodés, et qu'elle avait offerts au Fleuve afin qu'ils aillent rejoindre Long-Jian pour lui porter ce message de fidélité éternelle.

Long-Jian savait maintenant qu'elle ne l'oublierait jamais. Où qu'il soit, il pouvait être fier d'elle. Et puis, qui sait, peut-être l'attendait-il là-bas avec ses frères, loin derrière ces montagnes, là où l'herbe drue se colorait de poussière sur le passage des Loups Bleus.

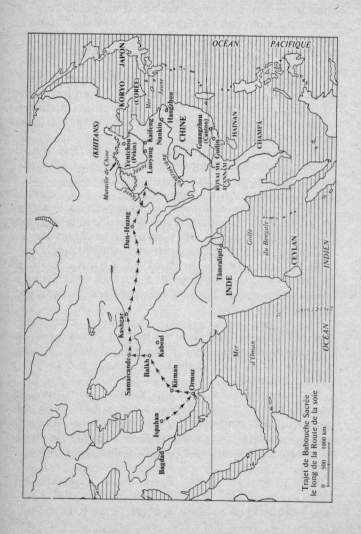

Trajet de Babouche Sacrée
le long de la Route de la soie

Postface

Comme avait désiré le faire l'opposition autour du ministre Zhao-Lin, quelque temps plus tard le successeur de Shi-Jin-Tang décida brutalement de s'affranchir de l'onéreuse protection des Khitan.

Ainsi que l'avait craint Yikuai, le Khan ne tarda pas à répliquer par une expédition punitive en faisant son entrée en force dans Kaifeng le 25 janvier 947.

Il ne reprit le chemin de Pékin (Yen-Tchou) qu'après avoir saccagé la capitale impériale, faisant main basse sur les archives officielles, les cartes et les stèles gravées des Classiques, et traîné derrière lui toute la cour en captivité ainsi qu'une grande partie de ses artisans.

Pendant ce temps-là, bien que réduite, la résistance s'organisait. Embusqués dans leurs montagnes, les partisans, autour de leur chef, continuaient à harceler les caravanes barbares, ralliant à leur cause les paysans qui refusaient de se plier aux autorités khitan.

Leur persévérance triompha : les résistants réussirent à arracher une petite portion de leur Chine aux nomades. Après les avoir renseignés au péril de sa vie pendant des mois depuis la cour du Khan, une femme vint les rejoindre et aida leur chef à fonder derrière les lignes khitan un nouveau royaume chinois dissident au Chan-Si. Celui-ci se maintint jusqu'en 979.

Dans la grande plaine, deux autres dynasties se succédèrent sur le trône de Kaifeng jusqu'en 960, date à laquelle un brillant général, Zhao-Kuang-Yin, proclamé empereur par ses troupes, fonda la grande dynastie des Song (960-1279) et mit fin au morcellement de la Chine en réunifiant l'Empire.

Les Song subirent encore pendant quarante ans les incursions des Khitan et essuyèrent plusieurs défaites avant de signer la paix de Shanyuan (1004), sans toutefois réussir à récupérer Pékin, ni se départir du lourd tribut annuel qui les assujettissait au Khan.

Peu à peu, l'Empire khitan commença néanmoins à perdre ses appétits guerriers jusqu'à son effondrement au XIIe siècle (1125).

On peut dire qu'à la longue, comme l'avait prédit Yikuai si longtemps auparavant, la culture chinoise en dissolvant ses mœurs et en lui faisant perdre sa combativité eut raison de ce peuple farouche de guerriers et de pasteurs.

Il n'en reste pas moins vrai que la trahison de Shi-Jin-Tang, petit empereur d'une dynastie méconnue, eut des conséquences sans précédent sur le cours de l'histoire chinoise.

En permettant aux Khitan de s'installer à l'intérieur de la Grande Muraille pour les remercier de l'avoir aidé à arracher son trône, Shi-Jin-Tang avait ouvert la première brèche dans l'intégrité du territoire chinois. Brèche par où toutes les hordes barbares allaient s'engouffrer pour conquérir la Chine du Nord.

Pékin passera des Khitan aux Djurtchet avant de tomber aux mains de Gengis Khan, facilitant ainsi l'invasion mongole sur tout le territoire et l'avènement d'une dynastie étrangère qui régnera sur le sol chinois jusqu'en 1368.

Littérature extrait du catalogue

Cette collection est d'abord marquée par sa diversité : classiques, grands romans contemporains, témoignages. A chacun son livre, à chacun son plaisir : Henri Troyat, Bernard Clavel, Guy des Cars, Frison-Roche, Djian, Belletto mais aussi des écrivains étrangers tels que Virginia Andrews, Nina Berberova, Colleen McCullough ou Konsalik.

Les classiques tels que Stendhal, Maupassant, Flaubert, Zola, Balzac, etc. sont publiés en texte intégral au prix le plus bas de toute l'édition. Chaque volume est complété par un cahier illustré sur la vie et l'œuvre de l'auteur.

ADLER Philippe   Bonjour la galère ! 1868/2
         Les amies de ma femme 2439/3
         Graine de tendresse 2911/3
         Qu'est-ce qu'elles me trouvent ? 3117/3
AGACINSKI Sophie La tête en l'air 3046/5
AMADOU Jean   La belle anglaise 2684/4
AMADOU - COLLARO - ROUCAS Le Bébête show 2824/5 & 2825/5 Illustrés
AMIEL Joseph   Le promoteur 3215/9
ANDERSEN Christopher Citizen Jane 3338/7
ANDERSON Peggy   Hôpital des enfants 3081/7

ANDREWS Virginia C.

La saga de Heaven
- Les enfants des collines 2727/5
- L'ange de la nuit 2870/5

Fleurs captives :
- Fleurs captives 1165/4 - Cœurs maudits 2971/4
- Pétales au vent 1237/4 - Un visage du paradis 3119/5
- Bouquet d'épines 1350/4 - Le labyrinthe des songes 3234/6
- Les racines du passé 1818/4 Ma douce Audrina 1578/4
- Le jardin des ombres 2526/4 Aurore 3464/5 (Juin 93)

APOLLINAIRE Guillaume Les onze mille verges 704/1
         Les exploits d'un jeune don Juan 875/1
ARCHER Jeffrey   Le pouvoir et la gloire (Kane et Abel) 2109/7
         Faut-il le dire à la Présidente ? 2376/4
ARSAN Emmanuelle Les débuts dans la vie 2867/3
         Chargée de mission 3427/3 (Juin 93)
ATTANÉ Chantal   Le propre du bouc 3337/2
ATWOOD Margaret La servante écarlate 2781/4
         Œil-de-chat 3063/8
AVRIL Nicole   Monsieur de Lyon 1049/3
         La disgrâce 1344/3
         Jeanne 1879/3
         L'été de la Saint-Valentin 2038/2
         La première alliance 2168/3
         Sur la peau du Diable 2707/4
         Dans les jardins de mon père 3000/3
BACH Richard   Jonathan Livingston le goéland 1562/1 Illustré
         Illusions/Le Messie récalcitrant 2111/2
         Un pont sur l'infini 2270/4
         Un cadeau du ciel 3079/3

BAILLY Othilie   *L'enfant dans le placard* 3029/**2**
BALZAC Honoré de   *Le père Goriot* 1988/**2**
BANCQUART Marie-Claire   *Photos de famille* 3015/**3**
BAPTISTE-MARREY   *Les papiers de Walter Jonas* 3441/**9** (Mai 93)
BARBELIVIEN Didier   *Rouge cabriolet* 3299/**2**
BARRIE James M.   *Peter Pan* 3174/**2**
BAUDELAIRE Charles   *Les Fleurs du mal* 1939/**2**
BÉARN Myriam et Gaston de *Gaston Phébus :*
   1 - Le lion des Pyrénées 2772/**6**
   2 - Les créneaux de feu 2773/**6**
   3 - Landry des Bandouliers 2774/**5**
BEART Guy   *L'espérance folle* 2695/**5**
BELLEMARE Pierre   *Les dossiers d'Interpol* 2844/**4** & 2845/**4**
BELLEMARE P. et ANTOINE J.   *Les dossiers extraordinaires* 2820/**4** & 2821/**4**
BELLETTO René   *Le revenant* 2841/**5**
   Sur la terre comme au ciel 2943/**5**
   La machine 3080/**6**
   L'Enfer 3150/**5**
BELLONCI Maria   *Renaissance privée* 2637/**6** Inédit
BENZONI Juliette   *Le Gerfaut des Brumes :*
   - Le Gerfaut 2206/**6**
   - Haute Savane 2209/**5**
BERBEROVA Nina   *Le laquais et la putain* 2850/**2**
   Astachev à Paris 2941/**2**
   La résurrection de Mozart 3064/**1**
   C'est moi qui souligne 3190/**8**
   L'accompagnatrice 3362/**4**
   De cape et de larmes 3426/**1** (Avril 93)
BERG Jean de   *L'image* 1686/**1**
BERGER Thomas   *Little Big Man* 3281/**8**
BERTRAND Jacques A.   *Tristesse de la Balance...* 2711/**1**
BEYALA Calixthe   *C'est le soleil qui m'a brûlée* 2512/**2**
BISIAUX M. et JAJOLET C.   *Chat plume (60 écrivains...)* 2545/**5**
BLAKE Michael   *Danse avec les loups* 2958/**4**
BOGGIO Philippe   *Coluche* 3268/**7**
BORGEN Johan   *Lillelord* 3082/**7**
BORY Jean-Louis   *Mon village à l'heure allemande* 81/**4**
BOULET Marc   *Dans la peau d'un Chinois* 2789/**7** Illustré
BRAVO Christine   *Avenida B.* 3044/**3**
   Les petites bêtes 3104/**2**
BROOKS Terry   *Hook* 3298/**4**
BRUNELIN André   *Gabin* 2680/**5** & 2681/**5**
BURON Nicole de   *Les saintes chéries* 248/**3**
   Vas-y maman 1031/**2**
   Dix-jours-de-rêve 1481/**3**
   Qui c'est, ce garçon ? 2043/**3**
   C'est quoi, ce petit boulot ? 2880/**4**
   Où sont mes lunettes ? 3297/**4**
CARDELLA Lara   *Je voulais des pantalons* 2968/**2**
CARREL Dany   *L'Annamite* 3459/**7** (Juin 93)

CARS Guy des

La brute 47/3
Le château de la juive 97/4
La tricheuse 125/3
L'impure 173/4
La corruptrice 229/3
La demoiselle d'Opéra 246/3
Les filles de joie 265/3
La dame du cirque 295/2
Cette étrange tendresse 303/3
La cathédrale de haine 322/4
L'officier sans nom 331/3
Les sept femmes 347/4
La maudite 361/3
L'habitude d'amour 376/3
La révoltée 492/4
Amour de ma vie 516/3
Le faussaire 548/4
La vipère 615/4
L'entremetteuse 639/4
Une certaine dame 696/5

L'insolence de sa beauté 736/3
L'amour s'en va-t-en guerre 765/3
Le donneur 809/3
J'ose 858/3
La justicière 1163/2
La vie secrète de Dorothée Gindt 1236/2
La femme qui en savait trop 1293/3
Le château du clown 1357/4
La femme sans frontières 1518/3
Le boulevard des illusions 1710/3
La coupable 1880/3
L'envoûteuse 2016/5
Le faiseur de morts 2063/3
La vengeresse 2253/3
Sang d'Afrique 2291/5
Le crime de Mathilde 2375/4
La voleuse 2660/4
Le grand monde 2840/8
La mère porteuse 2885/4
L'homme au double visage 2992/4
L'amoureuse 3192/5
Je t'aimerai éternellement 3462/4 (Juin 93)

CARS Jean des	Sleeping story 832/4
	La princesse Mathilde 2827/6
CASSAR Jacques	Dossier Camille Claudel 2615/5
CATO Nancy	L'Australienne 1969/4 & 1970/4
	Les étoiles du Pacifique 2183/4 & 2184/4
	Lady F. 2603/4
	Tous nos jours sont des adieux 3154/8
CESBRON Gilbert	Chiens perdus sans collier 6/2
	C'est Mozart qu'on assassine 379/3
CHABAN-DELMAS Jacques	La dame d'Aquitaine 2409/2
CHAILLOT N. et VILLIERS F.	Manika une vie plus tard 3010/2
CHAMSON André	La Superbe 3269/7
	La tour de Constance 3342/7
CHATEL Philippe	Il reviendra 3191/3
CHEDID Andrée	La maison sans racines 2065/3
	Le sixième jour 2529/3
	Le sommeil délivré 2636/3
	L'autre 2730/3
	Les marches de sable 2886/3
	L'enfant multiple 2970/3
	Le survivant 3171/2
	La cité fertile 3319/2
CHOW CHING LIE	Le palanquin des larmes 859/4
	Concerto du fleuve Jaune 1202/3
CICCIOLINA	Confessions 3085/3 Illustré
CLANCIER Georges-Emmanuel	Le pain noir 651/3
CLAUDE Hervé	L'enfant à l'oreille cassée 2753/2

Achevé d'imprimer en Europe (France)
par Brodard et Taupin à la Flèche (Sarthe)
le 18 janvier 1993. 1295H-5
Dépôt légal janvier 1993. ISBN 2-277-22863-X
1ᵉʳ dépôt légal dans la collection : sept. 1990

Éditions J'ai lu
27, rue Cassette, 75006 Paris
Diffusion France et étranger : Flammarion

2863